MW00439612

Eric T. Hansen

PLANET GERMANY

Eine Expedition
in die Heimat
des Hawaii-Toasts

Unter Mitarbeit von
Astrid Ule

Fischer
Taschenbuch
Verlag

Für Astrid

Originalausgabe
Erschienen im Fischer Taschenbuch Verlag,
einem Unternehmen der S. Fischer Verlag GmbH,
Frankfurt am Main, Dezember 2006

© S. Fischer Verlag GmbH, Frankfurt am Main 2006
Illustrationen: © Astrid Ule, Berlin
Satz: Pinkuin Satz und Datentechnik, Berlin
Druck und Bindung: Clausen & Bosse, Leck
Printed in Germany
ISBN-13: 978-3-596-17324-2
ISBN-10: 3-596-17324-8

Inhalt

Willkommen auf Planet Germany

In einem brandneuen Einkaufszentrum aus Glas, Stahl und buntem Kunststoff in Magdeburg musste ich feststellen, dass die Deutschen keine Vorstellung davon haben, wer sie eigentlich sind.

Ich arbeitete gerade an einem Artikel über deutsche Exporte nach Amerika und wollte wissen, auf welche Erzeugnisse man hierzulande besonders stolz ist. Also schlich ich um die großen Pflanzenkübel und Wasserfontänen herum und fragte die Leute, die sich dort vom Einkaufen erholten, welche deutschen Produkte oder Personen wohl in Amerika besonders gut ankämen.

Die Antworten waren erstaunlich. »Gar nichts, vermute ich«, sagten zwei Sekretärinnen, die gerade Mittagspause hatten. »Weiß nicht«, sagte die Mutter mit der Teenie-Tochter. Ich fragte fünf, sechs Passanten und bekam immer die gleiche Antwort.

»Aber hier kennt man so vieles, was aus Amerika kommt«, sagte ich. »Die Hollywoodfilme, die TV-Shows, McDonald's und Microsoft, Coca-Cola und Jeans. Die Amerikaner müssen doch auch mindestens ein, zwei deutsche Produkte kennen.«

»Och«, meinte ein junger Vater, der auf Frau und Kind wartete, »hier gibt's kein Hollywood. Kann ich mir nicht vorstellen, dass die Amis sich für irgendwas von uns interessieren.«

Da platzte mir der Kragen.

»Was ist mit Mercedes?«, fragte ich. »Volkswagen? BMW? Porsche? Gibt es überhaupt ein deutsches Auto, das in Amerika nicht berühmt ist? Braun, Bosch und Siemens? Gummibärchen und Nutella? Gutes dunkles Brot und überhaupt alles, was aus einer deutschen Bäckerei kommt? In meiner

High School damals gab es keine anständige Party ohne Löwenbräu und kein anständiges Auto ohne Stereoanlage von Blaupunkt oder Grundig. Was ist mit Claudia Schiffer und Heidi Klum? *Das Boot*, *Lola rennt* und den Märchen der Brüder Grimm? Wolfgang Petersen und Roland Emmerich? Kraftwerk, Nena, Rammstein? Wissen Sie überhaupt, woher die Scorpions kommen?«

Ich hätte noch mehr aufgezählt, aber ich sah schon: einem Deutschen kann man mit so was nicht so leicht imponieren.

»Kann sein«, sagte er und zuckte die Achseln. »Aber sonst nichts.«

Die Deutschen wissen nicht, wer sie sind.

Wenn sie sich anschauen, sehen sie ein kleines provinzielles Völkchen, das von allen anderen rumgeschubst wird. Ich sehe eine geballte Wirtschaftsmacht, die in der ganzen Welt geachtet wird. Sie sehen Hitler. Ich sehe Tilo Kolup, den falschen Kaiser. Sie sehen Pazifismus und Antikriegsdemonstrationen. Ich sehe den täglichen Kampf um einen Sitzplatz in der U-Bahn. Sie sehen Volksmusik. Ich sehe Element of Crime. Sie sehen Goethe, Bismarck und Hegel. Ich sehe Roberto Blanco, Perry Rhodan und Hawaii-Toast.

Wenn Sie sich von außen sehen könnten, wie ich als Amerikaner sie sehe, würden Sie glauben, diese eigenartigen Typen, die sich Deutsche nennen, kämen von einem fremden Planeten. Zuerst würden Ihnen kleine Merkwürdigkeiten ins Auge fallen: die Gartenzwerge, die Kuckucksuhren, die Rosamunde-Pilcher-Verfilmungen. Erst dann bemerken Sie das eigentlich Skurrile: die rätselhafte Beziehung dieses Volkes zum Staat, zum Genuss, zum Geld, zur Kultur und zur eigenen Identität. Falls Sie dann auf die Idee kämen, die Deutschen selbst zu fragen, warum sie so anders sind, würden Sie die Antwort bekommen: »Wieso denn? Das ist doch ganz normal.« Spätestens dann brauchten Sie einen guten Reiseführer.

Willkommen auf Planet Germany.

Die Deutschen suchen ihre Identität
wie andere den Yeti

Meine erste Begegnung mit den Mysterien der deutschen Seele ereignete sich 1985 in dem hübschen Städtchen Krefeld. In dem italienischen Eiscafé »Lorenzo« machte mich meine nagelneue deutsche Ehefrau mit einer ihrer Schulfreundinnen bekannt. Sie erzählte mir von ihren Erfahrungen als Austauschschülerin in den USA.

»Und, hat es dir gefallen?«, fragte ich, voller Hoffnung, dass meine Landsleute, auf ihr internationales Image bedacht, gut zu ihr gewesen waren.

»Es war die schlimmste Zeit meines Lebens«, sagte sie.

Alle Kids um sie herum hatten viel Spaß und genossen das Leben in vollen Zügen, sie jedoch wurde ausgeschlossen und gehänselt. Sie wusste auch, warum. Kurz nach ihrer Ankunft wurde ihr gesagt: »Hier in Amerika rasiert eine junge Dame ihre Beine.« Dass sie das nicht tat, machte sie zur Zielscheibe endloser Witze. Ihr Jahr in Amerika wurde zum Jahr in der Hölle.

Höflicherweise entschuldigte ich mich für die Intoleranz meiner Landsleute, doch irgendetwas hatte ich nicht verstanden. »Warum hast du dir nicht einfach die Beine rasiert?«, fragte ich.

»Wenn ich das getan hätte«, sagte sie, »wäre ich nicht mehr ich selbst gewesen.«

Die Antwort imponierte mir. Das nenne ich Konsequenz. Eine Amerikanerin hätte vielleicht gesagt: »Ich habe meine Beine aus Protest gegen die sexistische, ungleiche Behandlung von Männern und Frauen in unserer Gesellschaft nicht rasiert.« Solche Antworten hätten mich nicht überrascht. Junge Amerikanerinnen sind dafür berüchtigt, dass sie die Welt verbessern wollen. Aber keine von ihnen wäre auf die Idee gekommen, durch eine Rasur nicht mehr sie selbst zu sein.

Die Krefelderin sprach, als ob sie mit ihren Haaren ihre Seele verlieren würde. Auch wir Amerikaner kennen Seelenverlust, aber er tritt meist erst dann ein, nachdem man von einem Zombie gebissen wird. Bei den Deutschen geht das offenbar schneller. Ich stellte sie mir vor: ein deutscher Zombie auf der High School, auf rasierten Beinen seelenlos umherirrend.

Die Deutschen scheinen ihre Identität öfter als ihre Schlüssel zu verlegen. Auf einer Studentenparty in Passau lernte ich vor kurzem eine junge Dame kennen. Als sie hörte, dass ich Ami bin, ließ sie mich umgehend wissen: »Ich fühle mich zutiefst amerikanisiert.« Ein spezieller Fall von Identitätsverlust, mit dem sie nicht alleine dasteht.

Gleich im ersten Kapitel des 2004 erschienenen Buches von Michael Rutschky *Wie wir Amerikaner wurden* wird behauptet, »Deutschland hat seine Seele verloren«. Es ist lediglich die jüngste Veröffentlichung in einer langen Reihe von Büchern über die Amerikanisierung der deutschen Wirtschaft, Politik, Medien und der Sprache. Der Begriff *Kulturimperialismus* wurde nicht erst von den Alt-68ern erfunden. Bereits 1920 erschien von Gustav Wilhelm Meyer *Die Amerikanisierung Europas* und nur acht Jahre vor der Machtergreifung Hitlers schrieb der jüdisch-österreichische Autor Stefan Zweig, dass die amerikanische Populärkultur mit ihren Tänzen wie den Charleston die derzeit größte Gefahr für die Kultur darstelle.

Nicht nur Amerika bedrohte die deutsche Seele. In *Englischer Kulturimperialismus – Der »British Council« als Werkzeug der geistigen Einkreisung Deutschlands* belegte Franz Thierfelder glaubwürdig, dass die Engländer versuchten, den Deutschen mit Hilfe von Englischkursen ihre Kultur zu rauben. Das Buch erschien 1940, zeitgleich mit der Luftschlacht um England.

Der Glaube, man könne seine Identität durch den Konsum von Coca-Cola, Jeans, Popsongs, Hollywoodfilmen und Fastfood von McDonald's verlieren, ist ziemlich deutsch. Wir Amerikaner importieren deutsches Bier, italienische Schuhe, englische Filme und mexikanische Tacos, aber sie bringen unsere Seele nicht in Gefahr. Dafür ist bei uns der Teufel zuständig. Sollte jemand prophezeien: »Nehmt euch in Acht! Bald kommt ein ausländisches Getränk und raubt euch eure Seele!« – na ja, bei uns kriegt er damit nicht so schnell die Kirche voll. Nur hierzulande fürchtet man Popkultur mehr als der Teufel das Weihwasser. Der Satz: »Ich wurde amerikanisiert«, ist weniger eine Feststellung als vielmehr ein Beweis, dass der Sprecher mit Leib und Seele deutsch ist. Kein Amerikaner würde beim Kauf eines BMWs grübeln: »O Gott, werde ich nun germanisiert?« Keine amerikanische Mutter hat ihrem Kind Grimms Märchen verboten, aus Angst, das Kind könne deutsch werden. Ich bin auf Hawaii groß geworden und aß als Kind mehr Chow Mein, Sushi und Li Hing Mui als Hamburger. Doch nie hätte ich bezweifelt, dass ich Amerikaner bin. Ich lebe seit 20 Jahre in Deutschland, spreche deutsch, träume deutsch, doch ich bilde mir nicht ein, deutsch zu sein – oder gar meine Seele verloren zu haben. Die eigene Identität infrage zu stellen, also das ist einfach typisch deutsch.

Oder haben sie doch Recht? Haben die Deutschen ihre Seele tatsächlich an Amerika verloren? Ich wollte es wissen. An einem der wenigen sonnigen Tage im Sommer 2005 nahm ich einen Schreibblock und notierte die vier besten Sprüche über die Amerikanisierung der Germanen:

1. »Bald gibt es bei uns an jeder Ecke einen McDonald's.«
2. »Wir kaufen jeden Scheiß, der aus Amerika kommt.«
3. »In der Politik geht es nur noch um Show, wie in Amerika.«
4. »Durch die Besatzung wurde uns die amerikanische Kultur aufgezwungen.«

Punkt eins: die McDonaldisierung. Eine sehr deutsche Idee, was man daran merkt, dass ich das Wort *McDonaldization* nicht mal aussprechen kann. Ich machte mich auf den Weg von meiner Wohnung in Berlin-Schöneberg in Richtung McDonald's. Dabei zählte ich die Ecken:

Kein McDonald's an der ersten Ecke.

Kein McDonald's an der zweiten Ecke.

An der dritten Ecke fand ich ein erstes Zeichen der um sich greifenden Amerikanisierung: Ein deutsches Restaurant, das, mitten in Berlin, einem Hollywoodstar gewidmet ist: Marlene Dietrich.

Vierte Ecke: Auch kein McDonald's, aber ganz klar ein Fall von Kulturimperialismus, denn auf der Speisekarte des deutschen Restaurants Tuffstein standen Tapas und Tortillas, Pasta und Pizza. Offenbar ein Fall mehrfachen Identitätsverlustes: an welches Land hat der Besitzer seine Seele denn nun verloren? Gegenüber stand zum Glück eine traditionelle Pommes- und Currywurstbude – von einer Türkin betrieben. In mir stieg Verwirrung auf: Irgendeine Identität ist hier verloren gegangen, aber die der Betreiberin oder die der Wurst?

An der neunten Ecke fing die Amerikanisierung richtig an: Ein Stehcafé namens »Downtown«. Allerdings, so richtig zu Hause habe ich mich in dem Laden nie gefühlt. Der italienische Kaffee ist einfach zu gut für einen amerikanischen Coffee-Shop. Dann bog ich in die Hauptstraße ein, Richtung Potsdamer Platz, wo zahlreiche Türken, Vietnamesen, Italiener und Griechen ihre fremdländischen Speisen anboten. Ich ging am Chinaimbiss Jin-Xin, Öz Adana Asma Alti Holzgrillspezialitäten und Khayyam Persische Spezialitäten vorbei und dachte abwechselnd: »Ich bin nicht mehr in Deutschland!«, dann: »So viele ausländische Imbisse! Das gibt es nur in Deutschland!« Widersprüchliche Gedanken, die auf Dauer recht ermüdend wirkten.

Ecke Nr. 32 machte mir Hoffnung, denn hier stand etwas Deutsches: ein Café. Allerdings nur für Frauen. Das brachte mich wiederum durcheinander. Frauenimperialismus? Darauf war ich nicht wirklich vorbereitet. Ich eilte weiter. Türkischer Grill, China Grill, Istanbul Grill. Langsam dämmerte mir, was für eine genial-perfide Strategie die internationale Gastronomieclique verfolgt: Sie wollen die Deutschen mit massiver, unausweichlicher Vielfalt verwirren. Plötzlich und unverhofft eine einsame Insel kultureller Echtheit: »Bratwunder« verteidigte allein auf weiter Flur die Werte des deutschen Würstchens. Dann, direkt nach dem Annan China Imbiss, stand ich vor Amerika pur: Burger King.

Das war zwar nicht McDonald's, aber mir fehlte die Kraft weiterzumachen. Ich erwarb eine Tüte Zwiebelringe – eine amerikanische Erfindung, für die ich manchmal schon meine Seele verkaufen könnte – und prüfte meine Zahlen. Von bisher 78 Möglichkeiten, mich irgendwie mit Essen zu versorgen, waren 33 türkisch, 29 deutsch, 8 asiatisch, 5 italienisch, 2 griechisch, 1 persisch und 1 amerikanisch. Und das bei 41 Ecken.

Ich stelle die gewagte These auf, dass die Theorie der McDonaldisierung Deutschlands ein wenig übertrieben ist. Laut Deutschem Hotel- und Gaststättenverband DEHOGA gibt es 1650 Hamburger-Restaurants in Deutschland, wenn man McDonald's und Burger King zusammenrechnet. Daneben existieren etwa 3500 China-Restaurants, 12 000 Döner-Läden und 23 000 Pizzerien.

McDonald's war nicht der Anfang von Fastfood in Deutschland. Im Gegenteil, das gab es hierzulande schon viel früher als in meiner Heimat.

Schon im Spätmittelalter wurden heiße Würstchen und Komplettmahlzeiten auf Märkten verkauft. In Weimar gibt es eine Rezeptur für Thüringer Bratwurst aus dem Jahre 1613. Der bayerische Wärschtlamo oder Wurstmann existiert mindestens seit 1881; in Österreich steht der Würstelstand seit der K&K-Monarchie. Im 19. Jahrhundert waren hierzulande so genannte Automatenrestaurants aus England populär, in denen man Fertiggerichte aus Fächern hinter Glas wählen konnte. Es waren Napoleons Soldaten, die den Imbissstand, genannt Bistro, nach Frankreich importiert haben, und zwar auf dem Rückzug aus Russland. Die Currywurst wurde kurz nach dem Zweiten Weltkrieg erfunden. Und Pommes – die meistgekaufte Fastfood-Speise Amerikas und laut McDonald's-Gründer Ray Kroc das eigentliche Geheimnis seines Erfolges – sind eine europäische Erfindung aus Belgien, Frankreich oder Spanien, die auf das 17. Jahrhundert zurückgeht.

Fastfood-Ketten gibt es hier bereits länger als in Amerika. Wenn ich auf meinem Spaziergang an der 12. Ecke links statt rechts abgebogen wäre, hätte ich in 30 Sekunden eine Filiale der Nordsee-Kette erreicht, ein über 100-jähriges Fastfood-Imperium. Bereits 1896 verkaufte Nordsee Fischbrötchen an Arbeiter in der Mittagspause, kurz danach komplette Mahlzeiten. Als McDonald's 1955 in heutiger Form gegründet wurde (im selben Jahr, in dem der erste Wienerwald in München eröffnete), existierten bereits 250 Nordsee-Filialen.

Die DEHOGA spricht übrigens nicht von »Fastfood«, sondern von »Systemer«. Auf der Liste der Top-Systemer stehen nach McDonald's die Lufthansa, die Raststättengruppe Autobahn Tank & Rast, Karstadt, Metro, Aral, Mitropa und etwa 90 weitere deutsche Firmen. Ich dachte immer, solange man nicht bei McDonald's oder Burger King isst, lebt man gesund – doch auch Ikea, Mövenpick und Hallo Pizza servieren Fließbanddinners. Denn standardisierte, industriell vorbereitete Speisen sind nichts anderes als Fastfood. Das bedeutet, eine der deutschesten Speisen überhaupt gehört ebenso dazu: Hallo Bockwürstchen.

McDonald's hat Deutschlands Esskultur nicht verändert. Im Gegenteil, der Hamburger hat sich ziemlich brav in eine bereits bestehende Fastfood-Landschaft eingeordnet. Es gibt weniger eine McDonaldisierung als eine McDonald's-Phobie. Amerikanische Firmen und Marken jagen den Deutschen mehr Angst ein als die Produkte aller anderen Länder zusammen. Sobald die Sprache auf Microsoft oder Starbucks kommt, höre ich Sätze wie: »Die Amis fallen hier ein, und egal, ob wir ihre Produkte wollen oder nicht, wir haben keine andere Wahl als sie zu kaufen.« Demnach wären die Deutschen die einzigen Menschen auf der Welt, die zum Shopping gezwungen werden. Es ist, als ob unser Präsident persönlich der Bundeskanzlerin Haue androht, falls die Deutschen nicht ordentlich US-Produkte kaufen.

Hört man sich dagegen in Amerika um, hat Deutschland den Ruf, einer der härtesten und unfreundlichsten Märkte der Welt zu sein. Als man hier bei der Ankunft von McDonald's in den 70ern lautstark den Untergang der abendländischen Esskultur beklagte, spitzten auch andere Fastfood-Ketten die Ohren. Vor allem Wendy's, mit 6670 Hamburger-Restaurants auf Platz 3 in Amerika, registrierte, dass Deutschland in Sachen Hamburger richtiggehend unterentwickelt war. Bei uns gibt es nämlich etwa zwei Dutzend erfolgreiche Hamburger-Ketten; hierzulande gab es bis zu diesem Zeitpunkt nur zwei. Da passen noch ein paar rein, dachte sich Wendy's, und begann Anfang der 80er Jahre in Deutschland zu investieren und eröffnete Restaurants in mehreren Städten.

Nach ein paar Jahren waren alle wieder zu. Vermutlich bass erstaunt hatte sich die Firma aus Deutschland zurückgezogen (Wendy's Presseabteilung zieht es vor, keine Stellungnahme zu den damaligen Ereignissen abzugeben). Offenbar hatte sie übersehen – genau wie die Deutschen selber auch –, dass man hierzulande bereits eine hoch entwickelte Fastfood-Industrie hatte, in der der gemeine Hamburger nur eine Nebenrolle spielt. Ein bisschen verletzt das schon meine nationale Ehre, wenn ich ehrlich bin. Was ist das für ein Land, wo der Bedarf an Hamburgern nicht mal für drei Ketten ausreicht?

Und wo wir gerade bei grundlegenden Fragen sind: Was ist das für ein Land, in dem Familien nicht in Videotheken gehen dürfen?

In unsere Videotheken fällt die gesamte Familie ein und sucht sich Filme aus, um sie gemeinsam zu Hause anzuschauen – ganz familienfreundlich. In den meisten deutschen Videotheken haben Jugendliche keinen Zutritt. Das sprach sich herum, und die Videothekenkette Blockbuster entschloss sich, diese offensichtliche Marktlücke zu schließen. 1995 feierte sie mit 25 Läden in München und Berlin ihr »Grand Opening« und überzog die Städte mit Werbung. Ein Blockbuster-Manager frohlockte gar in der Presse, die Deutschen würden froh sein, endlich eine Videothek zu bekommen, die nicht voller »Schweinkram« sei.

Knapp zwei Jahre später schloss Blockbuster seine Stores und zog sich aus Deutschland zurück, diesmal ohne sein »Grand Closing« groß zu feiern.

Ein Manager der Berliner Kette Video World gab mir gegenüber zu: Sie hatten damals gezittert. Mit fast 5000 Läden in den USA ist Blockbuster noch heute Amerikas größte Videothekenkette. Video World hat 50 Filialen. Aber, fügte er hinzu: »Blockbuster hat den Markt hier nicht verstanden.« Mehr wollte er nicht verraten. Es kann gut sein, dass Blockbuster die vermeintliche Marktlücke nicht richtig einschätzte. Die Rendite bei Pornographie ist nämlich so hoch, dass manche Videotheken bis zu 30 % ihres Umsatzes mit Erotik machten, vor allem in den 90ern, bevor es Internet gab. Die Videokunden machten einen Bogen um die Blockbuster Stores und gingen lieber zu Video World, wo der Papa für die Kinder *Der König der Löwen* und für die Mama *Hausfrauen ohne Tabus* holte.

Dann kam GAP. Wenn die Deutschen schon so auf Jeans stehen, die ursprünglich bloß eine Arbeitshose war, dann müsste es ja ein Leichtes sein, ihnen auch richtige amerikanische Mode unterzujubeln, dachte sich der US-Bekleidungsriese. Die deutschen Einzelhändler gerieten in Angst und Schrecken, als GAP in den 90ern eigene Läden eröffnete. Mit 1290 Läden in Amerika und beinahe 350 im Rest der Welt ist GAP die weltweit größte Bekleidungsfirma und vermutlich auch die mächtigste. Die Konsumenten ließ das kalt. 2004 musste GAP seine deutschen Läden wieder schließen. Die Klamotten sind weiterhin hier erhältlich, aber die Popularität der Marke reicht einfach nicht aus, eigene Läden zu unterhalten.

Was ist der Grund? Es ist nicht so, dass man hier keine Klamotten aus dem Ausland kauft. Ganz im Gegenteil. Außer GAP sind die anderen weltgrößten Bekleidungsfirmen hierzulande gut vertreten: H&M aus Schweden hat 270 Läden, die spanische Kette Zara betreibt 37 Filialen und der italienische Gigant Benetton besitzt 250 Geschäfte.

Inzwischen weiß jeder amerikanische Exporteur, dass die Deutschen zu den eigensinnigsten Konsumenten Europas gehören. Nur die Deutschen wissen es nicht. Auch meine Heimat ist von ausländischen Firmen überschwemmt: Amerikas größtes Möbelhaus ist schwedisch, sein größter Verlag deutsch und das verbreitetste Spielzeug – die PlayStation – japanisch. Wir interpretieren das aber nicht als Beweis, dass wir kein Selbstvertrauen hätten und uns alles Mögliche aufzwingen lassen. Im Gegenteil: Für uns ist das ein Zeichen, dass wir einen echt tollen internationalen Geschmack besitzen. »Ich weiß schon, dieser Pashmina-Pullover war eigentlich viel zu teuer – du weißt ja, speziell ausgebildete Kashmiri müssen dem Schaf jedes Haar einzeln auspflücken – aber er hält wirklich warm.« Die Frage ist nicht, warum es hier so viele ausländische Geschäfte gibt, sondern, warum die Deutschen dies zu ihren eigenen Ungunsten interpretieren: »Wieder ein Beweis, wie manipulierbar wir doch sind.«

Ich rief die Bundesbank an und fragte, wie viel Mist denn Amerika wirklich auf den deutschen Markt schmeißt.

»Auf jeden Fall weniger als Frankreich«, sagte der Sachbearbeiter, zuständig für Außenhandelstatistik. Das traf doch meinen Stolz. Ich hätte geschworen, dass Amerika der größte Exporteur ist, aber meine Heimat steht tatsächlich erst an zweiter Stelle.

»Aber die Amis exportieren doch viel mehr Waren nach Deutschland als die Deutschen nach Amerika …?«, meinte ich. Jetzt stand meine nationale Ehre auf dem Spiel.

Keineswegs, konstatierte der Bundesbankstatistiker.

Die Currywurst ist zwar in den USA noch nicht erhältlich, jedoch so gut wie alles andere. 2004 führte Deutschland Waren und Dienstleistungen im Wert von 64,8 Milliarden Euro nach Amerika aus – fast ein Drittel mehr, als die USA nach Deutschland exportierten. »Was glauben Sie, wie viele deutsche Firmen in Amerika Niederlassungen haben?«, fragte der Statistiker. Weit über 3400, denen lediglich 1400 amerikanischen Firmen in Deutschland gegenüberstehen. Das fängt groß an, zum Beispiel mit Bertelsmann, der Random House, den größten und einflussreichsten Verlag Amerikas, gekauft hat. Hochpreisig geht es weiter: DaimlerChrysler baut seine M-Klasse in Amerika, BMW den Z4. Deutsche Banken unterhalten Töchter und Filialen in Übersee. »Es gibt kaum ein deutsches Chemieunternehmen, das nicht in den USA produziert«, ergänzte der Statistiker. Dazu kommen noch etwa 1000 weitere Unternehmen, die zu klein sind, um von der Bundesbankstatistik erfasst zu werden: Vertriebsfirmen deutscher Hersteller, Zulieferer, Chemie-, Kunststoff- und Metallverarbeitungsfirmen.

Das hat man gern. Die Deutschen beklagen sich lautstark darüber, dass sie amerikanisiert werden, und sind die ganze Zeit klammheimlich dabei, die USA zu germanisieren.

Das wirklich Erschreckende ist jedoch: während Deutschland sich über Amerika aufregt, wird es aus dem Hinterhalt hartnäckig von einem völlig unverdächtigen Land bedrängt, das in aller Stille sein Unheil anrichten kann. Ich spreche natürlich von Schweden.

Das geht schon im Kinderzimmer los. Wenn die Mutter einem *Pippi Langstrumpf* aufdrängt, sagt sie doch dabei nicht, Kind, das ist eine schwedische Geschichte, das könnte Folgen haben. Niemand fragt die deutschen Kinder, ob sie vielleicht lieber die Geschichte von Siegfried und Hagen und dem Blutbad der Nibelungen hören wollen. Kein Wunder, dass sie bei H&M landen, wenn sie ihre Klamotten kaufen, und sobald sie die erste eigene Wohnung beziehen, wandern sie automatisch zu Ikea. Zu Hause angelangt, machen sie es sich bequem auf einer Couch namens Klippan neben einer Regalkombi namens Ivar. (Wieso eigentlich nicht Couch

Bielefeld und Regalkombi Garmisch-Partenkirchen?) Sie machen das Radio an, und was müssen sie hören? Abba. Sie schalten den Fernseher an, und was läuft? Ein Klassiker von Ingmar Bergman. Sie greifen zum Buch: ein Krimi von Henning Mankell. Sie laden ihre Freundin ein und wollen sie beeindrucken, also diskutieren sie den schwedischen Sozialstaat als politisches Modell. Zur Einstimmung werfen sie dann einen Porno ein – aus Schweden, natürlich. Ist die Sache von Erfolg gekrönt und sie haben ein paar Kinder, kaufen sie ein praktisches Auto, das für seine Sicherheit bekannt ist: den Volvo. Gibt es denn kein Entrinnen? Die Schweden beherrschen schon ganz Skandinavien, behandeln Norwegen wie eine Kolonie und unterdrücken die armen Sámi, aber das reicht ihnen nicht. Nein, sie müssen die Welt mit Knäckebrot überziehen.

Der amerikanisierteste deutsche Wahlkampf, den ich je gesehen habe, war die Berliner Bürgermeisterwahl 2001. Der hoffnungsvolle junge CDU-Kandidat hieß Frank Steffel. Geleckt, glatt und grinsend posierte er mit seiner perfekt gestylten Ehefrau genauso wie unsere Präsidentschaftskandidaten es tun: Brust raus, Kopf hoch, Anzug gebügelt, Haare geföhnt, es fehlte nur die amerikanische Flagge im Hintergrund. Die Zeitungen nannten ihn den »amerikanischen Polit-Profi«, »John F. Steffel« und den »Berliner Kännedi«.

Noch nie hat die Presse lauter »amerikanisch!« geschrien. Noch nie habe ich mir so oft an die Stirn geklatscht und gemurmelt: »O Gott, ist der deutsch.«

In seinem Bemühen, einem amerikanischen Wahlkampf nachzueifern, ließ Steffel bei manchen seiner öffentlichen Auftritte Jennifer Lopez singen (von CD natürlich). Dafür musste er sich rechtfertigen. »Früher hat die Berliner CDU die Schöneberger Sängerknaben *Berliner Luft* singen lassen«, sagte Steffel der *taz*. »Jetzt spielen wir eben Jennifer Lopez. Das Ganze muss ja auch zu dem Kandidaten passen, der sich präsentiert.« Warum ausgerechnet Jennifer Lopez zu ihm passt, hat er nicht verraten. Vielleicht tanzt er gern? Vielleicht treten er und Jennifer gleichermaßen für die Rechte der kubanischen Minderheit in Florida ein?

Jennifer Lopez zu spielen galt als »amerikanisch«, weil Steffel damit Show über Inhalt erhob. Jennifer sang nämlich auf Englisch. Das heißt, für die wenigsten im Publikum waren ihre politischen Standpunkte verständlich. Ein Amerikaner würde nie auf die Idee kommen, fremdsprachige Popsongs könnten den Wählern seine Ideen näher bringen. Ich frage mich, was passiert wäre, wenn George W. Bush beim Wahlkampf in Texas Lieder von Roberto Blanco gespielt hätte (»*Ein bisschen Spaß muss sein …*«). Es überraschte niemanden, dass Steffels Gegenkandidat Klaus Wowereit, der besser zwinkern als grinsen konnte, vom politikmüden Berliner Publikum zum Bürgermeister erkoren wurde.

Was Deutsche für »bloße Show« halten, ist nur die eine Seite der Medaille. Wie die Amerikaner Show und politische Inhalte vereinen, zeigte Bill Clinton beispielhaft in seinem erfolgreichen Wahlkampf um die Präsidentschaft 1992. Auch auf seinen Kundgebungen erklang ein Popsong: *Don't Stop* von Fleetwood Mac. Die Zielgruppe, die er erreichen wollten, hatte auf dieses Lied in ihrer High-School-Zeit getanzt. Sie kannten es in- und auswendig, es war ein Teil von ihnen, es ging ihnen ans Herz. Den Text konnten sie mitsingen:

Don't stop thinking about tomorrow
Don't stop – it'll soon be here.
It'll be better than before
Yesterday's gone, yesterday's gone.

Amerika hatte gerade acht Jahre Ronald Reagan und vier Jahre George Bush senior hinter sich. Das linke Amerika, das Clinton ansprechen wollte, hatte fast schon aufgegeben, auf eine linke Regierung zu hoffen. Dann kam Clinton und sagte ihnen in Worten, die sie liebten und mitsingen konnten: »Morgen wird besser als je zuvor. Gestern ist vorbei, gestern ist vorbei.« Das Lied ging ihnen durch Mark und Bein, es war ein Kampfaufruf, stark, emotional und motivierend.

Als Gerhard Schröder vor seiner Wahl zum Bundeskanzler in der RTL-Sendung *Gute Zeiten Schlechte Zeiten* auftrat, wurde ebenfalls von inhaltloser Show gesprochen. Doch der Auftritt war eine Botschaft. Hätte er bei Sabine Christiansen irgendwas von Jugend gefaselt, wäre es nur ein Spruch gewesen. Indem er mit solch einem Auftritt Kritik in der Presse riskierte, sagte er deutlich: »Ich halte die Jugend nicht für dumm, und ich stehe nicht über ihr.«

Mit seiner Jennifer hat Steffel höchstens sein Publikum zum Tanzen aufgefordert. Sein Problem war nicht, dass er amerikanisiert war, sondern, dass er nicht wusste, was er tat.

Wenn Soziologen die Amerikanisierung der Politik und des Wahlkampfes diskutieren, stoßen sie immer wieder auf das nervige Problem, dass man »Amerikanisierung« oft problemlos mit dem Wort »Modernisierung« ersetzen kann. Als Willy Brandt amerikanische Wahlkampfberater in sein Team holte – tat er das, weil er amerikahörig war, oder weil seine deutschen Mitarbeiter die Veränderungen in den Medien und in der Massenkommunikation verschlafen hatten? Hat er amerikanische Verhältnisse in die Heimat geholt oder moderne Verhältnisse? Es ist ein bisschen, als ob man in einen Hamburger beißt, innehält und sich fragt: »Mein Gott, bin ich amerikanisiert ... oder habe ich bloß Hunger?«

Die Deutschen könnten ihre Politik nicht amerikanisieren, selbst wenn sie es wollten. Ihre Version von Demokratie hat einfach einen deutschen Charakter: »Leute, hier wird keine Entscheidung gefällt, bis jeder Einzelne seine Meinung abgegeben hat. Noch ein Bier?« Bei einer deutschen Wahl gibt es keine Gewinner und Verlierer, sondern nur eine neue Koalition. Da reibt man sich die Hände und freut sich auf viele lange Gespräche, emotionale Stellungnahmen, schockierende Kontroversen, selbstgerechte Abtrünnige, zerknirschte Selbstbezichtigungen und am Ende einen dicken, leckeren Kompromiss, Stoff für noch mehr lange Gespräche und emotionale Auseinandersetzungen. Da sind die Deutschen in ihrem Element. In den USA haben wir keinen Zwang zur absoluten Mehrheit. Wir glauben nicht an das Prinzip des Konsens, sondern an das Prinzip des Gewinnens und Verlierens. Das geht so: Einer gewinnt, alle andere verlieren. Danach setzt sich der Gewinner mit sich selbst zusammen und entscheidet allein, was er machen will. Die Verlierer setzen sich irgendwo anders hin und führen lange, intelligente Gespräche.

Die amerikanischste aller deutschen Parteien sind die Grünen. Es fängt schon mit dem Namen an: keine kalte Abkürzung, sondern ein freundlicher, witziger und sympathischer Name, der zugleich etwas Neues ist. Alles am Auftritt der Grünen ist dahingehend konzipiert, sich von anderen Parteien abzuheben. Ihr Image ist erstaunlich zielgruppengerecht. Sie umwerben ganz bestimmte Wähler, die von anderen Parteien vernachlässigt werden. Sie reden gern über die Wichtigkeit von Inhalten und pflegen ihr Image besser als jeder andere. Joschka Fischer, anfangs mit seinen Jeans und Turnschuhen, später mit seinem Volkssport Jogging; Hans-Christian Ströbele mit seinem roten Schal und diesem verdammten Fahrrad … Jeder Grünen-Politiker ist ein Selbstvermarkter, dem kein Hollywoodstar das Wasser reichen kann.

Trotzdem sind sie die deutscheste Partei. Wir Amerikaner haben nämlich auch eine grüne Partei, doch bei uns nimmt sie niemand ernst, weil sie ein Nebenthema wie Umwelt zum Hauptanliegen deklariert. Wahrend die großen Parteien hierzulande auch große philosophische Ideen wie christliche, demokratische und soziale Werte verkörpern wollen, bauen die Grünen eine erstaunlich erfolgreiche politische Existenz auf einem Detail auf. Und hacken immer wieder auf diesem Detail mit einer moralischen Penetranz rum, die ich sonst nur von amerikanischen Fernsehpredigern kenne. Ich staune, dass die Grünen nicht längst einen eigenen Fernsehkanal betreiben, wo Abgeordnete jeden Sonntagmorgen Umweltbewusstsein predigen und um Spenden bitten. Auch ihr weltfremder Idealismus ist deutsch. Kaum durften sie mitregieren, spalteten sie sich in »Realos« und »Fundis« auf, je nachdem, ob sie sich der wirklichen Welt der Politik stellen oder lieber nur schöne Sprüche klopfen wollten (eine Tätigkeit, die hierzulande durchaus respektiert wird). Amerikanische Politiker sind alle Realos, und je schlechter sie in den Meinungsumfragen stehen, desto realoer werden sie.

Das Interessanteste an der These der Amerikanisierung ist, was sie über die Deutschen selber sagt. Als Brandt als »amerikanisiert« beschimpft wurde, war das keine sachliche Feststellung, sondern Wahlkampf. Es hieß nichts anderes als »nicht deutsch«. Der Vorwurf der Amerikanisierung ist hierzulande ein beliebtes Mittel, einen politischen Gegner als fremdbestimmt und somit ungeeignet darzustellen. »Es hat sich gezeigt, dass das Shopping deutscher Wahlkampfmanager in den USA keineswegs ein neuer Trend ist«, schreibt die Soziologin Christina Holtz-Bacha in *Trans-Atlantic – Trans-Portabel?* (Hrsg. Klaus Kamps): »ebenso wenig der Vorwurf der Amerikanisierung an deutsche Wahlkämpfe. Dass dieser regelmäßig neu belebt wird, hat sich in Deutschland fast zum Wahlkampfritual entwickelt.«

In Amerika machen wir unsere Kandidaten auch fertig, aber nicht, indem wir ihnen vorwerfen, sie seien »germanisiert«. Als Bill Clintons Gegner ihn als »unamerikanisch« darstellen wollten, machten sie sich darüber lustig, dass Clinton in Oxford studiert hatte, denn wir Amis halten nichts von diesen eingebildeten, elitären Euro-Intellektuellen, die gescheit reden können, sich aber die Finger nicht schmutzig machen. Clinton bewies umgehend das Gegenteil, indem er auffällig viele Hamburger in billigen Fastfood-Restaurants verschlang.

»Sie können nicht leugnen, dass wir durch die jahrelange Besatzung gewissermaßen amerikanisiert sind«, sagte mir der Feuilletonredakteur einer großen Wochenzeitung.

»Doch, doch, das kann ich«, versicherte ich ihm.

Wir saßen beim Mittagessen in Café Einstein in Berlin. Er

hatte mir gerade erklärt, was Lammstiele sind, und das Gespräch ging nahtlos zur Theorie der Amerikanisierung über. Auf solch ein Gespräch bin ich immer vorbereitet. Ich wollte just zu einer ausführliche Erörterung der Amerikanisierung als Illusion anheben, als er mich unterbrach.

»Ich weiß, was Sie meinen«, sagte er. »Nur, weil wir Jeans tragen, heißt das noch lange nicht, dass wir Amerikaner sind. Stimmt auch. Und ich weiß, die Franzosen und Engländer halten sich auch für amerikanisiert und sie erlebten keine Besatzung, also kann es nicht daran liegen. Stimmt alles. Aber einen gewissen Wandel gab es doch, und ich meine das im guten Sinne. Wir haben es vor allem den Amerikanern zu verdanken, dass sich die Deutschen nach dem Krieg ein bisschen entkrampft haben. Sie müssen sich vorstellen, das war im Grunde noch Preußen. Dann kamen die Amis mit ihrer Popmusik und ihrem lässigen Lebensstil und mit ihrer Einstellung, das Leben leicht zu nehmen. Das hat den Deutschen gut getan.«

Ich entspannte mich. Dieses Argument war mir tatsächlich neu. Jeder weiß, die Deutschen waren damals sehr verkrampft und sind es heute nicht mehr. Zumindest sagt man das so. Ich bin kein Historiker, also muss ich diese Einschätzung akzeptieren. Außerdem schmeichelt es schon, zu denken, dass unser Elvis den Deutschen ihr Preußentum abgewöhnt hat.

Doch Moment mal. Elvis war gut, aber war er so gut?

Wer behauptet, die Popkultur wurde den deutschen Kids übergestülpt, verkennt, was diese Kids alles geleistet haben. Sie waren es nämlich, die die moralische Grundlage für das heutige Deutschland gelegt haben, während sie scheinbar hirnlos und konsumgeil auf Chuck Berry abtanzten.

Bill Haley landete den ersten großen Rock'n'Roll-Hit *Rock Around the Clock* 1954. Das war mitten im Kalten Krieg. Die Propagandamaßnahmen der Alliierten waren abgeschlossen oder aufgegeben. Die Westdeutschen hatten ihre politische, wirtschaftliche und kulturelle Hoheit zurück. (Die Amis beschallten noch Ostdeutschland, doch man kann nicht behaupten, dass die DDR sonderlich amerikanisiert wurde.) Wer im

Westen Rock'n'Roll hören wollte, musste den Militärsender AFN einschalten. Die Soldaten verteilten manchmal Schokolade, aber wer Jeans wollte, musste sie kaufen. Und sie waren teuer. Diese Jugendkultur gehörte nicht zum Plan der USA, den Deutschen die Identität zu rauben. Sie gehörte zum Plan der Kids, das Geld ihrer Eltern auszugeben.

Diese Kids hatten mit ihren Eltern nicht mehr viel gemeinsam. In seinem Buch *Roll over, Beethoven!* über die Amerikanisierung stellt Kaspar Maase, Kulturwissenschaftler an der Universität Tübingen, fest, dass die Versuche der »Reeducation« in den ersten Jahren nach Kriegsende, also bei der Generation der Eltern, von den Amerikanern selbst als nicht gerade erfolgreich eingestuft wurden. »Meinungsumfragen und soziologische Studien zeigten, dass … die Mehrzahl der Menschen die amerikanischen Muster für soziale und kulturelle Entwicklung ablehnte.«

Der Mentalitätswandel kam erst mit dem unglaublichen Wohlstand der 50er Jahre. Wer im Geld schwimmt, hat es schwer, seinem Kind die Werte des Dritten Reiches oder der mageren 20er zu vermitteln. »In den Fünfzigern war die Beziehung zwischen Eltern und Kindern besonders gereizt und potentiell explosiv«, schreibt Maase. »Umgeben von wachsendem Wohlstand und Liberalismus, sträubten sich die jungen Leute zunehmend gegen Kontrolle und Gängelung … Diese sozio-psychologische Situation erklärt zum Teil, warum die Nachkriegskinder in ihrer Jugend die provokanten Ideen der US-Jugendkultur aufgriffen, um eine symbolische Grenze zwischen ihnen und der älteren Generation zu ziehen.«

Heute stellt man sich die damalige Jugend gern als angepasst und oberflächlich vor, weil sie keine APO, keine Demos und keine RAF hatte. Doch wer die Heile-Welt-Filmchen jener Zeit genauer anschaut, erkennt, wie groß die Verunsicherung durch den Generationskonflikt war. In dem Heinz-Erhardt-Streifen *Vater, Mutter und neun Kinder* von 1958 rebelliert jedes seiner Kinder auf andere Weise. Eine Tochter hat einen abstrakten Künstler geheiratet, eine andere Tochter verliebt

sich in einen etwas befremdlichen Franzosen, und das Nest-
häkchen raucht heimlich. Alle scheinen viel Spaß zu haben,
aber unter der Oberfläche steht jedes Kind in direktem Konflikt zu den Werten der Elterngeneration. Doch das Interessanteste an diesem Film ist Familienvater Erhardt, der mit
den Fehlern seiner jüngsten Vergangenheit zu kämpfen hat.
Denn er hat ein dunkles Geheimnis, und seine emanzipierte
Journalistin-Tochter will es aufdecken. Nein, es handelt sich
nicht um seine Verwicklung im Dritten Reich, sondern um ein
lustiges Missverständnis mit einer Dame, und am Ende stellt
sich natürlich seine Unschuld heraus. Doch keiner kann mir
erzählen, dass die Kinozuschauer der 50er Jahre beim Thema
Vergangenheit, Schuld und Aufdecken nicht wussten, worum
es ging.

Erhardt (bei Tisch): »Eine einzige Fliege im Zimmer und
ausgerechnet die kommt immer zu mir.«
Ehefrau: »Aber Vater, lass die unschuldige Fliege.«
Erhardt: »Woher weißt du, dass die unschuldig ist?«

Nein, die Kids der 50er waren beileibe nicht so doof, wie es
die 68er-Generation gern glaubte. Sie waren es, die mit der
Ablehnung der Werte ihrer Eltern dieses Land grundlegend
geändert haben. Ohne die mentale Kehrtwende der Generation der ach so oberflächlichen Wirtschaftswunderkinder ist
das heutige Deutschland mit seinen hohen moralischen Ansprüchen und seinem tiefem Pazifismus nicht denkbar. Es war
eine deutsche Entwicklung und eine deutsche Leistung. Die
Amis haben nur den Soundtrack dazu geliefert.

Aber die Deutschen sind Träumer. Wenn es keine echte
Amerikanisierung gegeben hat, erfinden sie eine. Die real
existierende Besatzung wurde an einen Schauplatz verlegt,
der so abstrakt ist, dass ihn niemand unter die Lupe nehmen
kann: das Schlachtfeld der Identität. Ob im Guten oder im
Schlechten: Hier ist jedes Stück Schokolade, das die GIs je
an westdeutsche Kinder verfüttert haben, der Anfang einer

perfiden Gehirnwäsche, und mit jedem Popsong verliert man mehr und mehr seine Seele.

Mit abstrakten Ideen verhält es sich ähnlich wie mit dem Yeti. Jeder weiß, den Yeti gibt es wirklich, aber keiner hat ihn je gesehen. Es gibt nur eine Möglichkeit, den Yeti zu beschreiben. Man stelle sich den Himalaja vor. Dann denke man sich alles weg, was nicht der Yeti ist: Dörfer und Straßen, Sherpas, Felder und Wälder, Ziegen, Vögel und Mücken; die Schluchten, Hänge und Schnee, ja die Berge selbst. Das, was übrig bleibt, ist der Yeti.

So definieren die Deutschen ihre Identität. Sie nehmen nicht das, was da ist, und beschreiben es: Sie stellen sich das vor, was fehlt.

Eine Freundin fragte mich einmal, was für mich typisch deutsch sei. Für mich ist es das Händeschütteln. Das ist einer ihrer schönsten Bräuche.

Wir Amerikaner geben uns nur ein paar Mal in Lauf einer Freundschaft die Hand: Beim ersten Mal, wenn wir uns kennen lernen: *Nice to meet you*. Dann vielleicht nochmal, wenn wir uns lange nicht gesehen haben oder um zu gratulieren. Es ist eine Formalität. Wer bei uns befreundet ist, braucht keine Formalitäten (zumindest glauben wir das gern). In Deutschland fand ich es anfangs befremdlich – und auch ziemlich lustig –, dass man sich regelmäßig die Hand gibt. Es kommt vor, dass Freunde, die sich jeden Tag sehen, sich auch jeden Tag die Hand geben. Ist bei so viel Regelwerk Freundschaft überhaupt möglich? Muss ich vielleicht ein Formular ausfüllen, um eine Freundschaft anzufangen? Dann aber fiel mir auf, was da wirklich passiert. Ein Händedruck ist eine Beteuerung, dass man immer noch verbunden ist. Das gefiel mir. Das macht es so deutsch. Es ist zwar formal, aber innerhalb dieser Formalität auch warm und persönlich.

Das ließ sie nicht gelten.

»Das ist nicht typisch deutsch«, sagte sie. »Das tun alle in Europa.«

Nach dieser Definition von Identität müsste man alles nehmen, was Deutsche sind, haben oder tun, und überprüfen, ob jemand anders es auch tut. Ist dies der Fall, oder stammt es irgendwo anders her als aus Deutschland, ist es nicht deutsch.

Da bleibt in Deutschland recht wenig Deutsches über. Hip-Hop, Unterhaltungskino, Jeans, iPods und Nikes … alles amerikanisch. Die Gebrüder Wright haben das Fliegen erfunden (Otto von Lilienthal nur den Absturz. Sorry!). Den Adler haben auch wir Amerikaner als Wappentier, die »deutsche« Eiche verehren die Engländer ebenso und die Kartoffel ist sowieso südamerikanisch. Das erste Bier haben die Sumerer gebraut. Die Industrialisierung kam aus England. Die dumme Idee, sich am Zeitalter des Imperialismus zu beteiligen, ebenso. Große Bereiche der Wissenschaft, Mathematik und Astronomie stammen aus Arabien; Leonardo und Galileo waren beide Italiener. Moderne Demokratie: Amerikanisch. Dann gibt es Rom. Der Staat, das Schrifttum, das Rechtswesen, die christliche Kirche, die Idee des Kaisertums, die die Deutschen eine Weile so gut fanden … alles aus Rom. Wer weiß, ob es Deutschland heute überhaupt gäbe, wenn die Germanen nicht alles aus Rom abgeguckt hätten. Den Deutschen bleibt das Auto. Das hat Gottlieb Daimler 1883 erfunden. Aber die Straße bleibt römisch.

Man kann die reine deutsche Seele so lange suchen, wie man will, man findet sie nicht. Aber man findet immer wieder die ur-deutsche Eigenschaft, sich ständig überall in der Welt umzuschauen und sich das Beste anderer Kulturen zu Eigen zu machen. Warum auch nicht? Geographisch befinden sie sich dafür in der idealen Lage.

Es gibt nur eins, was sie woanders nicht finden: Die deutsche Identität. Die bleibt zu Hause. Trotzdem glaubt man sie irgendwo da draußen, wie einer dieser zerstreuten Professoren, die ihre Brille suchen, die sie die ganze Zeit auf der Nase haben.

Die Deutschen lieben Veränderungen – solange sich nichts ändert

Wenn ich auf Veranstaltungen aus meinem ersten Buch lese, komme ich regelmäßig an eine bestimmte Stelle, die unter den deutschen Zuhörern eine rätselhafte Reaktion hervorruft. Ich beschreibe dort meinen allerersten Eindruck von Deutschland, als ich 1981 ankam:

Die Kleidung war raffinierter, die Autos waren kleiner, und das Radio spielte englischsprachige Songs, die ich noch nie gehört hatte.

Sie lachen. Und ich habe keine Ahnung, warum. Irgendwann hielt ich es nicht mehr aus und fragte nach. Ein Zuhörer erklärte: »Sie meinen damit, dass wir Deutschen nicht mal in unserer eigenen Sprache singen wollen. Jemand von außen erkennt sofort, dass wir überhaupt kein Selbstvertrauen besitzen.«

Kein Selbstvertrauen? Die Deutschen? Moment mal.

Es stimmt schon, dass wir Ausländer, die wir in Deutschland leben, öfters mal über die hiesigen Eingeborenen diskutieren. Von deutschem Egoismus, Besserwisserei, Chauvinismus, von endloser Bauchnabelschau mag da gelegentlich die Rede sein. Aber Mangel an Selbstvertrauen? Davon merkt man von außen nicht die Spur.

Es gab zwar 1981 ein paar deutsche Gruppen wie Boney M, die auf Englisch sangen. Doch vor allem waren die frühen 80er die Zeit der Neuen Deutschen Welle. Das waren Bands wie Abwärts, DAF, Extrabreit, Ideal, Nena, Trio, Peter Schilling und andere, nicht zu vergessen Karat und BAP. »Deine Blaue Augen!« – »Es geht voran!« – »Da da da!«

Nein, mit »englischsprachigen Songs, die ich noch nie gehört hatte«, meinte ich Popmusik aus England.

Auf Hawaii, wo ich aufgewachsen bin, hörten wir guten alten amerikanischen Rock – Bruce Springsteen, Tom Petty, Lynyrd Skynyd. Den Deutschen war das alles nicht mondän genug. Hier hörte man Ultravox, Visage, OMD und The Clash. Vielleicht hatten ein paar Trendsetter in New York mal von diesen Bands gehört, hierzulande aber waren sie überall bekannt. Kultur aus anderen Ländern zu importieren, war für diese Deutschen absolut normal. Noch die kleinste Gemeinde besaß die gleiche kulturelle Neugier wie die New Yorker.

Für mich war dieses Land ein riesiges buntes Kaufhaus für Kultur aus aller Welt. Ich habe es geliebt. Ich durchstöberte die Plattensammlungen und Bücherregale von Bekannten. Ich ließ mir sagen, wer Rainer Werner Fassbinder, Wim Wenders, Werner Herzog und Volker Schlöndorff waren. Ich entdeckte Stefan Zweig, der, in seiner Schwärmerei für europäische Kultur, als guter Leitfaden diente, andere Autoren zu entdecken, von Dostojewski über Montaigne bis zu Knut Hamsun. Ich trug mein letztes Geld in die Billigbuchhandlungen, suchte die gesammelten Werke von Goethe und Schiller zusammen und dazu *Best of Stephan Sulke*. Kaum zurück auf Hawaii, zwang ich meinen Vater, mit mir in *Das Boot* (mit Untertiteln) in einem Uni-Kino zu gehen, weil sonst kein Mensch mit mir dahin wollte. Und ich fand endlich einen Kabelkanal, der Fassbinders gewaltiges 13-teiliges Epos *Berlin Alexanderplatz* sendete – neben einer Menge halbpornographischer Filme aus Frankreich.

Ich erinnere mich an die letzten Wochen meines ersten Aufenthalts in Deutschland. Ich hatte noch ein paar Mark übrig und verbrachte viel Zeit beim Discount-Buchladen Montanus: »Was ist das: *Gesammelte Werke* Theodor Storm?«

»Ach, irgendso'n deutscher Klassiker«, meinte der Verkäufer.

»Ich nehm's!«

Ich hatte ja keine Ahnung, dass die Menschen um mich herum das anders sahen. Sie schlichen den ganzen Tag mit langen Gesichtern herum und sorgten sich krumm, wie sehr Deutschland verkitscht und verdummt wurde. Die deutsche Sprache sterbe aus, die deutsche Kultur sterbe aus, die Deutschen verlören ihre Identität. Sie übten sich in Sätzen wie: »Unser Land wird zu einer kulturellen Wüste.«

Während ich mich mit Kultur voll sog, ging um mich herum das Abendland unter.

Als ich später wieder zum Studium nach Deutschland zurückkehrte, herrschte noch immer Kalter Krieg, und mein Vater gab mir einen guten Rat mit auf den Weg: »Achte auf deinen Pass. Alle wollen so einen haben. Trag stets die Telefonnummer der US-Botschaft bei dir. Und sollte es irgendwie auch nur ein bisschen danach aussehen, dass ein Krieg ausbrechen könnte, zögere nicht: lass alles stehen und liegen und steig in den nächsten Flieger nach Hause.«

Ja, wir Amerikaner führen ein gefährliches Leben. Terroristen lauern an jeder Ecke; Kommunisten warten nur darauf, einen wie mich in die Hände zu bekommen. Ganz zu schweigen von der Gefahr, die von den vielen Rauchern in Deutschland ausgeht.

Erst seit ich so lange hier gelebt habe, weiß ich: die Deutschen werden in ihrer eigenen Heimat noch viel größeren Gefahren ausgesetzt. Wenn mein Vater gewusst hätte, wie sehr sie jeden Tag und überall bedroht werden, hätte er gesagt: »Junge, wenn du wieder nach Hause kommst, bring ein paar dieser Deutschen mit. Sie sollen hier bei uns in Sicherheit leben.«

Weder Terroristen noch Kommunisten fürchtet man hierzulande, sondern viel gemeinere und subtilere Gefahren, die sich überall verstecken, wo andere sie nie vermuten würden. Zum Beispiel in allem, was neu und unbekannt ist.

Als Sony in den 80er Jahren den Walkman auf den Markt brachte, schrillten sämtliche Alarmglocken. Mediziner warnten vor frühem Hörverlust; weitsichtige Feuilletonisten belegten, dass unsere Kinder durch Kopfhörermissbrauch aller Beziehungsfähigkeit verlustig gehen. Die Folgen: Isolierung, Vereinsamung, das Ende der menschlichen Gesellschaft, wie wir sie kennen. Als der deutsche Staat 1984 den Forderungen des freien Marktes nachgab und das Privatfernsehen zuließ, entschlossen sich Journalisten und Autoren zu einem Wettbewerb, in dem es darum ging, wie oft man die Worte *Privatfernsehen* und *Volksverdummung* im gleichen Satz unterbringen kann. Gerade hatte sich die Lage etwas entspannt, da fiel Kabel-TV über das Land her. Als irgendwann die Redakteure den Begriff *der verkabelte Mensch* auf ihre *Ich-kann-dieses-Wort-nicht-mehr-sehen*-Liste setzten, war bereits das Internet da, und mit ihm die *Internetsucht*. Ab sofort hingen Millionen junger Menschen Tag und Nacht vor grünlich leuchtenden Computermonitoren und verlernten zu sprechen. Deutschland mangelt es an Arbeitsplätzen, an Nachwuchs und Sonne, doch Gott sei Dank wird es ihm nie an Gefahren mangeln. PlayStation, Reality-TV, Piercing und Pokemon, falsche Brüste und Kaffee mit künstlichem Aroma: Die Liste ist endlos.

Nicht weniger erstaunlich als die unerschöpfliche Vielfalt der drohenden Gefahren ist das schiere Durchhaltevermögen der Deutschen. Bewundernswert, wie tapfer sie an ihrer Angst festhalten. Irgendwann wurde ja klar, dass der Walkman nicht zu einer epidemischen Vereinsamung der Teenager führt, sondern die Welt der Jugend mit einer ziemlich coolen Mixed-Tape-Kultur bereicherte; dass die Kids trotz ihrer Internetsucht wie eh und je weit nach der verabredeten Zeit heimkommen und keine überzeugende Erklärung dafür finden, wo sie gesteckt haben; dass es immer mehr Menschen hierzulande schaffen, schlechte Sendungen der privaten Kanäle einfach auszuschalten – und ab und zu sogar die der öffentlich-rechtlichen.

Die radikale deutsche Wachsamkeit gegen gefährlichen Neuerungen ist keine vereinzelte Feuilleton-Erscheinung. Auch die hiesige Wirtschaft lehnt Neuerungen strikt ab. Das sieht man an der Geschicklichkeit, mit der sie es immer wieder schafft, gekonnt Gefahren auszuweichen, die andere Länder als »einzigartige Chancen« einstufen.

Als der Friedrichsdorfer Schullehrer Johann Philipp Reis 1860 ein funktionierendes Telefon entwickelte und dies einigen Industrie- und Wissenschaftsvertretern vorstellte, wurde er konsequent zurückgewiesen. Die weitsichtigen Wirtschaftsvertreter hatten die Gefahr erkannt, dass die Menschen eines Tages nur noch per Telefon kommunizieren könnten, was zur radikalen Verkümmerung der sozialen Beziehungen führen würde. Der in Amerika lebende Noch-Schotte Alexander Graham Bell war leider nicht so weitsichtig, und so ging das Telefon 15 Jahre nach Reis' Erfindung dort in Produktion. Von den verheerenden Konsequenzen kann Ihnen jeder Vater berichten, der eine Teenie-Tochter hat.

Zwischen 1862 und 1896 unternahm der Maschinenschlosser Otto Lilienthal mehrere erfolgreiche Flüge mit Gleitflugzeugen und publizierte seine Forschungsergebnisse. Nachdem er 1896 bei einem Gleitflug abstürzte und starb, wurden seine Forschungen nicht weiterentwickelt. Gewiss sah man bereits voraus, welch entsetzliche Folgen das Fliegen haben würde: von der Verwirrung unter Zugvögelschwärmen bis hin zu den Schlabbernudeln, die man in der Economy-Class serviert bekommt. Sieben Jahre nach Lilienthals Tod verbesserten die Gebrüder Orville und Wilbur Wright seine Erkenntnisse und brachten es bis zum ersten motorisierten Flug in Kitty Hawk.

Der Eggmühler Erfinder Rudolf Hell erfand schon 1929 ein Faxgerät und verkaufte es an Siemens, die unter dem Namen Hellschreiber ein paar vertrieben, unter anderem zur Übertragung von Wetterkarten. Doch nie wurde er in so großem Umfang produziert, dass das Otto-Normal-Büro sich einen leisten konnte. Das machte auch Sinn, denn der durchschnittliche Büroangestellte ist bekanntlich moralisch nicht in der Lage, mit einem solchen Gerät verantwortungsbewusst umzugehen. Den Japanern waren solche Bedenken egal. In den 70ern stellten sie massenweise billige, handliche Faxgeräte für den Büro- und Hausgebrauch her und kreierten damit eine riesige internationale Industrie. Wenn Sie das nächste Mal auf Ihrem Gerät zu Hause ein Fax aus dem Büro bekommen, auf dem der Po eines anonymen Mitarbeiters abgebildet ist, wissen Sie, wem Sie das zu verdanken haben.

Auch der Walkman wurde hierzulande erfolgreich erdrosselt. Der Aachener Andreas Pavel meldete seinen walkmanähnlichen »Stereobelt« 1977 zum Patent an, fand aber keinen Partner für Serienproduktion und Vertrieb. Zwei Jahre später brachte Sony seine Version auf den Markt und hat bis heute weit über 300 Millionen Stück in aller Welt verbreitet, ganz zu schweigen von den Modellen anderer Firmen. Trotzdem: den Deutschen kann man keine Vorwürfe machen, sie haben ihr Bestes getan, diesen lukrativen »sanften Schritt in die Barbarei«, wie Kulturkritiker Joachim Kaiser den Walkman nennt, aufzuhalten.

Als Professor Dieter Seitzer auf der Erlangen-Nürnberger Universität in den frühen 70er Jahren nach einer Möglichkeit suchte, digitalisierte Musikdaten in extrem komprimierter Form über die Telefonleitung zu übermitteln, stieß er bei potenziellen Geldgebern auf gähnendes Desinteresse. Er machte trotzdem weiter und schaffte es, eine Gruppe von Forschern für die Idee zu begeistern, vor allem den Studenten Karlheinz Brandenburg. In den 80ern kamen er und sein Team beim Fraunhofer Institut unter, wo man sie einem US-Forscherteam vorstellte, das genau so was brauchte. Endlich konnten sie den Audiocodec MP3 entwickeln, der jetzt als internationaler Standard in der Übertragung von Musik im Internet und für den iPod von Apple benutzt wird.

Nun zerreißen sich einige kurzsichtige, zynische Menschen das Maul mit Fragen wie: Warum hat Siemens den iPod nicht entwickelt? Warum hat Bertelsmann nicht eine MP3-basierte Internetmusiktauschbörse wie Apples iTunes gestartet? Siemens ist fast doppelt so groß wie Apple, und Bertelsmann gehört BMG, einer der fünf größten Musikkonzerne der Welt, während Apple zunächst keine Musikrechte hatte. Keiner war in einer besseren Position, das MP3-Format zu Geld zu machen als die Deutschen. Doch wer so was sagt, ist kurzsichtig. Mit dem iPod erwachsen Gefahren für die Gesellschaft, die so bedrohlich sind, dass man sich überhaupt nicht vorstellen kann, dass es sie wirklich gibt. Wenn demnächst der iPod den Untergang des Abendlandes einläutet, können alle Deutschen froh sein, dass ihre Wirtschaft an dieser riesigen Industrie konsequent keinen Anteil hat.

Nein, ich könnte es nicht aushalten, Deutscher zu sein und jeden Tag mit dem Ende der Welt konfrontiert zu werden. Dann doch lieber ein paar anständige Terroristen. Da weiß man, was man hat.

Die Angst vor dem Neuen ist nichts Neues. Schon Hermann der Cherusker, der zur Zeit Christi lebte, war davon geplagt.

Alles, was wir über den Freiheitskämpfer Hermann und seine Cherusker wissen, stammt von römischen Historikern, und die waren alles andere als unparteiisch. Doch einiges stimmt. Hermann hat tatsächlich seinen Stamm mit zwei oder drei weiteren verbunden, um gemeinsam die Römer im Teutoburger Wald zu überfallen. In dieser spektakulären, guerillaartigen Offensive haben Hermann & Co. die militärisch überlegenen Römer besiegt. Sie wiederholten ihre erfolgreiche Strategie so lange, bis die Römer verwirrt und beschämt zum Rückzug bliesen, bevor sie völlig das Gesicht verloren.

Hermann war ein militärisches Genie. Sein Sieg war ein Wunder, eine wahrhafte David-gegen-Goliath-Geschichte und Mut machende Parabel für uns alle, falls wir mal als moderner Freiheitskämpfer einer herzlosen Übermacht gegenüberstehen. Auch wir Amis haben einen Hang zu solchen Underdog-Helden. Unser Land wurde mit einem solchen Freiheitskampf gegen das übermächtige Großbritannien begründet, und wir lassen keine Gelegenheit aus, darauf hinzuweisen, wie stolz wir darauf sind. Warum sollen die Deutschen nicht auch stolz auf ihren Hermann sein? Doch, doch, er verdient es, der erste deutsche Held zu sein, auch wenn es damals die Deutschen noch gar nicht gab.

Hinter der Hermann-Geschichte steckt aber mehr als nur die cheruskische Unabhängigkeit. Hermann hat nicht nur die Imperialisten erfolgreich vertrieben, er hat auch einer nicht unerheblichen Eigenschaft der Deutschen seinen Namen geliehen: Dem Hermannismus.

Stellen Sie sich mal vor, wie es war, damals als Barbar zu leben. Mit einem Camping-Wochenende im Wald hat das nichts zu tun. Die Germanen lebten knapp am Existenzminimum. Sie schliefen in großen Gruppen auf der nackten Erde im gleichen Raum mit ihren Tieren. Ihre Zähne waren schlecht, ihre Füße kalt, ihre Lebenserwartung kurz. Ihre Vorstellung von Medizin bestand aus ein paar Kräutern und sehr viel Beten zu Wotan. Die Grenze zwischen »Erkältung« und »Lungenentzündung« war fließend. Von ein paar symbolischen Runen abgesehen, die vorwiegend der Markierung von Grenzen dienten, konnten sie weder lesen noch schreiben. Sie kannten kein Geld. Die Frauen hatten kaum Rechte (obwohl, mit in den Krieg ziehen durften sie schon, in der Beziehung waren sie fortschrittlich). Überhaupt hatte, wer kein Häuptling war, wenig Rechte. Und wenn man sie nach so was wie »Staat«, »Verfassung« oder »Polizei« gefragt hätte, hätten sie ziemlich blöd aus dem Fell geguckt.

Rom dagegen war der Gipfel der Zivilisation, seine Städte und Straßen Wunderwerke. Die Römer hatten warme Bäder und Fußbodenheizung. Das römische Militär war das besttrainierte weit und breit. Sie besaßen Schriftkultur und Wissenschaft. Der römische Staat war gut verwaltet, das Rechtssystem in vielen Belangen von unserem nicht zu unterscheiden (außer natürlich, wenn es um Sklaven ging. Und Frauen. Und alle anderen, die keine Römer waren. Aber was erwarten Sie?)

All das kannte Hermann, denn er war vor der Revolution

ein hohes Tier bei der römischen Armee gewesen, vielleicht sogar römischer Bürger. Und auf all das verzichtete er, als er sich entschloss, die Römer aus der Gegend zu verjagen. Während Italien und Frankreich weiter von den Ideen und den Fertigkeiten Roms profitierten, gingen Handel und Kulturaustausch nördlich der Donau und östlich des Rheins schlagartig zurück. Germanien war endlich frei – und endgültig Provinz.

War es das wert? Sicher, die Germanen mussten in vielen Fällen Tribut zahlen, aber dafür hatten sie Zugang zu römischen Straßen und Märkten, ganz zu schweigen von einem relativen Frieden. Velleius Paterculus schilderte, dass das Leben in Germanien sich im Sinne einer römischen Provinz zu entwickeln begonnen hatte, und Florus schrieb: »Endlich war auch in Germanien Frieden, die Menschen änderten sich, das Land gewann ein neues Gesicht und selbst das Klima schien milder werden zu wollen.« Manch anderer Stamm war mit Hermanns Plänen überhaupt nicht einverstanden. Ihnen waren die Vorteile Roms offenbar so wichtig, dass sie sogar auf der Seite der Römer gegen Hermann kämpften. Zu den Anti-Hermannen gehörten peinlicherweise Hermanns Schwiegervater und selbst sein Bruder, der ebenfalls in der römischen Armee war und dort blieb, als sie gegen die Cherusker kämpfte.

Hermann hat es nicht nur geschafft, sein Volk von allem abzuschotten, was nichtcheruskisch war, er hat auch alles verbannt, was neu, fortschrittlich und modern war. Dies ist das Wesen des Hermannismus.

Nicht jeder gibt einen guten Hermannisten ab. Er muss konsequent sein. Sie und ich dürfen ab und zu der Versuchung nachgeben. Nicht der Hermannist. Er muss so unparteiisch bleiben wie Justitia. Sie und ich dürfen unüberlegt zwischen den Gefahren der Genmanipulation und der Sendung *Big Brother – das Dorf* differenzieren. Nicht so der Hermannist. Ob römische Straße oder Kabel-TV, für ihn muss alles weg, was neu ist.

Allerdings muss ich an dieser Stelle die Deutschen rügen. Sie sind nicht mehr so konsequent, wie sie sein sollten. In den letzten 400 Jahren haben sie doch nachgelassen.

Die glorreichste Stunde des hermannistischen Kampfes schlug im 17. Jahrhundert, als es einer Hand voll entschlossener Hermannisten gelang, die Sprache wieder deutsch zu machen. Die Wissenschaft zog damals Latein vor, der Adel parlierte gern Französisch. Über Nacht wurden für geläufige lateinische Begriffe neue deutsche Wörter aus dem Boden gestampft. Aus *Paregum* wurde »Nebensache«, aus *Signum interrogationis* »Fragezeichen« und aus *Plenipotenz* »Vollmacht«. Allerdings war schon damals ihr Erfolg leider nicht komplett. So verwenden wir heute noch »Fenster«, »Natur« und »Nonnenkloster« statt der viel zackigeren Begriffe *Tageleuchter*, *Zeugemutter* und *Jungfernzwinger*.

Das ist einfach schade. Ein Reiz des Deutschen, zumindest für uns Englischsprachige, ist nämlich sein erdiger, bodenständiger Klang – den das Englische so nicht besitzt. Dafür haben wir den gehobenen Nimbus des Lateinischen. Wir haben keine »Bauchspeichel-« und »Zirbeldrüse«, »Gebärmutter« oder »Lungenentzündung«; auch der dümmste Bauer muss *pancreas*, *pineal gland*, *uterus* und *pneumonia* sagen, ob er will oder nicht. So wird Latein auf jedem englischen Bauernhof gesprochen. Bei den Deutschen ist es umgekehrt: Ein Freund von mir – ein deutscher Arzt – gestand einmal, wenn er Begriffe wie »Dickdarm«, »Blinddarm«, »Zwölffingerdarm« oder gar »Wurmfortsatz« verwendet, kommt es ihm vor, als ob die gesamte Sprache nur aus bayerischen Wurstsorten besteht.

Doch nur, weil die Sprachschützer des 16. und 17. Jahrhunderts einmal Erfolge feiern konnten, heißt das nicht, dass man den Kampf heute aufgeben soll. Wenn man das Fernsehen einschaltet und hört, wie viele neue Begriffe auf uns einprasseln, könnte man verzweifeln. Es ist ganz offensichtlich, dass das Deutsche Stück für Stück durch das Englische ersetzt wird. Davor warnen auch genügend Sprachwächter wie der

Verein Deutsche Sprache, der auf seiner Website schreibt, »uns geht das pseudokosmopolitische Imponiergehabe vieler Zeitgenossen, wie es sich insbesondere im hemmungslosen Gebrauch von überflüssigen Anglizismen äußert, gewaltig auf die Nerven«.

Doch offenbar beachten die wenigsten solche Warnungen. Überall, wo man hinhört: Neues. Allein im Rechtschreib-Duden von 2004 waren über 5000 neue Begriffe verzeichnet. Ich rief in der Duden-Redaktion an und fragte den Redaktionsleiter Werner Scholze-Stubenrecht, wie viele dieser Wörter aus dem Englischen kommen. Die Antwort erstaunte mich dann doch: Lediglich elf Prozent.

Wo kommt denn der ganze Rest her? Aus Frankreich? Russland? Dänemark? Wer verdirbt die reine deutsche Sprache?

Die überwiegende Mehrheit der neuen Begriffe stammt – halten Sie sich fest – aus dem Deutschen. Das ist besonders perfide: die Sprache verdrängt sich selbst. Ja, seht ihr nicht, dass ihr »Ich-AG« nicht braucht, wenn ihr die »Einzelpersongesellschaft« habt? Und eine »Arbeitsstelle mit extrem begrenzter Bezahlung« tut es doch genauso gut wie ein »Ein-Euro-Job«.

Wenn der Deutsche seine eigene Sprache nicht vor neuen Einflüssen schützen kann, woran sollen wir Amerikaner uns noch ein Vorbild nehmen? Wir achten bekanntlich viel zu wenig auf die Reinheit unserer Sprache. Das geht so weit, dass wir in der Schule lernen, Sprache brauche keinen Schutz. Stellen Sie sich das vor! Ich erinnere mich gut an meinen High-School-Englischunterricht. Es ist nicht so, dass meine Lehrerin uns die Wahrheit vorenthalten hat. Nein, sie hielt sich schon an Tatsachen: Dass das ursprüngliche, reine Indoeuropäische immer weiter durch Kontakte mit andere Sprachen pervertiert, verwässert und geschwächt wurde. Doch in ihrem Munde wurde diese Tragödie zu einer Heldengeschichte. Sie erzählte von einem übermenschlichen, linguistischen Prometheus, der auf seinem Streifzug durch die Jahrtausende immer wieder mit fremden Sprachen konfrontiert wurde und sich das Beste vom Besten zusammenklaute: Aus dem Germanischen, Keltischen, Lateinischen und Griechischen. Als Englisch endlich in England ankam, absorbierte der Sprach-Prometheus sogar Worte aus den Sprachen unserer schlimmsten Feinde: den Wikingern (*house*), den Franzosen (*soldier*) und den Arabern (*coffee*). Nicht mal vor den peinlichsten, moralisch verwerflichsten Übertretungen unserer Geschichte machte er Halt: In der Zeit des britischen Weltreichs wilderte er in den Kolonien. Und wie er sich gefreut hat, als die USA gegründet wurden: Nicht nur die Wortschätze der Einwanderer (*Santa Claus*), sondern auch der Indianer (*canoe*) und der versklavten Afrikaner und ihrer Nachkommen standen zur Verfügung: *cool*!

Deutsch dagegen ist etwas ganz anderes. Es ist eine reine, in sich ruhende, unveränderliche Ur-Sprache. Seit dem Mittelalter hat sie sich kaum verändert. Nie hatte sie es nötig, Begriffe oder Strukturen aus anderen Sprachen zu übernehmen, weil sie schon damals vollständig war. Wer heute die deutsche Sprache verändert, ändert einen Teil der deutschen Seele. Mehr noch: Er verdirbt sie, denn eine reine, vollständige Sprache zu ändern, heißt, sie zerstören.

Aber hoppla, Moment mal. Was rede ich da? Eine reine und vollständige Sprache seit dem Mittelalter? Ich habe mittelhochdeutsche Werke gelesen, und sie sind alles andere als rein. Ein Kauderwelsch war das. Man sprach und schrieb nicht bloß eine Mischung aus hundert verschiedenen Dialekten, man würzte das Ganze auch noch wahllos mit Begriffen aus den Französischen, Lateinischen und Arabischen. Eine reine Sprache? Versuchen Sie mal, Wolfram von Eschenbach zu lesen. Die deutsche Sprache genoss die gleiche Metamorphose wie das Englische: Vom Indoeuropäischen durchs Germanische, Keltische, Lateinische, Griechische, Französische und Arabische. Zur Zeit von Renaissance und Humanismus war Latein so beliebt wie heute das Angloamerikanische, und trotz häufiger nachbarschaftlicher Scharmützel gab es kaum Epochen, in denen Französisch hierzulande nicht *en vogue* war. Laut Duden bestanden damals wie heute etwa 25 bis 30 Prozent der deutschen Sprache aus Fremdwörtern. Erstaunlich: die meisten von ihnen bemerkt man nicht mehr. Jeder weiß, dass »Servus« aus dem Lateinischen kommt und »Ciao« aus dem Italienischen, aber wer erinnert sich, dass »Tschüs« eine Abwandlung des spanischen *adios* ist? Der Verein Deutsche Sprache empfiehlt tapfer, »E-Post« statt »E-Mail« zu verwenden, und scheint übersehen zu haben, dass »Post« ein Fremdwort aus dem Italienischen ist. Das ganze Postsystem mitsamt Vokabular wurde im 15. Jahrhundert aus Italien importiert, genauso wie vor kurzem das Internet mitsamt Vokabular aus Amerika, was von einem zeitlosen Pragmatismus zeugt.

Die Neuschöpfungen aus dem Duden-Fremdwörterbuch sagen eine Menge über die Deutschen aus. Sogar in den erschreckend bitteren »Unwörtern des Jahres« sieht man, was deutsche Wortschöpfer können, wenn sie es ernst meinen. In Begriffen wie »Beileidstourismus«, »kollektiver Freizeitpark«, »Rentnerschwemme« und »gefühlte Armut« steckt so viel herbe Selbstkritik, dass man betroffen zusammenzuckt, selbst wenn man gar nicht gemeint ist. »Neue Beelterung« und »sozialverträgliches Frühableben« muten wie sarkastische Parodien auf eine nicht mehr zu bändigende Amtssprache an. Und wenn man dann von der eigenen Tendenz zum Moralisieren die Nase voll hat, erfindet man ein Wort wie »Moralkeule«. Diese Selbstironie zeigt sich in solchen Schöpfungen wie »Ostalgie«. Der Umgang mit Eigenschaften, die einem ein wenig peinlich sind, nimmt zuweilen liebevoll-ironische Züge an, wie in dem schönen Wort »verkopft«. Und dass die Deutschen sich in einen solchen Spruch wie »Ich habe fertig!« verliebt haben, zeigt ihre große Sehnsucht, sich hin und wieder ein wenig dezentes Chaos in ihrer Sprache zu gestatten. Wenn sie gezwungen werden zuzugeben, dass nicht alles in ihrem Land den Ansprüchen der Hochkultur genügt, tun sie es mit unverkennbar deutscher Ironie: »Luderliga«, »Zickenalarm« und »unkaputtbar« sind Worte, die ich mir in meiner Sprache wünsche. Das ist keine Verarmung, das ist ein sprachliches Kunstwerk, das sich selbst stets neu erschafft, während der Hermannist sich verängstigt unter der Bettdecke versteckt.

Wer wissen will, wie man die deutsche Seele im Ausland interpretiert, sollte sich die Wörter ansehen, die andere Sprachen aus Deutschland übernehmen. Sie stammen aus Bereichen, in denen man diesem Volk einen besonders hohen Sachverstand zutraut, und ich meine nicht nur *Kindergarten* und *Bratwurst*. Wer Worte braucht, um *besserwisser* (die Finnen); *streber* (die Schweden); *klugscheisser* (die Kanadier); *sitzflaijsch* (die Tschechen) und *hochsztapler* (die Polen) zu beschreiben, der findet sie im Deutschen. Wo sonst sollten die Franzosen *le waldsterben* hernehmen, als bei ihren umweltfreundlichen Nachbarn? Während man hierzulande den Begriff für eine niedrig gestellte, vorübergehende Arbeitstelle aus Amerika importiert hat – den *Job* –, nehmen die Japaner diesen Begriff aus Deutschland: *arubaito* (warum sie auch *achso* und *soso* gleich mit importierten, kann ich nicht erklären).

Das amerikanische Englisch sucht im Deutschen oft Worte, die die Belange der Seele beschreiben: *zeitgeisty*, *wanderlust*, *weltschmerz* und *weltanschauung*. Auch *hinterland*, *bildungsroman* und *realpolitik* haben wir hierher, wie auch – woher sonst? – *schadenfreude* und *kitsch*. Unsere *teen angst* bezeichnet weniger Angst als die diffuse, nervöse Beklemmung, die einen in der Pubertät quält. Und wenn wir uns die Ursprünglichkeit einer Sache vor Augen rufen wollen, heften wir dem Wort eine *ur-* voran: *the ur-text, the ur-mother, the ur-problem*. Mein Lieblingswort ist *dumb*, eine Abwandlung von *dumm*. Bis uns die Deutschen dieses Wort geschenkt haben, mussten wir die Einwanderer etwas eintönig als *stupid* beschimpfen; erst danach ließen sich Beleidigungen abwechslungsreicher gestalten.

Danke, Deutschland.

Diese ständige Angst um den Verlust der Sprache Goethes und Schillers – obwohl schon längst keiner mehr die Sprache Goethe und Schillers spricht – ist nur ein Symptom für etwas anderes. Genauso wie man sich einbildet, es gäbe eine reine, ursprüngliche Sprache, die gerettet werden muss, glaubt man tief im Herzen, es gäbe irgendwo eine reine, ursprüngliche deutsche Seele. Der Hermannismus ist ein Ausdruck davon: Man wehrt das Neue ab, weil es das Ursprüngliche ersetzt. Man wehrt das Ausländische ab, weil es das Echte verwässert. Tief in der deutschen Seele brodelt die Phantasie vom deutschen Garten Eden. Keiner weiß, wo er liegt, und die wenigsten wollen sich die Mühe machen, ihn zu suchen; trotzdem hat jeder das Bedürfnis, ihn zu schützen.

Die Sehnsucht nach dem Ursprünglichen wird nicht nur sichtbar, wenn man von der eigenen Identität spricht. Ich merke das immer wieder, wenn ich einem Deutschen verrate, wo ich herkomme. Normalerweise stellt man mir drei Fragen:

1. Surfen Sie? (Ich bin Leseratte und lebe in Deutschland. Was glauben Sie?)
2. Kennen Sie *Magnum*? (Als *Magnum* zum Hit wurde, war ich schon weg. Warum fragt mich keiner nach *Hawaii 5-0*?)
3. Wie konnten Sie nur die Sonne gegen unser verregnetes Deutschland eintauschen? (Kennen Sie jemanden, der mit dem, was er hat, zufrieden ist?)

Ein Deutscher stellt gern noch eine weitere Frage: »Wie leben die Ureinwohner?«

Warum soll es auf Hawaii Ureinwohner geben? Gibt es in Berlin Germanen?

Hawaii ist eins der begehrtesten Urlaubsziele Amerikas, wichtiger militärischer Stützpunkt und größtes Handelszentrum des Pazifiks. Wie hätte es von der Zivilisation vergessen werden können? Ein Hawaiianer würde sich lächerlich machen, wenn er sich ein Grasröckchen überstreift (außer auf der Bühne – dann ist er Performer und pflegt entweder eine vergangene Kultur oder zieht dummen Touristen Geld aus der Tasche, beides wird respektiert). Wenn Sie das nächste Mal in den Supermarkt, in die Bank oder ins Kino gehen, schauen Sie sich um: Wie viele Angestellte tragen Dirndl und Lederhosen?

Hawaii ist ein wahrer Schmelztiegel aus den unterschiedlichsten ethnischen Gruppen, sozialen Schichten und Kultureinflüssen, vielleicht der einzige echte Schmelztiegel der Welt. New York ist nichts dagegen. Auf Hawaii leben heißt in einer Kultur zu leben, in der Gegensätze wie Harmonie und Spannung, schnell und langsam, Internationalität und Provinzialismus ohne Widerspruch ineinander übergehen. Wer aus Hawaii kommt, kann bei der deutschen Vorstellung einer Multikulti-Gesellschaft nur die Augen verdrehen. Wenn Sie Hawaii erleben wollen, fragen Sie nicht nach Eingeborenen. Geben Sie das Geld für einen anständigen *lei* aus und finden Sie eine passende Gelegenheit, ihn zu tragen. Den Duft werden Sie nie vergessen. Probieren Sie japanisch-chinesisches *Crack Seed* im Ala Moana Center, portugiesisches *Sweet Bread* bei Leonard's Bakery und bestellen Sie bei Zippy's mal einen richtigen *Plate Lunch*. Einiges werden Sie wieder ausspucken, aber auch das werden Sie nicht vergessen. Ignorieren Sie die Trommelmusik der Touristenveranstaltungen; besuchen Sie lieber ein kleines, feines Slack-Key- oder Steel-Guitar-Konzert. Diese sanfte Musik entstand, als mexikanische *Vaqueros* die Gitarre nach Hawaii brachten. Die Hawaiianer entwickelten ihren eigenen Stil und exportierten ihn wieder auf das Festland, wo er die Country-Musik beeinflusste. Das ist die echte Musik Hawaiis. Und werfen Sie einen Blick auf die schönen Frauen dieses Schmelztiegels. Sie werden merken, die schönsten stammen aus gemischten Ehen und die allerschönsten sind Töchter japanisch-irischer Eltern.

Doch wenn ich erkläre, es gäbe keine Eingeborenen mehr, sind die Deutschen empört. Sie empfinden es als persönliche Beleidigung, dass die Ureinwohner mit dem Schmelzen im

Tiegel nicht auf sie gewartet haben. Sie verstehen anscheinend nicht, wie schwer es ist, sich unverfälscht und ursprünglich zu erhalten, wenn so viele schöne Frauen und so gutes Essen aus aller Welt zur Verfügung stehen.

Und doch existiert auf den Inseln eine Legende vom ursprünglichen Hawaii. Von all den Legenden, mit denen man auf Hawaii aufwächst, ist sie die bizarrste. Sie heißt Niihau, die verbotene Insel.

Kein Weißer darf diese Insel betreten, so sagt die Legende. Nur reine Hawaiianer sind zugelassen, und sie leben völlig abgeschottet von der modernen Welt. Sie essen nur Wildschwein und Fisch, Bananen und Kokosnüsse. Sie beten alte Götter an und haben keine Ahnung, dass man durch die Luft fliegen, Auto fahren, telefonieren kann. Sie haben keine Krankenhäuser, aber das brauchen sie auch nicht, weil sie keine Krankheiten kennen.

Es ist mehr als eine Legende, Niihau gibt es tatsächlich. Sie ist die kleinste der acht bewohnten Inseln der hawaiianischen Kette, grün und flach und liegt auf dem blauen Pazifik wie eine 37 Kilometer lange Landzunge, die irgendwann vom Festland weggeschwemmt wurde. Dürre war ein ständiges Problem. Schon als Captain Cook zum ersten Mal anlegte, mussten die Einwohner das Inselchen alle paar Jahre verlassen, wenn das Wasser mal wieder knapp wurde. Als die schottische Einwandererfamilie Sinclair 1863 die Insel mitsamt Bewohnern für 10 000 Dollar dem König Kamehameha IV. abkaufte, machte dieser ein tolles Geschäft. Es war ausnahmsweise einmal viel Regen gefallen, und die Insel war schön grün. Erst Jahre später erkannte die Familie, dass sie vom König gelinkt worden war. Trotzdem baute sie ihre Ranch, kaufte Land auf anderen Inseln dazu und gehörte bald zu den reichsten Familien Hawaiis.

Schon im 19. Jahrhundert war allen klar, dass die Hawaiianer aussterben würden und mit ihnen ihre Sprache und Kultur. Die Sinclairs waren Romantiker vor dem Herrn. Während auf den anderen Inseln Stromkabel, Telefonleitungen und Touristen auftauchten, verwandelten sie Niihau in eine Zeitkapsel, in der die ursprüngliche Kultur geschützt wurde. Ein wohl weltweit einmaliges Experiment.

Es läuft noch heute. Die verbotene Insel ist wirklich verboten. Sie ist Privatbesitz – ohne Einladung der Eigentümer darf kein Fremder sie betreten. Niihau ist auch der letzte Ort der Welt, wo noch Hawaiianer leben, die auch hundertprozentig Hawaiianer sind, und als einziges Volk der Welt die überall sonst tote Sprache Hawaiianisch als Muttersprache sprechen.

Doch genau genommen ist es in Amerika illegal, Menschen wie Meerschweinchen zu halten. Das Gesetz verlangt, dass jeder Amerikaner in seiner Jugend eine bestimmte Bildung erhält und ab 18 Jahren Zugang zu einem Wahllokal haben muss. Also lernt jeder Niihauaner Englisch als Zweitsprache und fährt als Teenager auf die nächstgelegene Insel Kauai, um auf die High School zu gehen. Dort lernen sie Autos, Fernsehen, Landkarten von Europa, Bilder von der Mondlandung, Christina Aguilera und Drogen kennen, falls sie all das nicht schon vorher von den Eltern auf Hawaiianisch erklärt bekommen haben. Wenn die High School abgeschlossen ist, kehren sie nach Niihau zurück oder auch nicht. Das liegt ganz bei ihnen. Ich hörte von einer Niihauanerin, die auf der High School ihre Liebe zu den Wissenschaften entdeckte und heute als Professorin für historische polynesische Sprachen an der University of Hawaii arbeitet.

Das Erstaunliche ist, dass die meisten zurückkehren. Die Anzahl der Inselbewohner hält sich immer noch hartnäckig bei etwa 200.

Aber nur weil man nach Hause zurückkehrt, heißt das nicht, dass man auf solch große Errungenschaften der Moderne wie Marilyn Manson verzichten will. Es gibt CD-Player auf Niihau. Die Zeitkapsel leckt. Was hatten Sie erwartet? Hawaii-Fantasialand? Weil Niihau so klein ist, wird sehr viel importiert, dazu gehört immer noch Wasser. All das muss mit harter Währung bezahlt werden. Die Einwohner betreiben unter anderem Rinderzucht, die alles andere als eine urhawaiianische Tradition ist. So gibt es auch Pferde, LKWs und Benzin auf Niihau. Und einen Hubschrauber für Notfälle: Das nächste Krankenhaus steht ebenfalls auf Kauai.

Kann man da noch von einer »reinen, ursprünglichen« Kultur sprechen? Diese Frage kann nur ein Niihauaner beantworten.

Ich rief bei den Ranchbesitzern in ihrem Büro auf Kauai an. Eine nette Frau namens Leiana ging ans Telefon und gab auf meine Frage gerne zu: »Ja, ich komme aus Niihau.«

Ihre Stimme war leicht, fast mädchenhaft, und sie sprach ein perfektes Pidgin, jenes hawaiianische Halb-Englisch – für sie eine Sprache, die sie erst in der Schule gelernt hat. Wenn wir jetzt rüberfliegen würden, sagte sie, würden wir im Dorf Pick-ups und Humvee-Geländewagen sehen, die man für die Rancharbeit benutzt. Dazwischen laufen Schweine und Hühner frei auf einer Straße herum, die lediglich aus rotem Staub besteht. Es gibt kein Telefon, aber man lebt in Holzhäusern statt Grashütten, und man hat Benzingeneratoren, mit denen man seine DVD-Player und Fernseher betreibt. Wir würden Niihauaner sehen, die Jeans tragen und mit selbst gefertigten Speeren und Fallen aus dem Dorf gehen und mit frischen Fischen und Wildschweinen zurückkehren.

»Fischen ist ihr Leben«, sagte sie. »Die Wildschweinjagd ist ihr Leben. Die Musik ist immer noch dort. Sie singen die alten hawaiianischen Kirchenlieder ohne Noten. Nicht nur in der Kirche, in jedem Haus. Sie kommen einfach zusammen und singen. Das wird von der Insel nie verschwinden. Und es gibt Dinge, über die sie sich nie Sorgen machen. Sie leben ohne Uhr. Wenn es spät ist, und du bist noch nicht zu Hause, machen sich deine Eltern keine Sorgen. Das Leben ist viel freier dort. Man macht sich nicht ständige Gedanken über Geld und die Bank. You can just relax.«

Doch meine dringlichste Frage war: Ist die echte hawaiianische Kultur auf irgendeine Art auf Niihau überhaupt noch präsent?

»Was meinen Sie mit ›echt‹?«, fragte sie. »Welche Zeit meinen Sie? Welche Phase unserer Kultur ist für Sie echt?«

Plötzlich war mir meine Frage peinlich. Indem ich behauptete, nur die vorchristliche hawaiianische Kultur sei echt, stempelte ich ihre ganze Geschichte seither als »unecht« ab. So naiv kann nur ein gebildeter Weißer sein.

Als die Sinclairs die Insel von der Außenwelt abschotteten, waren die Hawaiianer dort längst christianisiert. Niemand wollte sie im Namen der kulturellen Echtheit ernsthaft zwingen, ihre Religion aufzugeben und längst vergessene Gottheiten anzubeten, die Frauen zu Bürgern zweiter Klasse und Nicht-Adelige zu Beinahe-Sklaven degradierten. Ist ein christlicher Hawaiianer noch ein echter Hawaiianer?

Wir selber stellen uns dergleichen Fragen nicht. Wir maßen uns an, den »Eingeborenen« die Rückkehr in eine »ursprüngliche« Zeit zu wünschen, kämen aber nie auf die Idee, selbst in irgendeine zugige Lehmhütte zu ziehen und von Sonnenaufgang bis -untergang mit einer stumpfen Hacke das Feld zu bestellen.

Wo die Niihauaner knallharte Realisten sind, bleiben die Deutschen Träumer. Tief in ihrem Herzen wollen sie einfach nicht von ihrer Hoffnung lassen, irgendwann in ihren ureigenen Garten Eden zurückzukehren, wenn sie sich nur fleißig genug gegen den nächsten Internet-Trend und das nächste Fremdwort, gegen alles, was sie weiter von ihrem Traum entfernt, sträuben.

Und sie sehen überhaupt keinen Widerspruch darin, dass sie gleichzeitig dieses ganze neuartige Zeugs lieben.

Der Deutschen Lust auf Neues ist zu groß, als dass man sie sättigen könnte. Seit eh und je lassen sie sich fast wahllos von ihren vielen Nachbarländern zu Neuem inspirieren. Die meisten großen Werke der mittelhochdeutschen Literatur sind Übersetzungen aus dem Lateinischen und Französischen. Selbst *Faust* kam nur zustande dank der heimlichen deutschen Liebe zur ausländischen Kultur. Im 16. Jahrhundert entstand das erste Volksbuch über den historischen Magier Faust und seine Späße; das wurde gleich in Übersetzung nach England exportiert, wo wenige Jahre später Christopher Marlowe eine Bühnenfassung daraus schuf, die so populär wurde, dass sie in Form verschiedener Volkstheater- und Marionetten-stücke nach Deutschland zurückkehrte. Erst 200 Jahre später lernte Goethe den Stoff kennen, vermutlich als italienisches Puppenspiel. Inzwischen hatte Marlowe aus einem gottlosen Magier einen sympathischen Wissenschaftler gemacht. Diese Neuerung hat Goethe dann auch übernommen. »Ohne Marlowe hätte Goethe seinen *Faust* nie geschrieben«, meinte Heike Hamberger, Leiterin des Faust-Museums und -Archivs in Knittlingen, dem vermuteten Geburtsort des historischen Faust. Als Goethe einmal gebeten wurde, ein Schulbuch der deutschen Kultur zusammenzustellen, notierte er: »Keine Nation, am wenigsten vielleicht die deutsche, hat sich aus sich selbst gebildet ... Bedenkt man, dass so wenige Nationen überhaupt Anspruch an absolute Originalität zu machen haben; so braucht sich der Deutsche nicht zu schämen, der seine Bildung von außen erhalten hat. Ist doch das fremde Gut unser Eigentum geworden. Der Deutsche hat keine Nationalbildung, er hat Weltbildung.«

Heute geht der Import ungebrochen weiter: Von den zwanzig Titeln auf der *Spiegel*-Bestsellerliste (Belletristik) sind immer nur vier bis neun deutsch. Weniger als die Hälfte! Der deutsche Leser ist grausam zu seinen heimischen Autoren. Die anderen Titel kommen keineswegs nur aus Amerika, sondern auch aus Irland, England, Italien, Schweden und – vor allem wenn es um romantische Erotik geht – aus Frankreich.

Wir wollen uns aber nicht auf so unwichtige Dinge wie Bücher beschränken. Deutschland hat Hörnchen, Sekt und Hugo Boss, doch all das ist vergessen, sobald man ihnen Croissants, Champagner und Givenchy serviert. Die deutschen Männer könnten mitten in Berlin einen Eiffelturm hochziehen, der genauso aussieht, aber doppelt so hoch ist, auch noch stabiler und überhaupt viel besser, trotzdem würden ihre Frauen sie nerven, bis sie gemeinsam nach Paris pilgern, um das Original zu sehen. Sartre ist unendlich viel cooler als Hegel, wie ein Baguette unendlich viel exotischer ist als ein Weißbrot. Die Deutschen haben ihren eigenen Adel, aber im Fernsehen bevorzugen sie Prince Charles und seine reizenden Kinder. Spätzle, Flammkuchen, Filterkaffee, Moselwein und Langnese-Eis sind ja ganz nett, doch die italienischen Äquivalente schmecken einfach besser. Jedes Eiscafé und jede Pizzeria stehen für die Erfüllung einer urdeutschen Phantasie: So zu leben, als ob es nicht ständig regnet.

Deutschlands heimliche Liebesaffäre zu Asien ist besonders interessant. Meditieren, Yoga, Zen: Das ist nicht Schnickschnack, das ist importierte Spiritualität. Paramilitärische Gruppen, die schwer bewaffnet im Wald Kampfsport üben, sind Radikale; wer Kung Fu trainiert, erreicht irgendwann inneren Frieden. Eine Freundin von mir, die längst aus der Kirche ausgetreten ist, stieß in einem chinesischen Antiquitätenladen auf eine Art weiblichen Buddha – eine ähnlich stilisierte, in Roben gehüllte Frau, die mit gekreuzten Beinen zu meditieren schien. Die chinesische Verkäuferin nannte sie *Sheng Mu* und erklärte, dies sei eine in China als heilig verehrte Frau, die ein göttliches Kind gebar. Meine Freundin kaufte die Figur und stellte sie in ihrem Büro auf. Etwas später erzählte sie die Geschichte einer chinesischen Bekannten, die etwas besser deutsch konnte. Diese lachte und sagte: »Natürlich kenne ich sie. Das ist die Jungfrau Maria, die Mutter Jesu. Auch bei uns gibt es Christen.« Die Figur steht noch im Büro meiner Freundin. Sie sagt, sie strahle eine ungeheure Ruhe aus.

Das Gerede um kulturelle Überfremdung gehört zum Ritual des Trendkonsums wie die Zigarette nach dem Sex. Man genießt das Zeug in vollen Zügen; man konsumiert es, bis man sich als Experte ausgeben und große Reden über japanische Mode, italienische Küche und amerikanische Trivialkultur schwingen kann. Man häuft cooles neue Spielzeug, Ideen und Klatsch an, bis man sich darin baden kann, und wenn man alles kennt, fährt man raus und holt mehr. Man kehrt aus London, Paris, New York zurück mit so viel Zeugs im Gepäck und am Leib, dass der Zollbeamte stinkig wird. Man richtet sich sein persönliches Kulturumfeld ein wie ein Regal im Supermarkt, das man jeden Monat neu dekoriert, um das wechselnde Angebot besser zur Geltung zu bringen. Dann setzt man sich mit Freunden bei einem frisch gezapften Bier zusammen und sagt: »Jetzt aber mal ernsthaft. Wir verlieren unsere deutsche Kultur, merkt ihr das auch?«

Niemand weiß, warum und von wem Hermann der Cherusker ermordet wurde. Die Römer berichten, es seien Männer seines eigenen Stammes gewesen. Dabei hatte er doch alles erreicht, was er ihnen versprochen hatte. Die Römer waren fort. Die Cherusker waren Helden. Er war ein Held. Warum sollten sie ihn töten?

Meine Theorie: Es waren die Frauen.

Irgendwann wird es den schönen Cheruskerinnen aufgefallen sein, dass gewisse Luxusgüter rar geworden waren. »Sag mal, starker Krieger, warum bringst du mir keine römischen Glasperlen mehr mit?«

»Wir stehen mit den Römern im Krieg, hast du das nicht gehört? Glaubst du, ich kann bei denen einfach rein und raus spazieren, wenn du Lust auf irgendwelchen Schnickschnack hast?«

»Wir sitzen hier auf den ganzen Fellen, wer soll die jetzt kaufen?«

»Na, die Chatten.«

»Die Chatten haben ihre eigenen Felle. Und wieso bekommen die Marser noch Glas und Schmuck von den Römern und wir nicht? Und überhaupt, du hast mir versprochen, mich dieses Jahr nach Xanten zu bringen. Ich wollte die heißen Bäder sehen.«

»Das geht nun wirklich nicht.«

»Dein Saufkumpel Hermann hat nicht gesagt, dass wir keine Glasperlen mehr kaufen können, wenn wir mitmachen.«

»Kannst du dich nicht einmal mit dem zufrieden geben, was du hast?«

»Mit den paar Schweinen im Dreck? Ich melke dir jeden Tag die Kühe und plage mich von früh bis spät mit deinen Blagen herum ...«

»Du bist Cheruskerin, das Glas und all das ist fremdes Gut, das stammt nicht aus deinem Kulturkreis. Das ist nicht echt cheruskisch.«

»Ich zeig dir gleich, was echt cheruskisch ist, du nichtsnutziger, dämlicher Mistkerl ...«

Auch ein gestandener chreruskischer Haudegen hält das nicht lange aus. Hermanns Tage waren gezählt.

**Die Deutschen sind zu gut versichert,
um jemals anständige Cowboys abzugeben**

Falls Gott mir irgendwann einmal, nur so zum Spaß, die Gelegenheit geben sollte, in die Geschichte einzugreifen, um den Deutschen und den Amerikanern einen Streich zu spielen, würde ich Otto von Bismarck als Sheriff von Tombstone einsetzen und Wyatt Earp als Gründer des deutschen Reiches.

Stellen Sie sich bitte vor: High Noon in der Ganovenstadt Tombstone. Die Clantons und McLaurys warten am O.K. Corral. Sie sind bis an die Zähne bewaffnet, und diesen Sheriff Otto mögen sie überhaupt nicht. Wenn er schlau ist, verlässt er sofort die Stadt. Doch da erscheint er, in blauer Uniform, seine Orden und Knöpfe blinken in der Sonne, an der Hüfte schwingt lässig der Säbel. Die Einwohner verschwinden eiligst hinter verschlossenen Türen. Es wird still, als er sich im Tor des O.K. Corral aufbaut. Furchtlos blickt er diesen gesetzlosen, ungewaschenen Hundesöhnen in die Augen … und bietet ihnen ohne Vorwarnung ein Paket aus Unfall-, Kranken- und Rentenversicherung an, dass ihnen die Ohren nur so schlackern. Sie können nicht widerstehen. Sie knicken ein und unterschreiben. Das Gesetz ist nach Tombstone zurückgekehrt.

Etwa zur gleichen Zeit in Berlin tritt Reichskanzler Wyatt Earp vor den jungen Reichstag, mit klirrenden Sporen, den Stetson tief über die Augen gezogen. Ein Durcheinander von Stimmen schallt ihm entgegen, und alle wollen etwas anderes von ihm: »Die Lebensbedingungen in den Fabriken sind unmenschlich!« – »Die Reichsbürger verhungern, sie werden aus Verzweiflung kriminell, sie wandern aus!« – »Wir brauchen Demokratie! Wir brauchen Sozialismus! Dieser Staat muss sich ändern!« Auf einmal zieht Earp seine Colts und schießt. Kugeln fliegen durch den Saal. Staubwolken steigen auf, Abgeordnete gehen zu Boden. Minister springen aus dem Fenster. In 30 Sekunden hat Earp ein Dutzend aufmüpfiger Liberaler, Katholiken und Sozialisten erledigt. Es wird still. Er schiebt seine Colts in die Halfter zurück und murmelt: »Und nun nehme ich den nächsten Zug nach London und knöpfe mir diesen Marx vor. Es wäre keine gute Idee, mir zu folgen.« Er verlässt den Saal. Die Gefahr einer sozialistischen Revolution in Deutschland ist für immer gebannt.

Bizarr, sagen Sie? Nicht halb so bizarr wie das Deutschland, das ich täglich erlebe. Als ich zum ersten Mal von der seltsamen Institution der Meldebehörde erfuhr, war mein erster Impuls, in den Untergrund zu gehen und mich der Befreiung dieses unterdrückten Volkes zu widmen. So etwas kannte ich nur von totalitären Staaten. Auch dort muss man sich laut Gesetz überall und jederzeit einem Polizeibeamten gegenüber ausweisen können. In Amerika hat man nicht mal einen richtigen Ausweis. Hier kriegt man keine Arbeit, wenn man nicht krankenversichert ist. Weiß die UNO davon, wie der deutsche Staat mit seinen Bürgern umspringt? Mein Gott, hier gibt es Staatsfernsehen – und das geknechtete Volk muss auch noch dafür zahlen. In einer anständigen Diktatur wäre mindestens das umsonst. Dieser Staat bezahlt Menschen dafür, Kinder zu bekommen wie Nachwuchsmaschinen in einem Science-Fiction. Und anschließend entscheidet das Standesamt auch noch, ob der Name des Kindes akzeptabel ist. Kein Wunder, dass es keinen deutschen Frank Zappa gibt.

Kaum dem Schreckensregime meiner Eltern entkommen, war ich nicht mehr sicher, ob sich meine Lage wesentlich verbessert hatte. Noch mehr verblüffte mich, dass alle außer mir das für völlig selbstverständlich hielten.

Sie müssen sich vorstellen, ich war ein junger Kerl aus Hawaii – also aus einer von Wasser umgebenen Kleinstadt – und hatte den Kopf voller Träume. In Europa wollte ich wilde Abenteuer bestehen, ein Stück Geschichte erleben und ein oder zwei große Romane über exotische Menschen mit fremdartigen Lebensweisen schreiben. Und tatsächlich, kaum angekommen, lernte ich die absonderlichsten Typen kennen. Mittzwanziger, die noch nicht einen Tag gearbeitet hatten und trotzdem die Klauseln in einem Arbeitsvertrag prüfen konnten, die Urlaub, Weihnachtsgeld und Krankenversicherung betrafen. Kaum dem Krabbelalter entronnen, erkundigen sich deutsche Kids nach ihrer Rente sowie all den Rechten und Finanzierungsmöglichkeiten, die ihnen der Staat dazwischen bietet: Wohngeld, Bafög, Kindergeld und mehr. In Deutschland weiß man, wo das Arbeitsamt ist, bevor man lernt, wie man einen Ausweis fälscht, um in die Disco zu kommen.

»Aber was wollt ihr wirklich aus eurem Leben machen?«, fragte ich die jungen Leute um mich herum. »Die Welt sehen? Mit 30 die erste Million verdienen? Der jüngste Bundeskanzler der Geschichte werden? Es muss doch irgendwelche großen Träume geben, die ihr kaum zu träumen wagt?«

»Dafür ist noch Zeit genug«, sagten sie. »Aber wusstest du, wie viel der Staat zuschießt, wenn man in jungen Jahren mit vermögenswirksamen Leistungen beginnt?«

Als Ami kann ich nur staunen, wo dieser Staat überall seine Finger drin hat. 2004 erschütterte eine Kontroverse Berlin, als Alexandra Hildebrandt, die Leiterin des populären, privat betriebenen Museums Checkpoint Charlie, auf einem leeren Nachbargrundstück über 1000 Kreuze mit den Namen der Maueropfer errichtete. Hildebrandt hatte richtig erkannt, dass die Aktion Besucher anziehen würde. Mir fiel es schwer, etwas Negatives daran zu entdecken.

Dem deutschen Staat fiel das überhaupt nicht schwer. Die Senatsverwaltung für Stadtentwicklung, die offenbar hauptsächlich arbeitslose Kulturkritiker beschäftigt, titulierte das Projekt als Kitsch; so auch die Fraktionsvorsitzende der Grünen, die damalige Kultusministerin und der regierende Bürgermeister Klaus Wowereit. Alle waren sich einig, dass es irgendwie unanständig sei, eine so staatstragende Sache wie ein Mahnmal in privater Regie aufzuziehen.

Der Staat fühlte sich von der unberechenbaren Eigeninitiative seiner Bürgerin bedroht (wie eine dieser viel beschäftigten Mütter, die nach Hause kommt und hört, wie ihre Tochter die Nanny »Mama« nennt). Als ob der Staat nicht nur ein Gewaltmonopol, sondern auch ein Mahnmal-Monopol besäße, das geschützt werden muss. Überhaupt sprach man plötzlich viel von einer »Gesamtkonzeption« für die Berliner Gedenkstätten, die irgendwann theoretisch vom Senat ausgehen würde. Wie dieses aussehen sollte, blieb im Dunkeln. Sonnenklar war dagegen, dass ein Privatmuseum diesem Konzept im Wege stehen würde. Schließlich trägt ja der Staat die Verantwortung für die Ermahnung seiner Bürger und nicht umgekehrt. Wo kämen wir denn sonst hin?

Im Vorfeld der Musikmesse Popkomm in Berlin trat 2004 eine Hand voll deutscher Popstars von Udo Lindenberg bis Yvonne Catterfeld vor einen Bundestagsausschuss und bat um eine Gehaltserhöhung. Die etwa 600 Musiker der Initiative »Musiker in eigener Sache« verlangten, dass die Regierung nach französischem Vorbild eine gesetzliche Quote im Radio einführte, die jeden Sender verpflichtete, bis zu 50 Prozent »deutsch produzierte« (nicht bloß deutschsprachige) Musik zu spielen. Wirtschaftlich gesehen war das ein Versuch, den privaten Radiosendern und deren Werbekunden vorzuschreiben, wie sie ihr Geld zu investieren hatten, was nach EU-Recht ebenso gesetzeswidrig gewesen wäre, als wenn Volkswagen plötzlich Schutzzölle für Peugeots gefordert hätte. Der Bundestag beschloss jovial, alle Sender um eine »Selbstverpflichtung« zur deutschen Musik zu bitten, und die Sache war erledigt. Doch allein, dass er den Antrag wie selbstverständlich angehört und diskutiert hat, statt »Huch? Ist schon der 1. April?« zu sagen, machte das Ganze zu einer merkwürdigen Show. Dass die Popkünstler davon ausgingen, der Staat sei für den Fortgang ihrer Karrieren zuständig, war skurril genug; dass der Staat nicht unbedingt anderer Meinung zu sein schien, kann nur eins heißen: Er sieht sich nicht als Staat, sondern als Vaterersatz.

Das Pew Research Center führte 2002 eine weltweite Studie über die Mentalitätsunterschiede der verschiedenen Völker durch. Eine der Fragen war, ob Erfolg im Leben durch Umstände bestimmt wird, die außerhalb unserer Kontrolle liegen. In den USA haben 32 Prozent der Befragten mit dieser Aussage übereingestimmt. Schon das hat mich schockiert. Zum Vergleich schaute ich nach Indien, von dem es heißt, dort glaubt man, dass das Schicksal alles bestimmt. In der Tat: 57 Prozent der Inder glaubten, Erfolg hänge von äußeren Umständen ab.

Als ich Deutschland nachschaute, war selbst ich überrascht. Sie haben alle übertroffen. Hierzulande denken sage und schreibe 68 Prozent der Menschen, ihr Schicksal hänge von Faktoren ab, über die sie keine Kontrolle haben. Ich wette, hätte man diese Umfrage unter Leibeigenen im Mittelalter gemacht, wäre der Prozentsatz ähnlich.

Seltsamerweise weiß heute keiner mehr, wie ungewöhnlich so ein Staat ist, in dem die Bürger so wenig Verantwortung wie möglich tragen und die Politik so viel wie möglich. Die Beziehung der deutschen Bürger zu ihrem Staat ähnelt der eines Kindes zu seinem besorgten Vater. Die Franzosen sagen »L'etat, c'est moi«; die Deutschen sagen: »L'etat, c'est Papi.« Die Soziologen haben ein Wort dafür: Etatismus. Wir Amerikaner haben auch ein Wort dafür: »Big Government«.

In Deutschland glaubt man gern, Amerika hätte überhaupt kein soziales Netz. Das stimmt nicht ganz. Spätestens seit den »New Deal«-Sozialreformen des Präsidenten Franklin D. Roosevelt während der Wirtschaftskrise der 1930er Jahre gibt es bei uns staatliche Sozialleistungen. (Unsere Regierung investiert heute 47 Prozent ihres Haushalts in soziale Dienste – die Hälfte jedes Steuerdollars! Die Bundesrepublik aber gibt 71 Prozent dafür aus.) Es stimmt jedoch, dass wir das soziale Netz nicht besonders mögen. Die Deutschen halten es für etwas Zivilisiertes; uns scheint es ein Fass ohne Boden zu sein.

Noch in Texas versprach George W. Bush vor seiner Wahl

seinen Anhängern, gegen das Big Government seines Vorgängers vorzugehen. Er wollte den Staat abspecken, die Parasiten rausschmeißen und den Politikern im fernen Washington beibringen, dass sie für das Volk da sind und nicht umgekehrt. Auf seine Weise hat er das sogar getan: Er hat so viele Sozialvergünstigungen und Steuervorteile für den Mittelstand gekürzt wie nur möglich und sie durch Vorteile für die Reichen ersetzt. Das hat auch Sinn: Es gibt weniger Reiche als Arme, also ist die Big Government-Bürokratie erheblich geschrumpft. Ganz zu schweigen von vielen völlig überflüssigen Big Government-Programmen, die weichen mussten – zum Beispiel Geld für den Dammbau in New Orleans, nach dem Motto, die Menschen vor Ort müssten endlich lernen, für sich selbst zu sorgen.

Big Government kann einen Amerikaner zu Extremen treiben. 1995 sprengten Timothy McVeigh und Terry Nichols ein Regierungsgebäude in Oklahoma City in die Luft und töteten dabei 167 Männer, Frauen und Kinder. Sie glaubten unter anderem, der amerikanische Staat greife zu stark in die Privatrechte der Bevölkerung ein. McVeigh hatte einige Jahre davor zugesehen, wie das FBI die Quartiere des Sektenführers David Koresh stürmte, weil er und seine Anhänger einfach nur nach ihrer Fasson selig werden wollten. Wozu Amerika, wenn man sich nicht mal als Messias ausgeben, eine Sekte höriger Frauen und Männer um sich scharen und sie bis an die Zähne für Armageddon bewaffnen darf? In einem freien Land muss das doch möglich sein.

Vergleicht man McVeigh und Nichols mit den letzten großen deutschen Terroristen, der RAF, könnte man fast behaupten, es handelt sich hier um typische Vertreter ihrer jeweiligen Länder (ich sehe schon den Ethnologieklassiker vor mir: *Nationale Mentalitäten im Spiegel der großen terroristischen Vereinigungen*). RAF wie McVeigh/Nichols waren beide hoch politisch, unterschieden aber nicht zwischen Politik und Kriminalität; sie hielten ihre Weltsicht für intellektuell überlegen und waren gleichzeitig so naiv zu glauben, dass das

Volk durch ihre Taten zur Revolution aufgerufen werden könnte. Der einzige bedeutende Unterschied war: Die kommunistische RAF, typisch deutsch, wollte einen Staat, der die Gesellschaft so lange reguliert, bis es keine Ungerechtigkeit mehr gibt; McVeigh/Nichols, typisch amerikanisch, wollten einen Staat, der die Gesellschaft so wenig reguliert, dass er keine Ungerechtigkeit mehr verursacht.

Die Präambel der 1780 in Kraft getretenen US-Verfassung macht klar, wozu wir Amerikaner eine Regierung überhaupt für nötig halten:

> Wir, das Volk der Vereinigten Staaten, von der Absicht geleitet, unseren Bund zu vervollkommnen, die Gerechtigkeit zu verwirklichen, die Ruhe im Innern zu sichern, für die Landesverteidigung zu sorgen, das allgemeine Wohl zu fördern und den Segen der Freiheit uns selbst und unseren Nachkommen zu sichern, setzen und begründen diese Verfassung für die Vereinigten Staaten von Amerika.

Der hier beschriebene Job ist gar nicht so schwer. Die Regierung soll für Polizei und Justiz sorgen, damit wir uns nicht gegenseitig umbringen; weiterhin soll sie uns vor den verdammten Engländern beschützen sowie vor allen anderen, die an unser hart verdientes Geld wollen. »Das allgemeine Wohl fördern« heißt nicht, dass niemand hungern darf. Das ist Privatsache. Es heißt nur, dass eine Infrastruktur existieren soll, die jeder zu seinem Vorteil nutzen kann. Unsere Verfassung ist eine Antwort auf die damalige Gesellschaft Englands, in der eine dünne Schicht omnipräsenter Adliger alles kontrollierte, und wo auch der beste Mann mit den genialsten Ideen ohne Hilfe von oben auf keinen grünen Zweig kam. Der ganze Sinn von Amerika ist, dass man tun und lassen kann, was man will, ohne dass einem eine Elite oder sonst wer auf die Pelle rückt. Ganz anders Deutschland. Hier die Präambel des Grundgesetzes:

Im Bewusstsein seiner Verantwortung vor Gott und den Menschen, von dem Willen beseelt, als gleichberechtigtes Glied in einem vereinten Europa dem Frieden der Welt zu dienen, hat sich das Deutsche Volk kraft seiner verfassungsgebenden Gewalt dieses Grundgesetz gegeben.

»Verantwortung vor Gott«, »vereintes Europa«, »Frieden der Welt« ... bin ich hier in der Sonntagsschule? Diese Präambel, geschrieben im schmerzlichen Bewusstsein der Verbrechen des Hitlerregimes, greift ungleich höher als unsere Verfassung. Die amerikanische Präambel ist berühmt, weil sie von Demokratie spricht, und zwar gleich in den ersten Worten: »Wir, das Volk.« Dies war jedoch vor 200 Jahren, als die Welt noch feudal war. Die deutsche Präambel entstand auf den Trümmern einer größenwahnsinnigen Diktatur, deren Verbrechen die ganze Welt anging. Deshalb spricht sie gleich von Verantwortung vor Gott und den Menschen, von der Stellung der Nation in der Welt und vom Weltfrieden.

Der deutsche Staat möchte jedermann ein gutes Leben ohne Leid und Not garantieren. In Artikel 20 wird er ausdrücklich als »sozialer« Staat beschrieben. Er zeichnet auch dafür verantwortlich, die Menschenwürde zu gewähren: »Die Würde des Menschen ist unantastbar«, heißt es im ersten Artikel. Was Würde ist, wird nicht definiert. Anfangs ging es wohl darum, dass niemand mehr in KZs gesteckt werden kann. Inzwischen gehört dazu, dass man nicht Moon Unit, Dweezil oder Diva Zappa heißen muss. Doch was ist mit Artikel 20, wenn du dem schönsten Mädchen in der fünften Klasse deine Liebe gestehst und es sagt, es liebe dich auch und will dich nach der Schule am Spielplatz treffen, und wenn du mit Blumen und einem selbst gebastelten Herzchen aus Pappmaschee mit einem richtigen Pfeil durch die Mitte auftauchst, und es ist nicht allein, sondern hat die halbe Schule dabei, um dich auszulachen. Wo bleibt da die Würde des Menschen?

Der amerikanische Staat will lediglich ein Spielfeld erschaffen, auf dem jeder mehr oder weniger fair gewinnen oder verlieren kann. Die deutsche Verfassung will, dass niemand verliert. Seit der Bergpredigt hat es kein so utopisches Dokument gegeben.

Das Grundgesetz ist sicher die modernste Verfassung der Welt. Gleichzeitig ist es auch die mittelalterlichste, denn diese Deutschen sind verdammt clever: ohne irgendjemandem davon zu erzählen, haben sie den Etatismus aus dem Mittelalter ins Heute herübergerettet und auch noch modernisiert. Wer wissen will, wie dieses Völkchen tickt, muss die Geschichte seiner Beziehung zum Staat betrachten.

Die Chronik des deutschen Etatismus liest sich wie ein tausendjähriger Streit mit Papi. Die prägendste Kindheitserinnerung war die Leibeigenschaft.

Im Mittelalter waren 90 Prozent aller Menschen in irgendeiner Art davon betroffen. In Südwestdeutschland wurde sie erst im 18. Jahrhundert abgeschafft. Es kam sogar vor, dass man sich freiwillig in die Leibeigenschaft begab.

»Zur Zeit Karls des Großen setzt ein Prozess ein, der dazu führte, dass sich immer mehr Freie freiwillig als Leibeigene in die Grundherrschaft von Klöstern, Bischöfen und Adeligen begeben, um aus unsicheren Verhältnissen herauszukommen«, sagte Karl-Heinz Spieß, Professor für mittelalterliche Geschichte in Greifswald. »Als Freier war man vielen Gefahren ausgesetzt, ohne dass der König oder der zuständige Graf genügend Schutz bieten konnte. Es hatte Vorteile, sich in die Unfreiheit zu begeben.«

Was ist das für ein Volk, das sich freiwillig in die Leibeigenschaft begibt? Ein Psychologe würde wohl von einer neurotischen, devot-dominanten Liebe-Hass-Beziehung sprechen. Andererseits: Wenn ein Volk einen scheinbar unvorteilhaften Deal mit dem Adel eingeht und diesen die nächsten tausend Jahre beibehält, muss man annehmen, dass es irgendetwas davon hat.

Anfangs gehörte dem Leibeigenen, je nach Abkommen weder das Grundstück, auf dem er schuftete, noch die Ernte, die er erwirtschaftete. Seine Kinder wurden in die Leibeigenschaft geboren und gehörten damit dem gleichen Herrn. Das führte dazu, dass der Leibeigene nicht selbständig entscheiden konnte, wen er heiraten wollte. Wenn ein Bauer von Baron Fritz eine Bäuerin des Ritters Hans heiraten wollte, warf das eine ganze Reihe schwieriger Fragen auf: Wenn die Bäuerin von Ritter Hans mit ihrem Mann auf dem Hof von Baron Fritz arbeitet, wer entschädigt Ritter Hans für die verlorene Arbeitskraft? Und wenn sie Kinder haben, wem gehören die? Da war es leichter für Baron Fritz, seinem Bauern freundlich zu erklären, andere Mütter hätten auch schöne Töchter. Im Gegenzug musste der Herr seinem Bauern Schutz und eine Lebensgrundlage bieten. Er musste ihm genug Land zur Verfügung stellen, damit er überleben konnte, und in Hungerszeiten musste er ihn durchbringen.

In dieser Abhängigkeit befanden sich nicht nur jene, die rechtlich unfrei waren. »Am Hof kommt diese Ambivalenz am krassesten zum Ausdruck«, meinte Spieß. »Rund um die Burg lebten vielleicht 200 bis 300 Personen, Leibeigene und Freie, die sich patriarchalischer Fürsorge erfreuten. Sie werden verköstigt, bekommen im Sommer und im Winter einen neuen Satz Kleidung, erhalten vielleicht sogar Lohn. Und wenn die Hofdame der Ehefrau heiraten wollte, musste der Herr für eine Mitgift aufkommen. Aber gleichzeitig konnte der Fürst jemanden, der in Ungnade fiel, aus seiner Fürsorge entlassen, und dann war dieser rechtlos. Es gibt genügend Beispiele von Höflingen, die von heute auf morgen im Gefängnis landen und keiner regt einen Finger für sie.«

Der Fürst war das erste Sozialamt der Welt. Wissen Sie, was das kostet, wenn ein Haufen hungriger, ungewaschener Bauern nach einer schlechten Ernte ans Burgtor klopft? Und was los ist, wenn der Nachbarfürst das Vieh des Bauern forttreibt? Dann muss der Herr ihm die Fehde erklären und seinen Kopf hinhalten. Das kann schlecht ausgehen. Doch daran denkt der Bauer nicht. Nein, immer nur fordern, fordern, fordern. Da kann ich es verstehen, wenn dem Fürsten ab und zu ein frustriertes »Sozial-Schmarotzer« entweicht.

Es wird oft betont, dass der Leibeigene unbewaffnet und deshalb dem Herrn ausgeliefert war, doch das ist nur die halbe Wahrheit. Ohne seine Bauern hatte der Herr nichts zu essen.

»Wenn der Herr die Bauern zu sehr unterdrückt, leisten sie Widerstand oder laufen einfach weg«, sagte Spieß. »Der herrschaftlichen Willkür waren vielleicht kaum rechtliche Grenzen gesetzt, aber dafür praktische.« Dann kam irgendein Witzbold auf die Idee, Städte zu gründen und den Rechtspruch zu deklarieren: »Stadtluft macht frei.« Wer es nun als Leibeigener schafft, ein Jahr lang in der Stadt zu leben, gehört nicht mehr seinem Herrn, sondern ist ein freier Stadtbewohner. Ein Jahr – richtig lang ist das nicht. Bis der Herr überhaupt merkt, dass der Bauer weg ist, sind schon ein paar Monate vergangen. Das wusste der Herr, und die Bauern wussten, dass der Herr das wusste, und das nutzten sie auch weidlich aus.

»Damals gab es wenig Möglichkeiten, sie in die Stadt zu verfolgen oder zu identifizieren«, sagte Spieß. »Sie konnten die Menschen nicht überwachen. Es war Abstimmung mit den Füßen. Es gab eben Alternativen zum Leibeigentum.«

Dieses Hin und Her zog sich über die nächsten 500 Jahre. Manche Deutsche ärgern sich gern, dass sie nie in der Lage waren, wie andere Länder gegen die adelige Obrigkeit zu rebellieren, und interpretieren dies als Obrigkeitsdenken. Doch kaum war das Mittelalter vorbei, erhoben sich hunderttausende Bauern in verschiedenen Territorien gegen ihre Grundherren. Ihre Forderungen: unter anderem die Abschaffung der Leibeigenschaft. Leider waren sie alles andere als professionell ausgerüstet, und fielen auch zu Hunderttausenden. Doch in den folgenden Jahren bekam das Volk peu à peu manche der Rechte, die es forderte. Zum Beispiel, das Recht zu heiraten, wen man will.

70 Jahre nach der amerikanischen Revolution fegten wieder Aufstände durch ganz Kontinentaleuropa. In Baden, München und Dresden kam es zu regelrechten Straßenschlachten; in Berlin kamen hunderte von Menschen um.

In Frankfurt am Main wurden 1849 in der Paulskirchen-verfassung Grundrechte verabschiedet, die jedem Deutschen das Recht garantierten, zu leben, wo er wollte, und zu arbeiten, was er wollte. In der Verfassung stand der Satz: »Der Adel als Stand ist aufgehoben.« – davon ausgenommen war der König. Die Paulskirchenverfassung sah eine »konstitutionelle Monarchie« vor. Doch der König – wen überraschte es – machte nicht mit. Er löste die Nationalversammlung umgehend auf und installierte eine eigene Verfassung, die ihm mehr zusagte, und die Revolution wurde niedergeschlagen.

Sie hinterließ Spuren. Wahrscheinlich mehr, als selbst die Revolutionäre ahnten. Sie bewies, dass das deutsche Volk in der Lage war, den Adel in die Enge zu treiben. Vor allem einer hörte die Signale: Otto von Bismarck. Seine Politik war geprägt von dem Versuch, einerseits revolutionäres Potenzial einzudämmen und andererseits das Volk zu beruhigen, wenn nicht gar zu kaufen. Seit Jahren hatte der Adel gegen die Bestrebungen vieler Revolutionäre gekämpft, ein geeinigtes Reich zu gründen; Bismarck einte die deutschen Territorien. Er verbot bestimmte Versammlungen der Sozialisten (was sie im Volk nur beliebter machte), gleichzeitig erfand er die Sozialgesetze. Einem engen Vertrauten verriet er: »Wenn der Arbeiter keinen Grund mehr zur Klage hätte, wären der Sozialdemokratie die Wurzeln abgegraben.«

Dank Bismarck bekamen die Deutschen, die so lange mit dem Staat gerungen hatten, endlich, was sie wollten. Ab 1883 erließ er die Gesetze zur Kranken- und Unfallversicherung sowie Alters- und Invalidenversicherung. Diese Sozialgesetze sollten die Folgen der Industrialisierung abmildern, der sozialistischen Bewegung den Wind aus den Segeln nehmen und das Volk enger an den Staat binden. Sie haben mehr erreicht als das. Die Bismarck'schen Sozialgesetze definierten die Rolle des Staates neu und wurden für viele europäische Staaten zum Vorbild. Sie waren die Modernisierung des mittelalterlichen Adelsstaats, der vollendete Etatismus.

Das erklärt auch, warum hierzulande jede politische Nebensächlichkeit genüsslich ausgewalzt wird. Wenn ich in der Zeitung einen Satz lese wie »Regierung und Opposition uneins über Steuergesetze«, kann ich ihn stundenlang anschauen, und trotzdem verstehe ich nicht, warum er für mich wichtig sein soll. Ist es nicht ihr Job, darüber zu streiten? Dazu sind sie doch da. Ich meine, dafür zahle ich ihnen meine Steuern. Klar, wenn ein Steuergesetz gravierend ungerecht ist, soll man das erwähnen – aber wenn Regierung und Opposition uneins sind, muss ich das nicht unbedingt wissen, noch muss ich am nächsten Tag lesen, dass die Opposition zurückschlägt, oder dass eine Partei, die gar nicht an der Regierung ist, in den eigenen Reihen streitet oder wahlweise jede Kritik zurückweist. Beim Versuch der Verarbeitung solcher typisch deutschen Nachrichten kriege ich vor Verwirrung regelmäßig Kopfschmerzen. Die Germanen sind die Einzigen, die ich kenne, die regelmäßig erwartungsvoll ein *Politbarometer* anschauen, auch wenn eine Wahl in nächster Zukunft nicht in Sicht ist – wie damals, als das Volk sich abendlich vor dem Schloss versammelte und wartete, bis der Leibarzt des Fürsten auf den Balkon trat und mit den Daumen nach oben oder nach unten zeigte.

Die cleveren Deutschen haben es irgendwie geschafft, durch alle Umwälzungen hindurch das monarchistische Prinzip beizubehalten, dass der Staat für den Einzelnen verantwortlich ist. Heute hat der Deutsche das Beste aus zwei Welten: Einerseits darf er alles machen, was er will; andererseits muss der Staat immer noch für ihn gerade stehen. Einerseits finde ich das erschreckend unamerikanisch. Andererseits bin ich ein ganz klein wenig neidisch darauf.

Wir Amerikaner schmissen 1776 den verdammten Adel einfach raus. Bis dahin existierte in den britischen Kolonien Nordamerikas noch ein feudales System. Der Historiker Gordon S. Wood nennt es »Patronage«: Wer kein Gentleman war, war auf einen Gentleman angewiesen. Der Gentleman war Kreditinstitut, Kunde und Vermittler zu weiteren Gentleman-Kunden. Der Gentleman hatte wiederum seinen Patron im höheren Adel. Das klappte hervorragend in England, war in Amerika aber eine Farce: Der Adel war weit, die gesellschaftlichen Bindungen schwach, und es gab viel, viel Land. Auch der Dümmste kam irgendwann darauf, dass er etwas weiter westwärts seine eigene Farm bauen, Handel treiben und sich seine Kunden selber aussuchen konnte. Amerika war wie geschaffen, adelsfrei zu funktionieren. Es war wie in einem dieser Kinderbücher, wo die Eltern eines Tages kurz mal weggehen und mysteriöserweise nicht wiederkommen. Irgendwann stellen die Kids fest, sie können alles tun, was sie wollen. Im Unabhängigkeitskrieg haben wir nichts anderes getan, als die Eltern zu bewegen, weiterhin fernzubleiben.

Das ist das Plätzchenteigprinzip der Geschichte. Sie kennen sicher den fertigen Plätzchenteig, den man im Kühlregal findet und nur noch backen muss. Seit kurzem sehe ich das Zeugs auch in deutschen Kühlregalen. Was man hierzulande nicht weiß: das Produkt ist in Wirklichkeit nicht zum Backen da. Es ist zum Naschen, wie damals, als Mama plötzlich ans Telefon musste und wir Kinder verbotenerweise vom fertigen Teig probiert haben, der auf dem Tisch stand. Sicher, hinten auf der Packung steht eine Backanleitung. Aber das nur für den Fall, dass Mama zu Thanksgiving zu Besuch kommt und den Kühlschrank durchforstet. Die unsichtbare Anleitung heißt: »Aufmachen, mit den Finger essen. Du kannst machen, was du willst!« Das nächste Mal, wenn Sie Ben & Jerry's Eis mit »Cookie Dough« im Laden sehen und sich darüber wundern, denken Sie an meine Worte.

Es waren nicht nur die Engländer, die die Vorteile einer elternlosen Heimat schätzen lernten. Die Deutschen folgten ihnen auf dem Fuße. Schon hundert Jahre vor der Geburt der Vereinigten Staaten gründeten 13 Familien aus Krefeld – es waren Mennoniten – einen der wichtigsten Stadtteile von Philadelphia, Germantown. Als der Remscheider Gottfried Duden 1829 sein Buch *Bericht über eine Reise nach den westlichen Staaten Nordamerikas* in Deutschland veröffentlichte, in dem er in leuchtenden Farben seine dreijährige Amerikaerfahrung schilderte, löste er eine regelrechte Auswanderungswelle aus. Er hatte das Leben eines Gentleman-Farmers beschrieben, der morgens Rebhühner, Tauben und Eichhörnchen jagte und den Rest des Tages mit Lesen, Besuchen bei den Nachbarn und langen Spaziergängen durch die zauberhafte Natur verbrachte. Tausende folgten seinem Ruf. Bald hallte die Nachricht zurück, dass das Leben dort nicht immer so war, wie Duden es beschrieben hatte, und er musste feststellen, dass sein Name zunehmend in Sätzen auftauchte, die mit dem Wort »Lügenhund« endeten. Acht Jahre später nahm er einige seiner Beschreibungen zurück. Die Bauern, die seinetwegen nach Amerika ausgewandert waren, blieben.

Nach der gescheiterten Revolution 1848 flohen die kämpferischen Rebellen Franz Sigel, Friedrich Hecker und Lorenz Brentano nach Amerika und fanden ihre politische Bestimmung und ihren Ruhm im amerikanischen Bürgerkrieg. Hecker und Sigel schlossen sich den Nordstaaten an und stiegen jeweils zum Colonel und Generalmajor auf. Brentano machte sich erst als Zeitungsverleger in Chicago einen Namen, dann startete er eine politische Karriere und brachte es bis zum Kongressabgeordneten. Später kehrte er zeitweise nach Deutschland zurück – nicht mehr als Verfolgter, sondern als amerikanischer Konsul. Man schätzt, dass bis zu 10 000 Rebellen nach der gescheiterten Revolution 1848 nach Amerika flohen.

Die Gießener Auswanderungsgesellschaft wollte schon 1830 einen neuen deutschen Staat im Wilden Westen gründen, und schaffte es immerhin, an die 500 Deutsche bis nach Missouri zu bringen, wo sie sich einer anderen deutschen Siedlung anschlossen, die »Latin Settlement« genannt wurde, weil diese deutschen Farmer aus unerklärlichen Gründen Wert auf eine klassische Bildung legten. Der Mainzer Adelsverein half ab 1842 über 7000 Deutschen nach Amerika, die sich meist in Texas niederließen und teilweise unter den härtesten Bedingungen lebten. Manche verhungerten, andere fielen Seuchen zum Opfer – in einem Jahr starben in New

Braunfels 300 Siedler. Otfried Hans Freiherr von Meusebach schloss sich dem Mainzer Adelsverein an, gründete die Stadt Fredericksburg in Texas und kämpfte gegen die Komantschen, bis sie zu einem Friedensvertrag bereit waren, der es ihm ermöglichte, weitere Städte zu gründen. Der Versuch, im Noch-Nicht-Bundesstaat Texas ein »Neu-Deutschland« zu gründen, scheiterte, aber noch 1900 sprachen etwa 100 000 Texaner den Dialekt Texasdeutsch.

Bereits 1830 waren die Deutschen die größte nichtenglischsprachige Einwanderergruppe in Amerika. Bis 1890 erschienen regelmäßig 800 deutschsprachige Zeitungen. Zwischen 1850 und 1930, als die USA die Einwanderung erschwerten, kamen fünf Millionen Deutsche nach Amerika. Und das bei einer Gesamtbevölkerung von nur 41 Millionen bei Reichsgründung.

Was sie in Amerika vorfanden, konnte nicht unterschiedlicher von dem »deutschen Recht und Ordnung« sein, an das sie gewohnt waren. In großen Teilen Amerikas war »der Staat« so gut wie nicht vorhanden.

Im selben Jahr, als Bismarck sein Unfallversicherungsgesetz einführte, machte Marshall Elfego Baca in einem Städtchen namens Frisco, New Mexico, den Fehler, einen Cowboy zu verhaften, der auf ihn geschossen hatte. Der Cowboy hatte Freunde – 80 an der Zahl. Als Baca klar wurde, dass dieser Cowboy ganz schön beliebt war, verbarrikadierte er sich schleunigst im Haus eines Bekannten. Die Cowboys belagerten und beschossen es mehr als 36 Stunden, bis ihnen die Munition ausging, und das waren immerhin 4000 Kugeln. Wie durch ein Wunder ging Baca unverletzt aus dem Haus, nachdem die Cowboys abgezogen waren. Der Sheriff hatte allerdings nicht mit dem Gesetz gerechnet. Warum auch, er war ja das Gesetz. Da einer der Cowboys gestorben war, wurde er verhaftet. Er kam nur deshalb ungestraft davon, weil er die Haustür mit in den Gerichtssaal nahm und den Geschworenen zeigte. Sie zählten 400 Einschusslöcher. Ob eine Unfallversicherung wie die Bismarcks auf solche Verhältnisse in Amerika hätte angewendet werden können, werden wir wohl nie erfahren.

Nicht einmal auf die Regierung im zivilisierten Washington konnte man sich verlassen. In Deutschland entstanden zu jener Zeit die ersten Arbeitgeberverbände – in Amerika auch, aber mit ganz eigenem Charme. Die großen Viehhändler organisierten sich zum Interessenverband Wyoming Stock Growers Association (WSGA) und versuchten prompt, kleine Farmer vom Land zu vergraulen, indem sie ihnen das Wasser und den Zugang zu den Märkten abschnitten. 1892 heuerte die WSGA 50 Söldner aus Texas an, unter ihnen bekannte Mörder, um in Wyoming die renitenten Kleinbauern der Gemeinde Johnson County systematisch zu vertreiben, wenn nicht gar umzubringen. Und wenn nebenbei auch ein paar örtliche Gemeindevertreter darunter fielen, war es schon recht. Nachdem die Gang die Telegraphendrähte zerschnitten und die ersten Morde erfolgreich erledigt hatte, organisierte der Sheriff der nächstgelegenen Stadt einen Trupp von 200 Mann, der die Cowboy-Killer ausfindig machte. Als die Killer zu ihrer eigenen Überraschung eingekesselt wurden, erinnerten sie sich daran, dass es in diesem Land so etwas wie ein Gesetz gab, an das man sich in Notlagen wenden konnte. Ihre Auftraggeber waren nämlich Republikaner, ebenso wie der damalige Präsident Benjamin Harrison. Einer der Killer-Cowboys entkam und alarmierte den Gouverneur von Wyoming, der sich beim Präsidenten beschwerte, der sofort Truppen in die Gegend schickte, um die Eingekesselten zu retten. Es war ein Riesenskandal, der aber zum Glück noch ein Happy End hatte: Die Killer wurden freigelassen. Historiker meckern heute über den autoritären, monarchietreuen Bismarck, aber es gab nicht wenige im Wilden Westen, die einen solchen Mann gern in Washington gesehen hätten.

Es ist nicht so, dass das Gesetz im Wilden Westen nicht willkommen war. Immer wieder versuchte man, es zu importieren. Das berühmteste Beispiel ist die Geschichte des Revolverhelden und sporadischen US-Marshalls Wyatt Earp, der mit dem erwähnten Duell am O.K. Corral das Gesetz nach Tombstone brachte. Doch meistens erzählt man nicht die ganze Geschichte.

Tombstone war eine rechtsfreie Zone. Die Stadt entstand durch eine nahe gelegene Silbermine, doch berühmt wurde sie durch Raub, Mord, Pferdediebstahl und Viehschmuggel. Im nahen Skeleton Canyon massakrierte die gefürchtete Curley Bill Brocius Gang 15 mexikanische Schmuggler und überließ ihre Leichen den Aasgeiern – abgesehen von den Schädeln, die von den hygienebewussten Cowboys der San Bernadino Ranch aufgesammelt und zu Seifenschüsseln verarbeitet wurden. Mexikanische Outlaws kauften Alkohol in Tombstone und schmuggelten ihn ins Land; amerikanische Outlaws stahlen Vieh in Mexiko und trieben es über die Grenze. Die honorigen Großrancher der Clanton- und McLaury-Familien waren besonders eifrig zugange. Einmal schlugen sie über die Stränge, als sie Maultiere der U.S.-Army geklaut hatten und gerade dabei waren, die Brandzeichen der Tiere von »U.S.« in »D.8.« zu modifizieren, als die Army bei ihnen anklopfte.

Um diesem Treiben der Clantons und McLaurys ein Ende zu setzen, focht Earp mit seinen Brüdern und ein paar Kumpeln das berühmte Duell im O.K. Corral aus, bei dem 30 Kugeln in 30 Sekunden abgefeuert wurden. Ein Clanton und zwei McLaurys kamen ums Leben. Was gern als Sieg über das Verbrechen dargestellt wird, war in Wirklichkeit nur ein Zwischenspiel. Die Clantons und McLaurys jagten fortan die Earps und töteten einen seiner Brüder. Wyatt schlug zurück, ohne sich mit Nebensächlichkeiten wie Gerichtsbeschlüssen aufzuhalten. Er verfolgte die vermeintlichen Täter und erschoss sie. Das war nicht mehr Gesetz, das war eine Fehde im mittelalterlichen Stil, die erst endete, nachdem Earp Rache genommen hatte und aus der Region verschwand. Wer die Biographien der großen Sheriffs des Wilden Westens betrachtet, sieht schnell, dass viele von ihnen im Nebenberuf Kriminelle waren oder umgekehrt. Nicht gerade Bismarcks Vorstellung von Beamtentum.

Ironischerweise hat ausgerechnet ein *German-American* Tombstone gegründet. Ed Schieffelin war ein Niemand, der nach Gold suchte wie zahlreiche andere auch. Man warnte ihn: »In den Hügeln Arizonas findest du höchstens deinen eigenen Grabstein«, doch er hörte nicht darauf, trotzte dem Land und den Apachen und behielt auf gute alte amerikanische Weise Recht: Er fand Silber. Blitzschnell entstand dort eine Stadt aus dem Nichts. Das Erstaunliche am Wilden Westen ist nicht, dass das alles tatsächlich passierte, sondern, dass es zu einer Zeit passierte, als der Rest der Welt – darunter der Osten der USA – höchst zivilisiert war. Western kommen im Kino immer rüber wie eine zeitlose Fantasy-Welt, die keinen Bezug zu unserer eigentlichen Geschichte hat. Doch alles ist belegbar: Tombstone existierte von 1877 bis 1887 (man beklagt sich gern darüber, dass die Welt von heute viel zu schnelllebig ist, doch wer sich im Wilden Westen die Zeit nahm, über die Geschwindigkeit des Weltgeschehens nachzusinnen, war verloren).

Ed Schieffelin übrigens blieb ein Abenteurer. Er verkaufte seinen Anteil an den Tombstone-Silberminen und wanderte auf der Suche nach Gold weiter nach San Francisco bis nach Alaska, obwohl er nun reich war. Man sagt, er habe nochmal Gold gefunden, bevor er nach einem Herzinfarkt in Oregon tot aufgefunden wurde. Sein letzter Wille war ein Grab in Tombstone (er hatte Humor). Dort liegt er noch heute. Nur die Stadt ist nicht mehr da.

Während Schieffelin seine Silbermine entdeckte, gründete Bismarck das Deutsche Reich, die industrielle Revolution erreichte das Ruhrgebiet, und Firmen wie Thyssen, Bayer und Henkel entwickelten sich zu weltumspannenden Riesen. Und während Karl Marx den ersten Band seines Hauptwerks *Das Kapital* veröffentlichte, übte der Räuber Black Bart jenseits des Atlantiks Sozialkritik auf ganz eigene Weise, indem er bei seinen ausgeraubten Kutschen immer wieder kurze Gedichte hinterließ:

I've labored long and hard for bread
For honor and for riches
But on my corns too long you've tread
You fine haired sons bitches.

Geplackt hab ich mich Tag und Nacht,
als ob sich das rentierte!
Ihr habt mich lang genug verlacht,
Lackaffen, ondulierte!

Und die Deutschen, die ihrer Heimat treu blieben? Sie waren auch nicht gerade die braven preußischen Bürger, die am Feierabend unter dem Porträt des Kaisers zur Entspannung im Bürgerlichen Gesetzbuch lasen. Wenn man heute an jene Epoche denkt, stellt man sich zu Unrecht eine völlig angepasste, biedere Welt vor. Doch Deutschland wäre nicht das, was es heute ist, ohne die Millionen Wild-West-Helden, die zu Hause geblieben waren.

Während unsere Revolverhelden sich auf der Straße wegen Nichtigkeiten wie den Ausgang der letzten Schießerei duellierten, lieferten sich hier die Sozialisten Straßenkämpfe für die Sache des Volkes. Keine andere deutsche Bewegung hat so viele Helden hervorgebracht. Die Märtyrer der Bewegung treten einander nur so auf die Füße. Mit Ferdinand Lassalle, dem ersten Präsident des Allgemeinen Deutschen Arbeitervereins, fing es an: Als Philosoph, Autor und ehemaliger Burschenschafter saß Lassalle mehrere Gefängnisstrafen ab und starb bei einem Pistolenduell in der Schweiz, 20 Jahre bevor Bismarck die Sozialgesetze durchbrachte. Na gut, Lassalles Duell war genau genommen nicht politischer, sondern romantischer Natur, trotzdem hat er ein Märtyrer-Muster geliefert, nach dem die weiteren Helden des Arbeiterkampfes fortan lebten und starben:

1. Autorenschaft oder ähnlich gelehrte Tätigkeit (klar, dass deutsche Helden Intellektuelle sein müssen),

2. Konflikt mit dem Staat, Gefängnisstrafe oder ähnliche Ungerechtigkeit (klar, dass deutsche Helden Opfer sein müssen), und
3. tragischer Tod (die Deutschen und der Tod – ich sag nichts mehr).

August Bebel war Mitbegründer des SPD-Vorläufers SDAP, wurde in den Norddeutschen Reichstag gewählt, kam in Festungshaft wegen Hochverrats und Majestätsbeleidigung und erhielt unter Bismarcks Sozialistengesetzen weitere Gefängnisstrafen. Zwar starb er an Herzversagen während eines ansonsten erholsamen Sanatoriumaufenthaltes, wurde aber schon zu Lebzeiten für seine Haftstrafen als Held gefeiert. Schon als 18-Jährige musste Rosa Luxemburg vor der Polizei fliehen, und so ging es ihr ganzes Leben lang, bis sie 1919 von einem so genannten Freikorps, einer bewaffneten, politisch rechts engagierten Bande, ermordet und in den Berliner Landwehrkanal geworfen wurde. Der Leipziger Anwalt und sozialdemokratische Abgeordnete Karl Liebknecht war ständig entweder vor Gericht, um Revolutionäre zu verteidigen, oder in Haft, weil er antimilitärische Schriften verfasste, und wurde gemeinsam mit Rosa Luxemburg umgebracht.

Clara Zetkin, Ernst Thälmann, Rudi Dutschke: die Liste ist lang. Wie leicht es ist, sozialistischer Märtyrer zu werden, zeigt Benno Ohnesorg. Er war ein ganz normaler Student, der schon bei seiner ersten Demo, bevor er eine einzige Rede halten konnte, von einem Polizisten erschossen wurde. Trotzdem wurde er zum ersten Märtyrer der APO bzw. Studentenbewegung.

Und dann gab es die Rote Armee Fraktion, verwöhnte bürgerliche Kids mit großen Sprüchen, Waffen und einer Mordswut auf den Staat ihrer Väter. Stellen Sie sich vor, sie wären tatsächlich an die Macht gekommen. Dennoch werden sie in einem Dutzend Spiel- und Dokumentarfilmen und unzähligen Büchern wie Helden verklärt. Vielleicht, weil sie so gut ins Sozial-Märtyrer-Schema passen: Auch sie waren Intellektuelle, kamen in Konflikt mit dem Staat, landeten im Gefängnis und starben auf tragische Weise.

Heute werden diese Märtyrer von uns belächelt, genau wie wir Amerikaner unsere Wild-West-Helden belächeln. Wenn Gregor Gysi, Lothar Bisky und ein paar Hundert Nostalgiker jeden Januar rote Nelken am Grab Rosa Luxemburgs niederlegen, verdreht halb Deutschland die Augen. In der Tat, spätestens nach dem Untergang der DDR haben die meisten von ihnen verstanden, dass Marx nicht mehr auferstehen wird. Trotzdem kann niemand behaupten, diese Helden hätten ihn nicht geprägt. Es gibt keine deutschen Helden, die tiefere Spuren hinterlassen haben.

Es gibt kaum ein Wort, das den Deutschen so wichtig ist wie das Wort »sozial«. Bei uns zu Hause würde kein linker Politiker das Wort in den Mund nehmen. In Deutschland dagegen hat nicht einmal ein CDU/CSU-Politiker ohne diesen Begriff eine Chance. Selbst Hitler, der nun beileibe nicht links war, kam nicht ohne aus: das Rot in der Hakenkreuz-Fahne stand für den »sozialen Gedanken der Bewegung«.

Wir Amerikaner haben keine Ahnung, was die Deutschen mit »sozial« meinen. *Social* heißt bei uns »gesellschaftlich«. Jemand ist *anti-social*, wenn er Partys meidet. »Sozial« hat hierzulande eine ähnliche Stellung wie die Worte »Traum« oder »Erfolg« in Amerika. Wenn ein US-Fernsehsender sein Publikum zu Tränen rühren will, kann er immer auf die Geschichte der mutigen Pionier-Mutter zurückgreifen, die mit dem Baby auf einem Arm und dem Gewehr auf dem anderen die Indianer vom Grab ihres Mannes vertreibt. Will ein deutscher TV-Sender sein Publikum zu Tränen rühren, sendet er unter Einsatz von Streichern das Porträt einer arbeitslosen Mutter mit mehreren Kindern, die sagt: »Bis jetzt ging es immer irgendwie, aber seit diesen neuen Gesetzen weiß ich nicht mehr weiter.« Dieser Satz ist ein Standardsatz deutscher Fernsehnachrichten; ich kenne ihn seit den frühen 80ern, und er hat sich seitdem auch nicht geändert. Der Satz zieht immer.

Die Deutschen teilen die Welt in »sozial« und »unsozial«. Nach einem Gespräch mit dem Ökonomen Hans-Werner Sinn kommt der *Stern* zu dem Schluss, Schulden seien unsozial. Hans Tietmeyer glaubt, dieser Sozialstaat ist unsozial. Für den Bundesverband privater Anbieter sozialer Dienste ist Schwarzarbeit unsozial. Einsparungen bei Beamten sind unsozial. Was Einsparungen bei Beamten mit den Lebensumständen der Arbeiterklasse oder gar mit der Umverteilung des Reichtums zu tun hat, habe ich bis heute nicht verstanden. Die Worte »sozial« und »unsozial« haben längst nichts mehr mit sozialer Gerechtigkeit zu tun; sie sind Synonyme für »Gut« und »Böse«. Wenn jemand egoistisch oder unfair handelt oder sich gar an der Kasse vordrängelt, sagen wir Amerikaner einfach »Idiot, verdammter«, und manchmal, wenn wir wirklich verärgert sind, schießen wir auf ihn. In Deutschland ist er unsozial.

Das Merkwürdige am Wilden Westen ist, dass er eine Art amerikanische Identität gebar, obwohl er alles andere war als ein Garten Eden. Diese kurze Zeitspanne brachte das Schlimmste im Menschen zum Vorschein. Man sollte meinen, *Old West* wäre für uns Amerikaner eine traumatische Erfahrung gewesen. Stattdessen wurde er schon damals romantisiert. Bereits zu Lebzeiten wurden jede Menge Killer in den Zeitungen der Ostküste als Helden gefeiert: Billy the Kid, der angeblich 21 Menschen umbrachte, bevor er mit 21 selbst getötet wurde; Butch Cassidy und seine Wild Bunch, die mit Viehdiebstahl begannen und dann Karriere im Bankraubgeschäft machten. Der Bankräuber Jesse James war so populär, hätte er für ein politisches Amt kandidiert, hätte er wahrscheinlich gewonnen. Politiker profitierten von der Aura des Westens. Als 1883 klar wurde, dass die Büffel bald endgültig verschwinden würden, schloss sich Teddy Roosevelt einer Gruppe von Jägern an, um noch schnell ein paar der letzten Büffel ... nein, nicht zu retten, sondern zu schießen, bevor die Chance endgültig vorbei war. Als seine Frau und seine Mutter innerhalb von Stunden in New York City hintereinander wegstarben, rettete er sich in den Westen, um sich dort von seiner Trauer abzulenken, eine Ranch aufzubauen und stellvertretender Sheriff zu werden. 1901 wurde er Präsident.

Gerade in der Abwesenheit des Staates finden wir Amerikaner einen Sinn. Wer den Westen ohne jede Hilfe überlebt hat, ist ein Mann.

Ebenso merkwürdig finde ich es, dass die Deutschen einen Großteil ihrer Identität ausgerechnet aus den Arbeiterkämpfen ziehen. Es waren ja nicht die großen Sozialisten, die den Sozialstaat aufgebaut haben, sondern letztendlich die Erzkonservativen, vor allem Bismarck mit seinen Sozialgesetzen und Adenauer mit seinem großzügigen Rentensystem (und die größten Anbieter von Sozialdiensten sind nach wie vor die Kirchen). Man könnte argumentieren, dass die ganzen Helden und Märtyrer der Arbeitbewegung umsonst gestorben sind: Die Sozialgesetze hätte Vater Staat so oder so eingeführt. Bismarck und Adenauer regierten bloß in der uralten Tradition des adeligen Fürsten. Es war stets die Pflicht des Adels, auf das Volk aufzupassen, auch das christliche Gebot des Almosengebens stammt aus dem feudalen Mittelalter. Die strittige Frage war nur, wie viel Verantwortung soll der Staat übernehmen, wie viele Rechte behält das Volk? Die Arbeiterhelden haben nur artikuliert, dass das Volk bitte schön mehr will.

Heute besteht der mittelalterliche Deal zwischen Fürst und Volk immer noch, und so schnell verschwindet er auch nicht. Stimmt, er ist viel teurer geworden, als der Staat sich leisten kann, das weiß sogar das Volk inzwischen. Die westlichen Wirtschaftspartner warten schon seit den 80er Jahren darauf, dass Deutschland den Sozialstaat reduziert und wieder zum dynamischen Motor der Wirtschaft wird. Deshalb waren alle erstaunt, als Hartz IV und den anderen gut gemeinten Reformplänen Schröders mit so viel Widerstand begegnet wurde und sie am Ende so sehr verwässert wurden. Was das Ausland nicht verstanden hatte – und Schröder auch nicht: Ein Deal ist ein Deal. Einseitig kündigen geht nicht. Will der Fürst davon zurücktreten, muss er den Deal neu verhandeln. Und dafür muss er seinem Volk etwas anbieten. So läuft das hier.

Verzeihen Sie uns Amerikanern also, wenn wir es manchmal übertreiben. Wenn wir zu wild entschlossen scheinen, uns trotz aller Warnungen durchsetzen wollen, manchmal zu risikofreudig sind; wenn wir ungeduldig werden mit Leuten, die lange überlegen; wenn wir Gefahren ignorieren, um ein großes Ziel zu erreichen – selbst wenn wir wissen, es kann sein, dass wir hinterher eingestehen müssen, das Ziel war nur eingebildet und es gibt doch kein Gold in Tombstone. Es liegt uns einfach im Blut. Es ist Teil unserer Strategie, das Leben zu bewältigen, und mein Gott, es ist die einzige Strategie, die wir haben.

Die Deutschen wurden von ihrer Fürst-vs-Volk-Vergangenheit genauso geprägt. Deutschland und Amerika sind wie zwei Geschwister, die ganz unterschiedlich auf ihren Vater reagiert haben. Der amerikanische Bruder hat sich ganz von ihm getrennt. Er zog zu Hause aus und probierte sein Glück in einem fremden Land, wo der Vater keinen Einfluss hat. Und siehe da, allen düsteren Vorhersagen zum Trotz hat er es tatsächlich geschafft.

Der deutsche Bruder ist zu Hause geblieben, wo er sich über die Jahre hinweg ständig mit Vater Staat gestritten hat, mal zäh und aufbrausend, mal kompromissbereit und verständnisvoll, bis er endlich vom Vater den Respekt und den Freiraum erkämpft hat, den er sich schon seit seiner Jugend gewünscht hatte.

Er ist schon stolz auf seine Leistung. Aber er lebt nun einmal noch bei Papi, und immer, wenn sein Bruder diese von Selbstlob triefenden Briefe aus Amerika nach Hause schickt, in denen er den deutschen Bruder dazu ermuntert, doch nachzukommen, da wird der Deutsche schon ein wenig stinkig.

**Die Deutschen wissen, dass sie
wirtschaftliche Probleme haben, aber nicht,
dass sie eine Wirtschaft haben**

An einem schönen Sonntagmorgen saßen in einer hellen Altbauwohnung mitten in Berlin sechs Freiberufler beim Frühstück zusammen: ein freier Journalist ohne Auftrag, eine Dokumentarfilmemacherin zwischen zwei Filmen, eine Theater- und Drehbuchautorin mit einem abgelehnten Exposé, ein Programmierer mit Popmusikambitionen, ein Taxifahrer, der Germanistik studiert hatte und ab und zu Radiobeiträge schrieb. Wie so oft in solchen Situationen widmete sich das Gespräch bald der Lage der Nation. Und die sah so aus:

Vor fünf Jahren gab es mehr Aufträge, heute dagegen müssten wir alle doppelt so viel arbeiten und verdienten dabei nur die Hälfte. Deutschland vergreise, die Arbeitsstellen wanderten nach Polen, unsere Rente wird ein Witz. Wo sollte das noch enden? Es war nur eine Frage der Zeit, bis wir bei dem apokalyptischen Thema »Neue Armut« landeten – einem Wort, das seit neuestem durch die Presse geisterte.

Armut in Deutschland? Das machte mich neugierig. Ich kannte Bilder der Armut aus Indien, Brasilien, sogar aus den Ghettos meines eigenen Landes, aber deutsche Armut kannte ich noch nicht. Ich schaute mich um.

Auf dem Tisch standen Sektflaschen und eine Karaffe mit frisch gepresstem Orangensaft aus einem silbernen Bosch-Küchengerät, Parmaschinken und italienische Salami, eine Auswahl an geräuchertem Käse aus Frankreich. Ich hatte importierten Ahornsirup mitgebracht und amerikanische Pfannkuchen gebacken. Zum Dessert gab es Bio-Kuchen mit tropischen Früchten.

Plötzlich schien mir alles ein surrealistisches Schauspiel zu sein, in dem rosa Nashörner durch das Bild stolzieren, ohne dass es einer merkt. Wo war nun diese Neue Armut? Irgendwo hinter den importierten Weinen versteckt? Im anderen Zimmer mit dem Home Entertainment System? Das war aber eine verdammt gut getarnte Armut.

»Leute«, bemerkte ich zaghaft, »kann es sein, dass ihr euch in etwas reinsteigert?«

Da verstummte ihr fröhliches Gespräch. Alle schauten sich betroffen um. Endlich sagte der Taxifahrer: »Fünf Millionen Arbeitslose. Das kannst du nicht einfach ignorieren.«

»Wenn es gestern eine Million waren und heute fünf, dann würde ich eine gewisse Panik verstehen«, sagte ich. »Aber das hier – in Amerika nennen wir so was eine Flaute. Aber Armut? Stopft einer in diesem Raum seine Socken noch selbst?«

»Na na«, sagte die barfüßige Dokumentarfilmerin.

»Außerdem«, meinte ich, »das ist nicht eure erste Krise. Ihr habt schon tiefer im Schlamassel gesteckt und seid blendend daraus hervorgegangen. Viel besser, als man vorausgesagt hat.«

»Du sprichst das Wirtschaftswunder an«, meinte der Taxifahrer. »Aber das geht nicht auf unser Konto. Ihr Amerikaner habt uns so viel Geld in den Hintern geschoben, dass die Wirtschaft gar nicht anders konnte, als sich zu erholen. Diesmal aber liegt es an uns, zum ersten Mal, und schon merken wir, dass wir es nicht gebacken kriegen.«

Als Amerikaner bin ich vielleicht kein besonders feinfühliger Mensch, doch selbst ich spürte den Stimmungsumschwung. Bis jetzt war die Diskussion zwar negativ, jedoch beschwingt gewesen. Kaum gab ich meinen Senf dazu, wurde alles ernsthaft. Mit meiner Besserwisserei hatte ich das fröhliche Beisammensein total verdorben.

Zum Glück wusste die arbeitslose TV-Autorin, was zu tun war. Sie lachte und sagte: »Ach, ihr Amis mit eurem Positivismus!«

Daraufhin ging die gut gelaunte Jammerei fröhlich weiter, und der Sonntag war gerettet.

Mir aber ließ das keine Ruhe. Ich wollte wissen, wie die Deutschen wirklich dastehen.

Kurz darauf stieß ich auf das Büchlein *Pocket World in Figures 2005*, herausgegeben von der der englischen Wirtschaftszeitschrift *The Economist*. Es besteht aus purer Statistik, doch liest sich spannender als ein Krimi. Insgesamt werden 180 Länder in 232 Kategorien wie Top-Alkoholkonsumländer, Top-Scheidungsländer und Top-Wasserverschmutzer eingeteilt und miteinander verglichen. Es ist wie eine dieser polizeilichen Gegenüberstellungen, die man aus dem Kino kennt, wo eine Hand voll zwielichtiger Gestalten vor einer Wand aufgereiht werden und der Zeuge den Täter identifizieren muss. Wer wissen will, welche Gemeinsamkeiten Deutschland mit Hongkong (fast genauso viele Computer pro Haushalt) oder mit Indien (Deutschland produziert fast ebenso viel Fleisch) hat, sollte einen Blick hineinwerfen. Er wird Augen machen. Die erste Überraschung: Unter den 40 Ländern mit der höchsten Arbeitslosigkeit der Welt kommt Deutschland gar nicht vor. Das soll natürlich nicht heißen, dass die deutsche Arbeitslosenrate kein Problem ist. Es heißt bloß, dass die deutsche Arbeitslosenrate ein Problem ist, auf das etwa die Hälfte der Welt ziemlich neidisch ist.

Wenn ich aufgrund dieser Listen eine Art vorläufiges psychologisches Gutachten von Deutschland erstellen müsste, würde ich sagen: Deutschland will immer zu den Gewinnern gehören, aber nicht zu den Allerersten.

Es fällt auf, dass Deutschland selten die Top 10 verlässt und fast nie die Top 20. Auch in den Bereichen, wo die Deutschen sich für besonders schlecht halten, geht es ihnen im internationalen Vergleich immer noch gut. Doch Platz eins vermeiden sie, wie die Millionärsgattin es vermeidet, in guter Gesellschaft mit ihren Diamanten anzugeben. Nur in einer einzigen Liste sind die Germanen führend: Bei den olympischen Winterspielen 1924 bis 2002 haben sie insgesamt mehr Medaillen abgestaubt als alle anderen, als wollten sie der Schweiz mal zeigen, wer hier der Chef ist.

Einige Platzierungen haben mich echt überrascht. Die Deutschen glauben, sie halten sich wacker im Geschlechterkampf, aber unter den Ländern mit der höchsten Gleichberechtigung schaffen sie es nur auf Platz 15. Sie halten sich ebenso für große Pazifisten, doch die Bundeswehr hat mehr Soldaten als die Armeen Englands oder Frankreichs (allerdings sind deutsche Soldaten schlechter ausgerüstet und müssen ihre Socken selber stopfen). Auch umwelttechnisch ist Deutschland nicht ganz das, was es zu sein glaubt: auf der Liste der elf effizientesten Energiekonsumenten kommt es gar nicht vor. (Die USA natürlich auch nicht: Da sie die größten Energiekonsumenten der Welt sind, ist das technisch leider unmöglich.) Alle reden von der Wichtigkeit des Öls in der amerikanischen Außenpolitik, doch die USA importieren nur 25 Prozent ihres Energiebedarfs, Deutschland dagegen 62 Prozent.

Bei uns in Amerika genießen die Deutschen den Ruf, die größten Zecher der Welt zu sein. Hier macht das Buch Unterschiede. In Sachen Bierkonsum kommt Deutschland an dritter Stelle nach den Tschechen und Iren, beim Weinkonsum erst an 13. Stelle. Frankreich steht auf dieser Liste übrigens auch nicht ganz oben, sondern Luxemburg. Interessanterweise führt Luxemburg auch die Liste des Gesamtalkoholkonsums an. Das wirft Fragen auf. Trinken sie aus Nervosität, weil die deutschen Steuerbehörden jeden Moment anklopfen könnten? In punkto Gesamtalkoholkonsum schafft Deutschland übrigens eine achtbare fünfte Stelle – lange vor Russland, das weit abgeschlagen auf Platz 15 landet. Die USA kommen auf dieser Liste, die 23 Länder umfasst, gar nicht vor – dafür liegen sie ziemlich weit vorne beim höchsten Marihuanakonsum der Welt.

Ein Klischee stimmt wohl doch: Die Deutschen lieben Hardware mehr als Software. Sie besitzen fast doppelt so viel CD-Player pro Haushalt wie die Amerikaner, kaufen aber nur halb so viele CDs wie sie. Was treiben sie also den ganzen Tag mit ihren CD-Playern? Sie spielen mit den Knöpfen, natürlich. Manchmal zu zweit. Manchmal allein.

Aber keine Sorge, auch meine Heimat hat mit gravierenden Unterschieden zwischen Statistik und Selbstbild zu kämpfen.

Amerika besitzt zum Beispiel nicht die größte Armee der Welt. Die hat China. Die USA stecken zwar viel Geld in ihr Militär, aber gemessen an Prozenten ihres Bruttoinlandsproduktes investieren sie weniger als Nordkorea, Russland, Türkei, Kuba oder die Vereinigten Arabischen Emirate (ist es Zufall, dass diese Liste eine gewisse Ähnlichkeit mit der Liste unserer »Schurkenstaaten« aufweist?). Wir Amerikaner sind zudem überzeugt, unsere Heimat sei in Sachen zukunftsweisender Technologie grundsätzlich führend. Nun, leider ist das auch nicht wahr. Japan, nicht Amerika, meldet die meisten Patente im Jahr an. Die eifrigsten Nutzer von Mobil- und Festnetztelefonen, Internet und Computer sind die Skandinavier, besonders die Isländer. Wer wissen will, warum diese Länder so fortschrittlich sind, muss nur die Liste der Forschungsausgaben anschauen: Schweden investiert 3,6 Prozent seines Bruttoinlandsprodukts in Forschung und Entwicklung, während die USA nur 2,8 Prozent ausgeben und Deutschland noch weniger, nämlich 2,5 Prozent.

Überhaupt, die Skandinavier. Sie tauchen immer wieder dort auf, wo man sie am wenigsten erwartet. Es sind in der Tat die USA, die die meisten ersten Plätze auf den Listen belegen – aber nicht unbedingt auf den wichtigen. Die USA haben die bei weitem größte Wirtschaft der Welt und stehen ganz oben bei den Bodenschätzen. Doch sobald es um Lebensqualität geht, sind wir Amerikaner genau wie die Deutschen immer auf die unteren Ränge der Top 10 verbannt. Das am wenigsten korrupte Land der Welt ist Finnland. Das beste Land für Frauen, gemessen an der Gleichheit der Geschlechter, ist Norwegen. Überhaupt Norwegen: Laut dem *Human Development Index* ist die Lebensqualität dort am höchsten. Der Durchschnittsnorweger ist zwar gemessen am Bruttoinlandsprodukt nicht der reichste Mensch der Welt, aber er ist der reichste Durchschnittsbürger, der nicht am Tropf der deutschen Steuerlücken hängt. Nur der Luxemburger ist reicher als der Norweger, aber sein Reichtum ist dadurch getrübt, dass er nur nachts aus dem Haus gehen darf, um den deutschen Steuerbehörden aus dem Weg zu gehen.

Deutschland ist nicht das modernste Land der Welt, aber es gehört zum Club: auf der Liste der höchsten wirtschaftlichen Kreativität und Forschung belegt es Platz zehn und auf der Liste der meisten Patentanmeldungen Platz fünf. Trotz der traditionellen Macht der Bauern liegt Deutschland auf Platz sieben bei den Ländern, die von ihrer Landwirtschaft am wenigsten abhängig sind. Deutschland hat nicht mehr Geld als alle anderen, aber viel mehr als die meisten: Auf der Liste der karitativsten Länder der Welt ist es die Nummer vier, bei den höchsten Ausgaben für Gesundheit liegt es bei Nummer Sechs.

Jetzt verrate ich Ihnen ein Geheimnis, das außerhalb von Deutschland jeder weiß: gemessen am Bruttosozialprodukt ist Deutschland eines der fünf einflussreichsten und mächtigsten Länder der Welt; nach manchen Rechnungen sogar das drittreichste Land. Zudem ist es das wohlhabendste und wirtschaftlich mächtigste Land Europas und neben Japan der reichste Verbündete Amerikas. Und das trotz Arbeitslosigkeit und wirtschaftlichen Problemen.

Man fragt sich, woher es kommt, dass Deutschland solch eine wirtschaftliche Macht besitzt. Sämtliche Faktoren, die die USA reich machen, kommen hier überhaupt nicht vor. Deutschland hat keine besonders große Bevölkerung und noch weniger Fläche. Es steht auf ganz wenigen der Top-10-Listen für Bodenschätze, dafür auf fast allen Top-10-Listen für Konsum von Bodenschätzen. Was macht dieses Land so reich? Die Heinzelmännchen?

Ich rief die *Economist Intelligence Unit* in London an, die das Buch herausgegeben hat, und fragte den Leiter für Western Europe, Charles Jenkins.

Er sagte nur ein Wort: Exporte.

»International wird eine Wirtschaft an ihren Exporten gemessen«, sagte er. »Anderen Ländern ist es egal, wie es der

Binnenwirtschaft eines Landes geht. Deutschland ist ein Land mit einer starken Exportwirtschaft und hält sich gut gegen die Konkurrenz. Es ist der drittgrößte Exporteur der Welt, ein *Major Player* im Welthandel, und gemessen an seiner Bevölkerung ist sein Exportstandard überproportional groß. Der Grund, warum sie mit Exporten so erfolgreich sind, ist, weil sie gut in der Produktion sind und insgesamt im Geschäftemachen.«

»Ist das nicht trügerisch?«, fragte ich. »Die Autos tragen noch deutsche Markenzeichen, sind aber aus Teilen zusammengebaut, die in China hergestellt werden. Das bedeutet wirtschaftliche Hochkonjunktur für bestimmte große Konzerne, aber die Jobs sind alle im Ausland. Was nützt eine tolle Wirtschaft, wenn keiner Arbeit hat?«

»Teile, die im Ausland hergestellt werden, werden auch als Importe erfasst«, sagte er, »und trotzdem liegen die Exporte deutlich über den Importen. Das heißt, eine überproportional große Menge an Gütern wird in Deutschland hergestellt, das gilt übrigens auch für Dienstleistungen.« Er meinte, die Billigjobs wandern ab, aber die teuren, qualifizierten Jobs nehmen zu. Es handelt sich also weniger um einen Arbeitsplatzschwund als eine Arbeitsmarktumstellung.

»Wenn ein Land sich auf den Export beschränkt, ist das nicht wie eine Monokultur?«, fragte ich. »Was passiert, wenn der Export zusammenbricht? Dann bricht die ganze Wirtschaft zusammen.«

»Was glauben Sie, wann sind wir so weit, dass die Länder der Welt aufhören, Waren zu importieren?«

Jetzt wurde mir das Gespräch peinlich. Ich lenkte über zu der Frage, wie er die Vorteile und Nachteile der deutschen Wirtschaft einschätze.

»Im Vergleich zur angelsächsischen Welt haben die Deutschen einen klaren Nachteil, weil Englisch nicht ihre Muttersprache ist«, bemerkte Jenkins – ohne jede Spur von Ironie. Andere Nachteile seien die Schwierigkeiten bei der Integration der Immigranten und beim Schulsystem. »Ich denke, ihre höhere Bildung braucht weit reichende Reformen«, meinte er. Andererseits habe Deutschland eine gute Infrastruktur: »Transport, Telekommunikation und Energie schneiden gut ab im Vergleich zu anderen Ländern, einschließlich England«, sagte er. Und die deutsche Forschung sowohl im staatlich geförderten wie auch im privatwirtschaftlichen Bereich stehe gut da.

Er gab zu, es sei enttäuschend, dass Deutschland länger als gedacht brauche, um sich zu erholen. Das bedeute aber nicht, dass es mit dem Land irgendwie bergab ginge. Es ginge nur langsamer bergauf als wünschenswert wäre. Diese Langsamkeit hat Tradition. Wenn die Deutschen gut damit leben können, muss man das halt akzeptieren.

»Trotzdem sind sie konkurrenzfähig und spielen eine wichtige Rolle in der Weltwirtschaft«, sagte er. »Ich denke, in ein paar Jahren wird alles besser aussehen, aber wenn sie fest entschlossen sind, alles nur negativ zu sehen, bin ich sicher, sie werden Möglichkeiten dazu finden.«

Ich muss zugeben, es nervte mich, dass ich erst durch einen Engländer erfahren musste, wie wichtig Export für Deutschland ist. Das entsprach überhaupt nicht meinem Bild. Ich war gar nicht so sicher, dass Jenkins Recht hatte. Also rief ich die Bundesbank an und fragte, wie viel des deutschen Bruttoinlandsprodukts auf Exporte zurückgeht. Die Antwort: 38 Prozent. Nun, das ist tatsächlich eine bedeutende Zahl. Aber ich stellte mir vor, die amerikanische Wirtschaft, die mit dem ganzen Zeugs von McDonald's, Coca-Cola und Microsoft der größte Exporteur der Welt ist, könnte eine ähnliche Ziffer aufweisen. Also rief ich das U. S. Department of Commerce in Washington an. Nein, kam die Antwort, der Exportanteil an der amerikanischen Wirtschaft ist nicht annähernd so hoch, sondern viermal kleiner: knapp 10 Prozent unseres Bruttoinlandsprodukts.

Mit anderen Worten, der deutsche Export bewegt sich überhaupt nicht in normalen Bahnen. Jeder dritter Euro, jede dritte Arbeitstelle in Deutschland hängt davon ab.

Woher stammt dann um Himmels willen der Eindruck, dass der hiesige Export das Nebensächlichste der Welt sei? Ich musste es wissen. Eine ganze Woche lang schaute ich also eine seriöse Nachrichtensendung nach der anderen an und lernte über die Deutschen, dass ihre Manager alle korrupt sind, ihre Politiker alles falsch sehen, ihre Arbeiter, Angestellten und Beamten ausgebeutet werden und dass sie sowieso bald alle aussterben. Nach sieben Tagen war mir klar, dass Deutschland tatsächlich am Abgrund steht. Dennoch gelang es mir nach ein paar Tagen Bettruhe, einige Daten auszuwerten:

Wie man in die Wirtschaftsnachrichten der öffentlich-rechtlichen Sender kommt

1. Man ist Politiker. Wenn eine russische Pipeline gelegt wird oder eine neue internationale Zusammenarbeit in der Raumfahrt beschlossen wird, ist es völlig uninteressant, solange kein Politiker auftaucht. Im Allgemeinen wird der Eindruck erweckt, die Politiker, nicht die Manager, steuern die Wirtschaft. Welche Firmen die eigentliche Arbeit machen, ist uninteressant.
2. Man hat ein soziales Anliegen. Arbeitsplatzabbau, Streiks, Proteste, soziale Kürzungen und Tarifverhandlungen, auch negative Folgen der Globalisierung sind nachrichtentauglich. Wenn Unternehmen unheimlich viel Geld verdienen und Arbeitsplätze schaffen, ist das zwar wichtig, aber erst wenn der Gewerkschaftsvertreter sagt, dies sei ein Schritt in die falsche Richtung, kommt es ins Fernsehen.
3. Man ist ein kerniger Bergarbeiter, Stahlgießer oder Landwirt. Diese Bereiche haben zwar mit der modernen deutschen Wirtschaft so gut wie gar nichts mehr zu tun, aber die Fernsehanstalten haben optisch sehr reizvolle Archivbilder von Stahlgießereien, Männern auf Traktoren und staubigen Kumpels, die sie jederzeit einsetzen können und die immer Eindruck machen.

4. Man ist in einen aufregenden Skandal verwickelt. Ein Gerichtverfahren wird eingeleitet, Anleger wurden betrogen, ein Starmanager stürzt ab. Alles, was eine moralisch aus den Fugen geratene Wirtschaft zeigt, eignet sich für eine saftige Reportage. Nur in den Bereichen Politik, Kultur und Wetter sind auch ab und zu positive Nachrichten zugelassen.
5. Man erlebt einen großen Gewinn oder großen Verlust auf dem Aktienmarkt. Hier sind wir beim Kern der Wirtschaftsnachrichten: Das *heute-journal* widmet jeden Tag ein paar Sekunden der Börse, wobei der Reporter regelmäßig einen spektakulären Gewinner oder Verlierer herauspickt und in zwei Sätzen launig den Hintergrund umreißt. Einem gerissenen PR-Manager gelingt es vielleicht mit Ach und Krach, seine Firma in der Sendung zu lancieren, die Konkurrenz um dieses Zeitfensterchen ist allerdings groß.

Ich konzentrierte mich also auf die Börsennachrichten. Hier kamen zwar die großen internationalen deutschen Firmen zu Wort, doch irgendwann fiel mir etwas Seltsames auf. Immer wieder hörte man von weltweit aktiven Firmen, doch stets fehlte etwas. Als man vom Siegeszug des Flachbildschirms berichtete, wurde die Firma Merck als Aktienstar gefeiert, weil sie die wichtigsten Patente für die Flüssigkristalle hält, die zu deren Herstellung notwendig sind. Als Beispiel wurde eine deutsche Firma angeführt: jedes Mal, wenn Loewe einen Flachbildschirm verkauft, geht ein Anteil an Merck. Das ist ja ein Supererfolg. Aber Moment mal: Handelte es sich lediglich um ein deutsches Patent? Ich rief Merck an und erfuhr, dass ihre Patente weltweit gelten. Der Berichterstatter hatte vergessen, das Wort »weltweit« zu erwähnen: Für jeden Flachbildfernseher, den Sony, Samsung, Sharp und viele andere weltweit verkaufen, strömt Geld in die deutsche Kasse. Nun gut, deutsche Chemieunternehmen sind im internationalen Vergleich nicht mehr die Riesen, die sie einmal waren, aber nur ein einziges Wort, und schon hätte man Mercks Bedeutung auch außerhalb Deutschlands vermitteln können. Stattdessen wurde die Firma als »Familienunternehmen« beschrieben.

Wir Amerikaner, mit unseren läppischen zehn Prozent Exportanteil, denken genau umgekehrt. Wir ergreifen jede Gelegenheit, die weltweite Beliebtheit unserer Produkte zu betonen, bis wir am Ende selber glauben, dass keiner so viel exportiert wie wir. Und alle anderen glauben es auch. Sie kennen den alten Witz, Amerika sei das einzige Land, das seine Sportmeisterschaften »World Series« (beim Baseball) nennt, und den Rest der Welt nicht dazu einlädt. Und wenn ein Buch nur von ein paar Lesern in einem einzigen fremden Land gekauft wird, steht auf dem Umschlag: *International Bestseller*. O nein, wir halten mit unserem Einfluss auf die Welt nicht hinterm Berg.

Die Deutschen dagegen verstecken ihre weltweite Bedeutung sogar vor sich selbst.

Ich rief den Bundesverband des deutschen Groß- und Außenhandels an und fragte, was für Produkte außer Bier und Autos dieses Land eigentlich ausführt. Ich hätte gedacht, mindestens diese Leute wären stolz auf Deutschlands Exporte und hätten vielleicht eine kleine Broschüre verfasst, die diese großartige Leistung in die Welt hinausposaunt. Doch eine derartige Erhebung gibt es nicht.

Als Nächstes probierte ich es beim Bundesministerium für Wirtschaft und Technologie. Sie konnten zwar bestätigen, dass Deutschland eine Menge exportiert, aber konkrete Namen von gefragten Produkten im Ausland hatten sie nicht. Die Bundeszentrale für politische Bildung, Wirtschaftsabteilung, hatte keine Ahnung, wunderte sich aber mit mir, dass sie keine Ahnung hatten. Das German American Chamber of Commerce in New York, das deutsche Firmen in Amerika vertritt, verwies mich an den Bundesverband des deutschen Groß- und Außenhandels, der mich dezent darauf hinwies, dass ich schon mal angerufen hatte.

Das Statistische Bundesamt konnte mir immerhin sagen, welcher Art die Exporte sind. Der größte Bereich ist der Maschinenbau. 51 Prozent der deutschen Ausfuhren sind solche Dinge wie »Straßenfahrzeuge« und »Arbeitsmaschinen für besondere Zwecke«. Der nächste Bereich umfasst nur 13 Prozent – bearbeitete Waren (»Eisen und Stahl«, »Kork und Holzwaren«, »Waren für vollständige Fabrikationsanlagen«) und nochmal 13 Prozent an chemischen Erzeugnissen. Das Bier-Klischee stimmt nicht: Nur 0,4 Prozent der Ausfuhren entfallen auf Getränke.

Als ich nach Details fragte, stieß ich auf Granit.

»Was ist eine ›Arbeitsmaschine für besondere Zwecke‹? Ein Roboter? Teil einer Fertigungsstraße?«

»Das kommt darauf an«, sagte mein Ansprechpartner.

»Sie sagen ›Maschinenbau‹, aber was sind das denn genau für Produkte?«, fragte ich. »Wer stellt sie her, in welche Länder werden sie exportiert? Werden sie dort gefahren, werden sie dort in größere Maschinen eingebaut? Habe ich in meinem Leben schon solche Maschinen gesehen?«

»Wir können solche Details nicht nennen, weil sie den Datenschutzverordnungen unterliegen«, erläuterte er.

Datenschutz. Vielleicht ist das der Grund, warum die Deutschen so wenig über ihre eigene Wirtschaft wissen: Selbst Produkte, die frei verkauft werden, dürfen nicht öffentlich genannt werden. Das macht es natürlich schwer für Kunden:

Kunde: »Ich würde gern eine Arbeitsmaschine für besondere Zwecke kaufen.«

Verkäufer: »Ich habe welche, darf ihnen aber aus Datenschutzgründen nichts darüber sagen.«

Kunde: »Und wohin soll ich dann das Geld überweisen?«

Verkäufer: »Die Kontodaten darf ich Ihnen leider nicht nennen, aber so viel kann ich Ihnen verraten: Es ist in Luxemburg.«

Ich forschte weiter. Bald stieß ich auf ein Buch von Rüdiger Liedtke mit dem Titel *Wem gehört die Republik?* Der Titel täuscht. Diese jährliche Sammlung von Daten über die 100 größten deutschen Konzerne sollte besser heißen: Wem gehört die Welt? Es gibt kaum eine Seite in diesem Buch, auf der keine amerikanische, französische, kroatische, russische, thailändische oder kanadische Tochter einer deutschen Firma genannt wird. Bosch-Geräte werden u. a. in Spanien, der Türkei, Indien und Australien hergestellt. Heidelberg Cement hat Birmingham, Paris, Brüssel, Istanbul und Wilmington/USA, fest im Griff. Bei Duschbädern ist Henkel in ganz Europa führend, vor allem mit der Produktlinie Fa, und was lese ich hier? Mein Gott, Henkel hat unsere gute alten Seife Dial Soap geschluckt. Das geht zu weit. Ich erinnere mich noch gut, wie ich als Junge ihre TV-Werbung verehrte: »*Aren't you glad you use Dial?*« Ich hatte kein Problem damit, als die Deutschen unseren größten Verlag Random House und unseren Auto-Giganten Chrysler übernahmen, aber wenn die Dial-Werbung fortan von deutschen Werbekreativen verfasst wird, schaue ich nie wieder fern.

Man kann beinahe jede größere deutsche Markenfirma anrufen und sie wird zugeben: Ja, wir sind im Ausland vertreten. Wenn ein Amerikaner hundert Jahre alte Naturheilkräuterauszüge will, kauft er Kneipp, und wenn er eine schicke Küche will, kauft er seine Messer von Zwilling. Schiesser vertreibt teure Sportwäsche in zwei Dutzend Länder, Villeroy und Boch verkauft Luxustoiletten in 125 Länder. An amerikanischen Unis wird jede Nacht Jägermeister auf Eis getrunken. Hohners Mund- und Ziehharmonikas, Margarete Steiffs Teddybären und Hummels Figürchen sind weltweite Sammelobjekte. Es gibt kaum noch Flughäfen auf der Welt, wo man nicht Lamy-Kugelschreiber, Melitta-Kaffeefilter, Miele-Waschmaschinen, Boss-Anzüge, Leica-Kameras und Zeiss-Linsen kaufen kann. Wenn Sie in der Hauptstadt irgendeines kleinen afrikanischen Landes keine Boss-Anzüge, Leica-Kameras und Lamy-Kugelschreiber auftreiben können, fragen Sie einfach den Schwiegersohn des Präsidenten, er sagt Ihnen schon, wo Sie sie kriegen. Es gibt kaum noch ein Hollywood-Film, der nicht mit einer Kamera des Münchener Herstellers Arri gedreht wird – dieser hat gut 85 Prozent des Weltmarkts für Kinokameras im Griff (auch wenn im Abspann »Panavision« steht, denn Panavision kauft seine Kameras meist von Arri).

Ich durchforstete die Zeitungen. Man spricht hierzulande gern von Innovationsfaulheit, aber auch in den modernsten Bereichen haben sich Deutsche der Konkurrenz gestellt. Die Oberhausener Firma Nanofocus stellt Nano-Messtechnik und -Mikroskope her, mit denen Kunden 3-D-Darstellungen von Oberflächenstrukturen bis in den Molekülbereich am Bildschirm rekonstruieren können. Das FBI benutzt ihre Messgeräte, um abgefeuerte Geschosse miteinander zu vergleichen. Denken Sie daran, wenn Sie das nächste Mal *CSI* gucken. Laut *New York Times* hat Deutschland im Irakkrieg trotz einer gewissen politischen Reserviertheit über hundert Aufträge vom amerikanischen Militär bekommen, unter anderem für einen Stoff, der für die Herstellung von ABC-Schutzanzügen erforderlich ist und nur hierzulande hergestellt wird. Deutschland produziert nicht so viel Rüstungstechnik wie die USA, aber es gehört zu den Top-10-Produzenten und kann Dinge herstellen, die man sonst nirgends bekommt.

Exportieren die Deutschen denn überhaupt keine billigen T-Shirts oder Plastikspielzeuge, die sofort nach dem Kauf auseinander fallen? Selbst die preiswerten deutschen Autos neigen dazu, teurer als alle anderen zu sein. In Amerika stellen wir einerseits *high-end*-Produkte wie den Corvette her, aber auch billige Schrottautos. Es wird doch sicher auch in Deutschland Billigware produziert, dachte ich, aber auf Anhieb fand ich nichts. Irre ich mich, oder ist die deutsche Produktion ein wenig einseitig?

»Deutschland hat sich auf eine ›diversifizierte Qualitätsproduktion‹ spezialisiert«, sagte Werner Abelshauser, Wirtschaftshistoriker an der Universität Bielefeld und Autor des Buches *Kulturkampf*. »Man fertigt nicht in erster Linie für die Massenmärkte wie einst die Amerikaner oder heute die Chinesen, sondern Produkte auf einem sehr hohen technologischen Standard.«

In der so genannten SITC-Liste nennen die Vereinten Nationen über 4000 Export-/Importwaren – von Fisch über Schrauben bis Zigarettenpapier –, die im Welthandel eine Rolle spielen. Sie lassen sich in gut 700 Teilmärkte zusammenfassen. Laut Abelshauser liegt die Exportstärke der deutschen Wirtschaft auf rund 300 dieser Märkte, vor allem Maschinenbau, Chemie, Elektrotechnik und Fahrzeugbau. »Auf diesen Märkten ist Deutschland immer auf einem der ersten drei Plätze«, betonte er.

Ich stellte Abelshauser die gleiche Frage, die ich Jenkins gestellt hatte: ob es nicht gefährlich sei, zu sehr von einer einzigen Einnahmequelle – nämlich vom Export – abhängig zu sein?

Er war amüsiert: Dies sei die typische Globalisierungsfrage, die seit über hundert Jahren herumgeistert. Man glaubt, die Globalisierung sei ein aktuelles Problem, aber sie ist so alt wie die Industrialisierung. Die Angst davor ebenso. Man kann sogar behaupten, die heutige deutsche Wirtschaft ist nur deswegen überreguliert, weil man vor hundert Jahre so viel Angst vor der Globalisierung hatte.

»Deutschland ist schon seit Ende des 19. Jahrhunderts ein Exportland«, erklärte er. »Schon in den 1880ern gab es heftige Diskussionen über die Chancen und Grenzen des Exports, und über die moralischen Gefahren, also eigentlich über die Probleme der Globalisierung. Bis dahin war die deutsche Wirtschaft liberal geprägt – es wurde viel Wert auf Freihandel gelegt, man lehnte Zölle ab. Ende des 19. Jahrhunderts gab es dann Börsencrashs in New York, Wien und Berlin. Das war der Anlass für eine Wende in der Wirtschaftspolitik und im Denken. Jetzt wurde die liberale Position sehr stark diskreditiert. Seitdem gelten Wettbewerb und Konkurrenz im Allgemeinen und die Börse insbesondere als leicht unmoralisch.«

In den Gründerjahren unter Bismarck gab es einen Aufschwung, der nur geschlagene vier Jahre währte. Er wurde durch den gewonnenen Krieg 1871 gegen Frankreich vorangetrieben: Die Franzosen mussten Reparationszahlungen leisten, und das Geld floss direkt oder indirekt in die Wirtschaft. Plötzlich gab es Investoren, die nach Anlagemöglichkeiten suchten für ihren tollen neuen Gewinn. Gleichzeitig fielen Gesetze, die Investitionen begrenzten und Aktiengesellschaften regelten. Auf einmal wollten alle Aktien kaufen, vom Fürsten bis zur Hausmagd. Sie waren mehr als bereit, auf Betrüger und Blender mit großen Versprechungen hereinzufallen. Es war wie beim Neuen Markt in den 1990ern: Damals wie heute wussten die Privatinvestoren kaum etwas über das Kapitalwesen.

Eines Tages notierte die Börse in Wien ihre Kurse mit Strichen statt mit Zahlen. Deutsche Spekulationsbanken gaben bekannt, dass sie kein Geld mehr hatten. Die Arbeitslosigkeit stieg ins Unermessliche, in manchen Industriebereichen verloren über die Hälfte der Arbeiter ihre Arbeitsplätze. Im industriellen und produzierenden Gewerbe waren 25 bis 28 Prozent arbeitslos, wie heute in manchen Landstrichen im Osten der Republik.

Heute glauben Wirtschaftswissenschaftler, die so genannte Gründerkrise war lediglich eine Folge der Dummheiten aus den Jahren davor und eine notwendige, sogar vorteilhafte Korrektur. Durch diese Spekulationshausse, für die man faktisch kaum etwas geleistet hatte, war die Qualität der Produkte teilweise peinlich gesunken. Made in Germany bedeutete »billig und schlecht«. Der Markt war maßlos überhitzt und musste abkühlen. Und ein bisschen weh muss so eine Abkühlung schon tun.

»Als Bismarck den Sozialstaat einrichtete, war das eine Wende im Denken und Handeln sowie bei den Spielregeln«, sagte Abelshauser. Von diesem Zeitpunkt an sollte Deutschland nie wieder ein hundertprozentig »freier« Markt sein.

»Das soziale System der Produktion, das wir seit Bismarck aufgebaut haben, ist auf Qualitätsproduktion und hohe Spezialisierung ausgerichtet«, erklärte er. »Das hat Konsequenzen: Dass wir zum Beispiel unsere wirtschaftliche Organisation nicht zuletzt auf Export gründen. Unser Finanzwesen, unsere Arbeitnehmer-Arbeitgeber-Beziehungen, unsere Qualifizierungsmaßnahmen und unser Ausbildungssystem, sogar unsere internationale Politik: Alles ist auf Langfristigkeit – heute würde man sagen Nachhaltigkeit – und Zusammenarbeit ausgerichtet. Die Stärke der Qualitätsproduktion kann sich nur entwickeln, wenn es zur Kooperation kommt, wenn Firmen sich gegenseitig die Teile der Produktion zuliefern. Dadurch bilden sich Cluster.«

»Sie meinen ›Klüngel‹?«, fragte ich.

»Nein, Cluster«, sagte er. »Cluster gibt es nicht nur im globalen Raum, sondern auch regional – Ostwestfalen zum Beispiel ist ein Cluster für Maschinenbau, Rhein-Main ein Cluster für Chemie, Baden-Württemberg ist ein berühmter Cluster für Maschinen- und Autobau, München für Elektro- und Wehrtechnik. In einem Cluster arbeiten viele Firmen eng miteinander, um ein hoch qualifiziertes Produkt schnell aufzustellen und sicher zu liefern. Deutschland wimmelt von solchen Clustern.«

Abelshauser glaubt, auch die heutige Arbeitslosigkeit habe etwas mit der hohen Qualität der Produktion zu tun. Das deutsche System ist zu teuer, um viele Arbeiter mit niedriger Qualifikation zu unterhalten. Massenproduktion lässt sich besser in Billigländern betreiben. »In Deutschland hat sich die standardisierte Massenproduktion erst im Nationalsozialismus unter dem Druck der Rüstungsproduktion durchgesetzt«, betonte er. »Bis zu den 70ern war man auch erfolgreich darin, dann brach der Markt zusammen. So flüchtete man wieder in die Qualitätsproduktion, doch bis dahin hatte man schon einen hohen Anteil an unqualifizierten Arbeitskräften – aber keinen Arbeitsmarkt mehr für sie. Jetzt ist ein Drittel der deutschen Arbeiter weltweit nicht konkurrenzfähig.«

»Worin ist Deutschland denn konkurrenzfähig?«, fragte ich.

»Wir sind mittelmäßig bis gut in der Innovationsphase,

wo die Grundlagenforschung allmählich anwendungsfähig wird«, sagte er. »Doch wir werden sehr, sehr gut, wenn aus diesen Innovationen Anlagen und Maschinen werden. Darin ist Deutschland hervorragend, im Wettbewerb fast nicht schlagbar.«

Ich fragte ihn nach dem Wirtschaftswunder. Die Frühstücksdiskussion in Berlin hatte mich nicht losgelassen – vor allem die Idee, dass mit dem vielen Geld des Marshall-Plans den Deutschen eigentlich keine Wahl gelassen wurde, als sich reich zu arbeiten. Das Wirtschaftswunder als Zwang, die Deutschen als passive Opfer ... diese Idee kam mir viel zu, na ja, zu deutsch vor, um wahr zu sein.

Erstens, meinte Abelshauser, war die Situation damals trotz der Zerstörung günstig. »Die Gesamtzahl der Anlagen und Maschinen, die noch intakt waren, war relativ hoch«, sagte er, »höher sogar als 1936. Die Anlagen waren jung und produktiv und in sehr vielen Branchen auf dem höchsten Stand der Technik, in der Elektrotechnik zum Beispiel, auch in der Chemie und im Maschinenbau, wo Deutschland führend war. Die Reparationen betrafen hauptsächlich Maschinen, und Deutschland hatte davon viel zu viel. Und das Arbeitskräftepotential war sehr hoch. In Westdeutschland gab es nach 1948 zehn Millionen Menschen mehr als vor dem Krieg! Sie kamen aus den verlorenen deutschen Ostgebieten – und es waren nicht nur Bauern, es waren in der Regel hoch qualifizierte Leute.«

Und der Marshall-Plan? Das viele Geld?

Es gibt ein kleines Detail im Marschall-Plan, von dem viele Menschen heute nichts mehr wissen. Die meisten Deutschen halten ihn für ein rein deutsches Phänomen, als ob viele gute Menschen in Washington sich damals Tag und Nacht den Kopf darüber zerbrochen hätten, wie man Deutschland helfen könnte. Nicht ganz. Der Marshall-Plan sollte nicht Deutschland, sondern Europa retten. Im Rahmen des *European Recovery Program* haben die USA zwischen 1948 und 1951 über 13 Milliarden US-Dollar (entspricht heute über

100 Milliarden US-Dollar) vor allem in Waren und Dienstleistungen an 16 europäische Länder ausgegeben, von Großbritannien über Portugal bis zur Türkei. Deutschland hat nur einen Bruchteil davon bekommen: 1,4 Milliarden US-Dollar, weniger als die anderen großen Länder: England bekam 3,3 Milliarden, Frankreich 2,7 Milliarden und Italien 1,5 Milliarden US-Dollar.

Alle anderen Länder haben erheblich mehr Geld bekommen, aber Deutschland hat aus seinem wenigen mehr gemacht – heute ist es in ganz Europa wirtschaftlich führend.

Und nicht nur das, sie haben es geschafft, das Geld auszugeben und trotzdem ist es immer noch da. Es hätte ursprünglich an Amerika zurückgezahlt werden müssen, und die deutsche Bundesbank hat das Geld (im Gegenwert der Waren und Dienstleistungen) auch immer brav von der hiesigen Wirtschaft eingesammelt. Doch als die USA 1953 Deutschlands Schulden zum größten Teil erließen, lagen drei Milliarden Euro noch hier. Inzwischen sind es 12 Milliarden Euro geworden. Heute wie damals werden sie zur Wirtschaftsförderung genutzt.

Ich gebe zu, wir haben euch das Geld in den Hintern geschoben, aber dass ihr es tatsächlich behalten habt, das ist eine Leistung.

**Die Deutschen können zwar den VW-Käfer
erfinden, aber keine lustigen Filme
über ihn drehen**

In einer groß angelegten Zuschauerbefragung wollte das ZDF 2004 die größten Deutschen aller Zeiten ermitteln. Der Sender veröffentlichte eine Liste mit 1000 Namen, unter denen die Zuschauer »Unsere Besten« aussuchen sollten, von Luther, Goethe und Bismarck bis zu Thomas Gottschalk, Henry Maske und Nena.

Ein Name fehlte.

Wie man diesen Namen weglassen konnte, ist mir schleierhaft. Es ist fast, als ob die Deutschen sich seiner schämen würden. Dabei hat er viel mehr für dieses Land bewirkt als 90 Prozent aller anderen. Man kann über ihn sagen, was man will: Unter den »Besten« Deutschlands hat er einen Platz verdient.

Sie ahnen sicher schon, von wem ich spreche: von Herbie, dem tollen Käfer.

Kaum ein anderer auf der Liste hat international so viel bewegt wie der deutsche Käfer. Hätte Bismarck zum Symbol der Hippies werden können? Hätte Schopenhauer der Welt eine ganz neue Definition von »cool« schenken können? Sogar die amerikanische Wirtschaft hat der kleine Käfer umgekrempelt. Als Robert McNamara, lange bevor er US-Verteidigungsminister wurde, in den 60er Jahren Präsident der Ford Motor Company war, musste er hilflos zusehen, wie die Beliebtheit des Käfers zu Ungunsten Fords wuchs. Seine Berater waren der Meinung, es seien bloß arme College-Studenten, die den billigen Käfer kauften, doch McNamara ahnte schon, dass das nicht stimmte, gründete Fords erste Marktforschungsabteilung und stellte fest, dass auch Professoren, Ärzte und Anwälte einen Käfer hatten – alles Leute, die sich was Besseres hätten leisten können. Bis dahin war die Autoindustrie davon ausgegangen, dass Amerikaner nur teuere Protzautos wollten. Der Käfer erteilte ihr eine Lektion, und seitdem gibt es kaum ein Unternehmen der USA, das nicht mit Umfragen und Marktforschung arbeitet – nur wegen einem kleinen Auto. Hätte Karl Marx die amerikanische Wirtschaft derart professionalisieren können? Alle waren überrascht, als Disney eine Reihe von Hits mit der Geschichte des VW-Käfers Herbie landete, nur Disney nicht. Dort wusste man, dass die Idee sozusagen auf der Straße fuhr. Man brauchte nur einzusteigen. Hätte Richard Wagner Amerikas beliebtesten Medienkonzern sanieren können?

O kleiner Käfer,
unermesslich sind deine Verdienste um Deutschland.
Botschafter des Deutschen warst du
in einer Epoche des Konsums.
Symbol der Jugend,
der Revolution,
einer neuen Zeit warst du,
und Zeichen der internationalen Rehabilitation
deines schönen Landes,
Käfer, warst du.
Getan für Deutschland hast du,
toller Käfer,
was später Arnold Schwarzenegger für Österreich getan:
das ehemalige Land der Nazis
hast du und nur du allein,
kleiner knuffiger Käfer,
wieder putzig gemacht.
Hätten Goethe, Luther oder Rudolf Steiner
das geschafft?
Nein.
Aber du.

Nur ein letztes Geheimnis bleibt noch um Herbie, den tollen Käfer: Warum sind die Deutschen nie selbst auf die Idee gekommen, aus ihrem weltweit beliebtesten Produkt einen Film zu machen?

Die Antwort liegt schon in der Frage: Deutschlands weltweit beliebtestes Produkt war ein ... Produkt.

Produkte haben zwar auf beiden Seiten des Atlantiks praktisch genau die gleiche Bedeutung im Alltagsleben, doch hierzulande werden sie nicht gefeiert. Ein Produkt zu ehren, auf ein Podest zu heben, ein kulturelles Werk nach ihm zu nennen – das wäre unter deutschem Niveau. Warum wohl gibt es keinen deutschen Humphrey Bogart? Weil der Deutsche zwar raucht wie ein Schlot, die Zigarette selbst würde er jedoch nie in Szene setzen. Warum kann es nie einen deutschen *Matrix* geben? Weil ein deutscher Schauspieler zwar eine Sonnenbrille tragen, aber sich nie von ihr die Schau stehlen lassen könnte. Kitschige Filme über friedliche Indianer oder Verbrecher im Londoner Nebel, ja. Klamauk mit Peter Alexander oder Heinz Erhardt, kein Problem. Eine Zeichentrickreihe über einen Motorrad fahrenden Säufer, der sich regelmäßig übergibt? Klar doch. Aber ein lebendiges Auto? Verzeihung, wir sind eine Kulturnation.

Wir Amerikaner finden in Produkten Sinn. Wenn Bruce Springsteen in seinem verzweifelten Liebeslied *Thunder Road* seine ganze »Erlösung« von seinem Auto abhängig macht, meint er das ernst:

All the redemption I can offer, girl,
is beneath this dirty hood.

Nur eine Erlösung habe ich zu bieten, Mädel,
und die steckt unter dieser verdreckten Motorhaube.

Die Deutschen akzeptieren zwar Bier, Brezeln und Bratwurst als nationale Symbole, doch nie würden sie à la Springsteen singen:

Nur eine Erlösung habe ich zu bieten, Mädel,
und die steckt in diesem leckeren Sieben-Minuten Pils.

Wir können nichts dafür: Wir lieben Produkte einfach. Wir
lieben es, wie sie verpackt sind, wie sie aussehen und was sie
im Unterschied zu konkurrierenden Produkten alles können.
Wir ahnen, wie viel irgendwer hineininvestiert hat, wir be-
wundern, wie phantasievoll es vermarktet wurde, und hoffen, jemand ist damit reich geworden. Die Spartaner liebten
den Krieg, die Phönizier liebten den Handel, wir lieben Produkte.

Ein Großteil unserer starken Wirtschaft verdanken wir
eben dieser Tradition der Produktverehrung. Für uns sind
Erfinder keine Tüftler oder Spinner, sondern gesegnete Men-
schen, beflügelt vom göttlichen Funken der Inspiration. Er-
finden ist für uns ein kreativer Prozess. Der Erfinder in seiner
Garage hat bei uns den gleichen Rang wie hier der *Arme
Poet* in seiner Dachkammer in dem Gemälde von Spitzweg.
Es gibt keinen Amerikaner, der nicht gerne die Post-Its, den
Reißverschluss oder gar die Sicherheitsnadel erfunden hätte.
Unsere Popkultur ist voller kleiner Liebeserklärungen an den
Erfinder, von Daniel Düsentrieb bis hin zur *Zurück in die Zu-
kunft*-Filmreihe.

Benjamin Franklin war einer unserer wichtigsten Gründungsväter. Er hat die Franzosen dazu überredet, uns im
Krieg gegen England zu unterstützen, und ohne sie hätten
wir vermutlich nicht gewonnen. Doch wen kümmert das? Ich
gähne schon, während ich diese Zeilen schreibe. Wenn das
Gespräch auf Benjamin Franklin kommt, wollen wir wissen,
wie er die Elektrizität zähmte und den Blitzableiter erfand.
Wir wollen die Geschichte hören, wie er, als seine Augen
schlechter wurden, die bifokale Brille erfand. Oder wie er,
zu einer Zeit, als man die Häuser noch mit offenen Kaminen
heizte, die viel Holz verbrauchten, den äußerst effizienten
eisernen Franklin-Ofen baute. Als Postmaster organisierte er
noch dazu die Postlogistik zwischen den Kolonien, er etab-

lierte die erste Feuerwehr, die erste Feuerversicherung und erfand noch vieles mehr. In der Zeichentrickserie *Futurama* ist die stolzeste Erfindung des verrückten Professor Farnsworth ein langer Stab, mit dem man den Fernseher vom Sessel aus bedienen kann. Dieser Witz ist eine kleine Hommage an Benjamin Franklin. Eine seiner letzten Erfindungen war ein Stab mit einem beweglichen Griff am Ende, damit er Bücher aus hohen Regalen holen konnte, ohne im Alter noch auf die Leiter steigen zu müssen. Der Tod hat es gerade noch geschafft, ihn zu holen, bevor er das Geheimnis der Unsterblichkeit entschlüsseln konnte.

Der ultimative amerikanische Erfinder Thomas Alva Edison, auch »Zauberer von Menlo Park« genannt, hat 1093 Patente angemeldet: unter anderem ein Mikrophon, das man für Telefone einsetzen kann, den Phonograph, den 35-mm-Film, den Börsenkursanzeiger und, am allerwichtigsten, eine vermarktungsfähige Glühlampe. Nicht die Glühbirne selbst geht auf ihn zurück, sondern dieses ganz einfache Gewinde, mit dem selbst ein Kind sie in die Lampe schrauben konnte. Erst dadurch war sie serienreif und elektrisches Licht kam in jedes Haus. Ein paar Tage nach seinem Tod wurden zu seinen Ehren eine Minute lang alle Glühlampen in den USA gedimmt. Noch heute feiern wir den *National Inventor's Day* an seinem Geburtstag.

Diese Menschen waren mehr als Erfinder. Sie waren Stars. Sie genossen eine gesellschaftliche Stellung, die ihnen erlaubte, die amerikanische Mentalität mitzuprägen. Sie waren Gesandte einer Erfinderphilosophie. Franklins Weisheiten werden seit Generationen bis zum Überdruss von amerikanischen Vätern wiederholt und von amerikanischen Söhnen gehasst: »Früh ins Bett und früh heraus macht dich gesund, reich und schlau.« Edisons Sprüche klingen noch nach in den Reden unserer Präsidenten: »Genie ist ein Prozent Inspiration und neunundneunzig Prozent Transpiration.« Wenn der Name Thomas Alva Edison erklingt, hören wir tief in uns eine leise Stimme, die uns zuflüstert: So soll ein Amerikaner sein.

Henry Ford war ein Erfinder von solch missionarischem Geist, dass er die Wirtschaft der ganzen westlichen Welt beeinflusste. Nein, er hat nicht das Auto erfunden, wie noch heute viele Amerikaner glauben. Er hat den Einsatz von Fließbändern für den Autobau perfektioniert und die industrielle Verwendung von Fertigungsstraßen weltweit bekannt gemacht. Ford achtete darauf, dass auch jeder seine Leistung mitbekam. Bei seinen Auftritten, in seiner Werbung und seiner Autobiographie erzählte er immer wieder die Geschichte, wie er in den Schlachthöfen von Chicago beobachtet hatte, wie das Fleisch zu den Arbeitern gebracht wurde anstatt umgekehrt, und wie er das Prinzip auf den Autobau übertrug. Er stellte sich als wirtschaftliches Genie dar, das sich nachzuahmen lohnte. Auch Europa hörte seinen Ruf. Ein neuer Begriff tauchte auf: Fordismus. Als den Deutschen der Weimarer Republik klar wurde, dass ihnen die Amerikaner mal wieder gezeigt hatten, wie der Hase läuft, begannen sie, ihre Betriebe zu optimieren und nach amerikanischem Vorbild Fertigungsstraßen zu installieren. Während die Feuilletons gegen die Gefahr der Amerikanisierung anschrieben, arbeiteten die Betriebe gegen die Gefahr an, dass Amerika an ihnen vorbeizieht.

Nur ein deutscher Betrieb verstand die ganze Aufregung nicht. Die Keksfabrik Bahlsen arbeitete nämlich längst mit der Fertigungsstraße: schon acht Jahre vor Ford, um genau zu sein. Auch Hermann Bahlsen hatte sich bei einem Besuch in den Schlachthöfen Chicagos umgesehen und das Prinzip in seinem Betrieb umgesetzt. Es war eins der Geheimnisse seines Erfolges – und es blieb ein Geheimnis. Er prahlte nicht damit, stellte sich nicht als Wirtschaftsheld dar, er ging damit nicht bei anderen hausieren. Er blieb bescheiden, wie es sich für einen guten deutschen Wirtschaftsboss gehört, bis er Jahre später verdutzt zusehen musste, wie der so genannte Fordismus in Deutschland einzog.

Ich verrate Ihnen ein Geheimnis: Amerika gilt nur deswegen als Land der Innovation, weil es seine Erfindungen begeistert feiert. Hätte Bahlsen seinen Einfall als göttliche Eingebung vermarktet, würde man in Deutschland nicht von Fordismus, sondern in Amerika von *Bahlsenity* sprechen.

Doch so weit wird es nicht kommen, weil in Deutschland ein heimliches Verbot herrscht, Produkte und Erfinder auf ein Podest zu heben. Unser *National Inventor's Hall of Fame* nennt 221 Erfinder, und jedes Jahr kommen neue hinzu. Die Erfindergalerie des Deutschen Patent- und Markenamtes nennt 17 Namen, und eine Erweiterung der Website ist nicht in Sicht. Wenn ich auf Amazon.de den Namen »Gottlieb Daimler« eintippe, bekomme ich 19 Buchtitel. Der Name »Henry Ford« bei Amazon.com bringt 791 Treffer und dazu den Verweis, dass weitere 23 936 Titel über Thomas Edison zur Auswahl stehen. Als Amerikaner kann ich so was nur »neurotische Verdrängung der eigenen Konsumkultur« nennen und warnend darauf hinweisen, dass die Deutschen einen Preis dafür zahlen. Junge Menschen hierzulande, die ein Talent zum Erfinden oder Entwickeln von Produkten hätten, bekommen die deutliche Botschaft vermittelt: Produkte sind eure Liebe nicht wert. Anstatt einen neuen VW-Käfer zu erfinden, gehen sie in die Politik oder in die Kultur und werden dort schlechte Bühnenautoren und mittelmäßige Politiker.

Im nationalen Bewusstsein erscheinen Gottlieb Daimler, Carl Benz und Wilhelm Maybach wie leicht verstaubte Beamte mit Schraubenschlüsseln: tagsüber standen sie in einer Werkstatt, natürlich mit 35-Stundenwoche und einem 13. Monatsgehalt; abends gingen sie nach Hause, öffneten ein Bier und schalteten die Sportschau ein.

Sicher, sie haben das Auto erfunden, aber da ist doch nichts dabei, das war halt ihr Job. Eines Tages hat der Chef gesagt: »Erfindet mal das Auto, ja?« Also haben sie es getan. So einfach ist das. Kein Wunder, dass wir Amerikaner Ford für den Erfinder des Autos halten: So eine Erfindung kann doch nicht von so langweiligen Typen stammen.

Wenn Daimler & Co. Amerikaner gewesen wären, würden wir ihre Geschichten etwas anders erzählen. Wir würden mit der Erfindung des Fahrrads beginnen und ihr irgendeine Bezeichnung geben wie »Der Urknall der Motorisierung«. Das war 75 Jahre, bevor Carl Benz die erste Fahrt mit seinem dreirädrigen Automobil unternahm, und Benz wäre nie auf die Idee gekommen, hätte nicht der adelige Karl Friedrich Ludwig Freiherr Drais von Sauerbronn 1811 seine Laufbahn als Forstbeamter hingeschmissen, um Erfinder zu werden.

Und was für einer! Es folgten über ein Dutzend Erfindungen, von denen mehr als eine ihrer Zeit voraus waren: ein »Klavier-Rekorder«, eine »Schreibmaschine«, eine »Schnellschreibmaschine« und mehr. Doch wie so oft bei Erfindern machte erst die Not ihn groß. 1812 trieben mehrere schlechte Ernten hintereinander die Haferpreise in die Höhe, ein paar Jahre später kam auch noch eine weltweite Klimakatastrophe hinzu, sodass ein massives Pferdesterben einsetzte und das Pferd als Transportmittel insgesamt ein bisschen in eine peinliche Situation geriet. Was die Welt jetzt brauchte, war ein Visionär, der über das edle Tier hinausdenken konnte. Drais wandte sich dem Problem des Pferdemangels zu und erfand die »Laufmaschine«. Sie war aus Holz und sah in etwa wie ein modernes Fahrrad aus, nur ohne Kette und Pedale. Man saß auf dem Sattel und stieß sich mit den Füßen ab. Vorausgesetzt, man hatte nichts dagegen, sich lächerlich zu machen, kam man gut voran. In seiner publicityträchtigen Fahrt von Karlsruhe nach Kehl schaffte Drais 50 Kilometer in zwei Stunden. Die Postkutsche brauchte für die gleiche Entfernung doppelt so lange. Drais und seine »Draisine« waren Stars.

»Das Fahrrad war ein Luxusobjekt«, kommentierte Hans-Erhard Lessing, Drais-Experte und Autor des Buches *Automobilität*. »Es war so teuer wie ein Klavier, und die Klavierbauer haben sich auch bitterlich beschwert, weil die Leute begonnen hatten, in der Verlobungszeit statt einem Klavier zwei Fahrräder zu kaufen.«

Doch so genial Drais' Erfindungen auch waren, so dumm waren seine politischen Entscheidungen. So ist es manchmal mit Idealisten. Sein guter Start war seinem adeligen Stand geschuldet. Es war der Staat, der ihm eine Art Erfinderstipendium schenkte und ihm für seine »Draisine« das Äquivalent eines Patents überließ: ein großherzogliches Privileg. Damit konnte niemand Draisinen herstellen, ohne ihm Lizenzgebühren zu zahlen. Doch dann ließ sich der visionäre Drais von einem um sich greifenden Wahn hinreißen: In der demokratischen Revolution von 1848 schlug er sich als bekennender Demokrat auf die Seite der Aufständischen und legte das »von« in seinem Namen ab. Deswegen kennen wir ihn heute nur noch als Karl Drais. Ach, warum hat ihm bloß keiner gesagt: »Karl, Demokratie in Deutschland? So früh? Spinnst du?« Die Revolution scheiterte, und Drais verlor die Protektion der Obrigkeit.

Was dann folgte, war die Hölle. Gerüchte schossen ins Kraut. In den Zeitungen hieß es, der Erfinder der Laufmaschine solle sich merkwürdig, kindisch und unverständlich verhalten. Er könne kaum auf den eigenen Beinen balancieren und falle ständig um. Er habe versucht, ein totes Kind wieder zu erwecken, indem er ihm Leben einatmen wollte. Als ihn nun seine Gegner sowie eine Reihe von Pechsträhnen verfolgten, war er ohne Schutz. »Er war überhaupt nicht verrückt«, sagte Lessing, »das war gezielter Rufmord.«

Auch sein Fahrrad fiel der Lage zum Opfer, zumindest in Deutschland. Nachdem die Pferdekrise vorbei war, machte die Eisenbahn gegen die Draisine mobil und ließ das gefährliche Gefährt von den Gehsteigen verbannen. Woanders kam man mit der Laufmaschine jedoch kaum voran, dazu waren die Straßen in den Städten zu stark zerfurcht. Das war das Ende der Draisine in Deutschland – und auch von Drais. Er starb ein paar Jahre nach der Revolution als verarmter Alkoholiker.

Schade, dass er nicht mehr erlebt hat, was dann passierte. Er hatte einen Samen gesät, der aufging. Vor allem in Frankreich und England wurde die Draisine weiterentwickelt, bis sie Kette und Pedale bekam. Man gründete Fahrradclubs und veranstaltete Rennen und Ausflüge. Es war nicht nur das Gefährt an sich, was die Menschen faszinierte: Es war die Idee der individuellen Mobilität, und zwar unabhängig vom Pferd, dem traditionellen Fortbewegungsmittel des Adels. Nichts gegen das Pferd, aber versuchen Sie mal, ein Pferd den Winter über in den Keller zu stellen.

Der Autohistoriker und DaimlerChrysler-Archivar Harry Niemann hat Recht, wenn er das Fahrrad »die Demokratisierung der Geschwindigkeit« nennt. Diese unscheinbare Laufmaschine war der Beginn der Mobilität.

»Zum ersten Mal hat man sich tausendfach auf eine Maschine gesetzt und individuell in die Umwelt rausgetraut«, sagte Lessing. »Es war der erste Schritt zum mechanisierten Verkehr. Weil Benz und Daimler Motorenbauer waren, meint man, vor dem Motor war gar nichts, und das Auto entstamme der Kutsche. Aber schon vorher war das Fahrrad das Auto der kleinen Leute. Die ersten Automobile hießen auch amtlich ›Fahrräder mit Kraftbetrieb‹. Es fing mit dem Fahrrad an.«

Es fehlte nur der Motor.

In Köln kam 1862 der Sohn eines Bauern auf die glorreiche Idee, Erfinder zu werden. Das war etwas merkwürdig, denn Nikolaus Otto war Handelsvertreter für Kolonialwaren und hatte bis dahin keine besonderen Anzeichen von mechanischer Begabung gezeigt. Trotzdem baute er mit einem Partner mehrere Motoren, einschließlich des Viertaktgasmotors. Dieser Motor war der Schlüssel zu allem. Noch heute wird sein Ottomotor als Prototyp der Automotoren angesehen. Wenn ich sagen müsste, was an Otto typisch deutsch war, würde ich sagen: Er kreierte nicht, er perfektionierte. Er gründete seine Entwicklung auf dem Verbrennungsmotor des Franzosen Etienne Lenoir, der noch einige Mängel hatte. »Die Franzosen waren motorbegeistert, aber die entscheidende Erfindung ist ihnen nicht gelungen«, sagte Niemann. Als Otto einen seiner ersten Versuche auf der Weltausstellung 1867 vorstellte (ironischerweise in Paris), gewann er die Goldmedaille.

Ottos Firma, die Gasmotorenfabrik Deutz, war ein Mekka für Mechaniker. Dort arbeiteten Gottlieb Daimler und Wilhelm Maybach. Sie waren es, die für Otto den Motor zur Serienreife und die kleine Firma zu Weltruhm brachten. Mit 50 verließ Daimler dann die Firma, nahm Maybach mit und gründete eine Motorenwerkstatt in einem Gartenhaus in Cannstatt bei Stuttgart. In diesem Gartenhaus schaffte er es, den Motor so weit zu verkleinern, bis er in ein Fahrrad passte. 1884 machte er eine Jungfernfahrt – nicht mit einem Auto, sondern mit einem Motorradprototyp. Daimler und Maybach hatten Drais' »Laufmaschine« vollendet.

Ein Jahr später erfand Carl Benz das Auto – zunächst mit drei Rädern. »Er hat alles auf das Auto fokussiert«, sagte Niemann. »Für ihn war der Hauptaspekt die individuelle Mobilität.« Das Benz-Auto erntete viel Spott, selbst als es dann vier Räder hatte. Kaiser Wilhelm II. (obwohl später selbst ein Benz-Fan) höhnte gar: »Ich glaube an das Pferd – das Auto halte ich für eine vorübergehende Modeerscheinung.« Es waren die Franzosen, die sich für die Maschine begeisterten. »Das Benz-Auto hat sich nicht als Massenverkehrsartikel durchgesetzt, sondern als Luxusgut«, so Niemann. »Benz war traurig, dass der Erbfeind seine Erfindung zu würdigen wusste, zu Hause aber niemand. Die Deutschen kauften eher Motorräder. Das hat sich erst nach dem Ersten Weltkrieg geändert.«

Alle klassischen Elemente einer guten amerikanischen Erfinderstory sind in den Geschichten von Benz, Otto, Maybach und Daimler zu finden. Alle kamen aus einfachen Verhältnissen. Otto wuchs in einem Bauernhaus auf, Benz war Sohn eines Lokomotivführers, Daimlers Vater war Bäckermeister, und Maybach wurde im Waisenhaus groß. Erfindung war für sie nicht der Weg in ein gutes Angestelltenverhältnis, Erfinden war für sie der Aufstieg. Sie lebten den amerikanischen Traum.

Benz war das Beispiel eines Mannes, der eine genaue Vorstellung von dem hatte, was er wollte: nicht bloß einen besseren Motor oder ein motorisiertes Fahrrad, er hatte die Vision vom Auto mit allem Drum und Dran. Zu seinen Erfindungen zählen Zwei- und Viertaktmotoren, Zündkerzen, Kupplung, Vergaser, Wasserkühler und Gangschaltung. Damit hat er die Welt verändert.

Otto veränderte die Welt, ohne wirklich zu verstehen wie. Er bewältigte zwar den Teilbereich des Motorendesigns genial, aber über die Technik sah er nicht hinaus. Otto-Motoren wurden zum Betrieb ganzer Fabriken verwendet, aber Otto phantasierte nicht über eine Welt, in der jeder Einzelne motorisiert war. »Otto hatte seine eigene Erfindung nicht verstanden«, glaubt Niemann. »Nur Daimler hat durchschaut, dass der Viertaktmotor miniaturisiert werden konnte.«

Daimler und Maybach waren das Lennon-und-McCartney-Team des Autobaus. Maybach war zwölf Jahre jünger als Daimler, doch er hatte, was diesem fehlte: Genie. »Daimler hat gesehen, dass Maybach ein genialer Techniker war«, so Niemann. »Er hat sich seiner angenommen und ist bis zum Tod mit ihm zusammengeblieben. Es war eine symbiotische Beziehung zwischen den beiden Männern. Daimler musste auch das Genie Maybachs ertragen. Er hätte ja sagen können: ›Ich bin hier das Genie, und jetzt kommt der Junge, dem ich alle Türen geöffnet habe, und will besser sein als ich.‹ Aber das hat er akzeptiert.«

Und Daimler? Er war der Visionär.

Schon früh schien er ein Ziel vor Augen gehabt zu haben und strebte danach, bis er es erreichte. Doch immer wieder in seinem Leben kam er an den Punkt, wo er am liebsten aufgehört hätte. »In seiner Jugend war er von Selbstzweifeln geplagt«, so Niemann. »Aber wer Selbstzweifel hat, muss doch irgendwie an sich glauben. Nach der Arbeit (in Ottos Firma) wollte er weitermachen, aber er klagte über Müdigkeit und Kopfschmerzen. Trotzdem zwang er sich dazu. Nachdem er

Ottos Firma Deutz mit einer Abfindung und angeschlagener Gesundheit verließ, hätte er sich als Privatier niederlassen können. Trotzdem hat er mit 50 den Neuanfang gewagt.«

In jenem Gartenhaus in Cannstatt haben Daimler und Maybach dann den kleinen, schnell laufenden Viertaktmotor erfunden. »Das war, als ob man den PC erfindet, der den großen Computer ablöst«, erklärte Niemann. »Nur Daimler hat durchschaut, dass der Viertaktmotor miniaturisiert werden konnte. Als er begann, gegossene Eisenteile von einem Hersteller in Stuttgart zu bestellen, waren die Teile so klein, dass der verwirrte Lieferant auf der Quittung ›für einen Modellmotor‹ schrieb. Er konnte sich nicht vorstellen, dass es ein echter Motor werden sollte.«

Benz motorisierte das Auto; Daimler motorisierte die Welt. Er baute Motoren in Fahrräder, Boote und Schiffe, in Straßenbahnen, Pferdekutschen und 1886, ein Jahr nach Benz' Dreiradauto, setzte er einen Motor auf vier Räder. 15 Jahre vor Kitty Hawk baute er Motoren in Ballons ein. Der Motorenboom in Frankreich wäre ohne Daimler nicht denkbar gewesen. Armand Peugeot und Henry Ford wurden von ihm beeinflusst. »Daimlers Idee war die Motorisierung von allem, was sich mit einem Motor betreiben lässt«, meinte Niemann. »Zu Lande, zu Wasser und in der Luft.« Er wollte die Welt motorisieren, und genau das hat er getan. Wenn Daimler den gleichen Hang zum Missionarischen wie Ford gehabt hätte, wäre seine Botschaft eine ganz typische Erfinderaussage: *Think Big.*

Artur Fischer ist der wohl bekannteste und vielleicht auch erfolgreichste lebende Erfinder Deutschlands und hat eine dieser Geschichten, die wir Amerikaner einfach lieben. Der Fischer-Dübel – diese Erfindung von 1958, die ihn reich gemacht hat – ist so lächerlich simpel wie der Kleiderbügel. Vor Fischer war der Dübel bloß ein Pflock, den man in die Wand schlug. Fischer hat ganz einfach einen Dübel mit Widerhaken entwickelt, der sich in der Wand auseinander spreizt, wenn man eine Schraube reindreht. Hätte eigentlich jeder drauf kommen können. Kam aber sonst keiner drauf.

Ich rief ihn an und fragte, ob auch er den Eindruck habe, dass die Deutschen ihre Erfinder nicht so sehr romantisieren wie die Amerikaner es tun.

»Ich würde nicht sagen, die Deutschen feiern ihre Erfinder nicht«, sagte er trocken. »Ich würde sagen, sie haben nicht mal was für sie übrig.«

Er erzählte auch, warum: »Nach dem Zweiten Weltkrieg hatten wir eine Hausse. Der Wohlstand wuchs stark, und wir lebten von den Entwicklungen im Krieg, auch von denen, die nicht ganz fertig waren. Man hat geglaubt, es würde immer so weiter gehen. Das ist der äußere Anlass. Der innere Anlass ist eine gewisse Einstellung zur Leistung. Denn Erfinder wissen, dass man nicht um 16:30 Uhr Schluss machen kann. Doch das kann nicht in einem Vakuum stehen. Der Erfinder erwartet Geld und Verständnis für seine Erfolge. In einer Gesellschaft, in der man in jeder Beziehung vom Staat unterstützt wird, werden solche Leute von ihrer Umwelt gebremst.«

Und dennoch: Es gibt sie noch, die deutschen Erfinder.

Sie sind öffentlichkeitsscheu geworden. Sie kommunizieren über einschlägige Websites und treffen sich im Geheimen, nach Sonnenuntergang, wenn keiner zuschaut, weitab der Öffentlichkeit, und reden über ihre Pläne.

Eines Nachts machte ich mich auf zu einem verlassenen, etwas heruntergekommenen Café in der Nähe der Berliner Stadtautobahn. Ich wurde in ein Hinterzimmer gewiesen. Hinter verschlossenen Türen, in einem verrauchten Raum, saßen sie um einen langen Tisch: etwa 30 Männer und drei Frauen. Ein älterer Mann mit zerzausten weißen Haaren stellte eine Turbine vor, die doppelt so effizient ist wie eine herkömmliche, weil sie ohne Reibungsverlust funktioniert. Und einen neuen Erdlochbohrer hatte er auch gleich erfunden, der die Erde senkrecht aus dem Loch holt. Ein ehemaliger Hippie stellte ein Tandemfahrrad vor, das man leicht zum Transport auseinander bauen konnte. Der Raum war so voll, dass ich stehen musste. Als der Mann im Rollstuhl an der Reihe war, stand er auf und präsentierte seinen verbesserten Rollstuhl.

Der Berliner Versicherungsvertreter Jürgen Beier erläuterte, warum er seinen Krawattenknotenschmuck »Tieknot« erfand: »Ich bin Vollbartträger und habe dazu ein leichtes Doppelkinn. Ein Krawattenknoten ist bei mir in kurzer Zeit verschlissen. Ich konnte meine Krawatten ständig wegschmeißen, besonders Seidenkrawatten. Die Idee war, ich wollte einen Schutz, damit meine Krawatten nicht mehr kaputtgehen.« Ist ein Kleidungsstück eine Erfindung? Für Schmuck bekommt man kein Patent, aber für eine technische Neuerung schon – er bekam sein Patent für die Neuerung einer metallenen Schutzplatte auf dem Krawattenknoten.

Die in Bagdad geborene Berlinerin Maha Alusi kam auf die Idee einer Kerze, die zuerst eine Flamme hat, dann zwei, dann drei, dann vier, und am Ende wieder nur eine. Nun, eine Kerze mit wechselnder Anzahl von Flammen ist kein Geniestreich. »Meine Freunde sagten mir, wenn ich zum Patentamt gehe, erfahre ich sicher dort, dass es längst schon gemacht wurde. Ich war erstaunt, als ich das Gegenteil erfuhr.« Ihr Patentantrag hat bereits die ersten Prüfungen bestanden. Solche Geschichten gibt es ständig. Man glaubt, alles ist schon erfunden worden, aber im Grunde ist heute genauso viel offen wie zu Daimlers Zeiten.

Ich fragte Fischer, ob es je zu einem weiteren Urknall der deutschen Erfindungen kommen wird wie damals bei Drais, Daimler & Co. Er tippte auf den Sektor Umweltschutz. »Sie werden sehen«, sagte Fischer, »dass der Ölmangel, der irgendwann eintreten wird, in den nächsten zehn Jahren hervorragende Neuerungen hervorbringen wird. Die Menschen tun was, wenn etwas ausgeht. Sie tun eine Menge, wenn sie müssen.«

Möglicherweise haben die Deutschen im Sektor Umwelttechnik damit bereits angefangen. Während ich diese Worte schreibe, entwickelt die SkySails in Hamburg riesige, schwebende Segel, Lenkdrachen ähnlich, die am Bug von Containerschiffen befestigt werden. Sie ersetzen nicht den Motor, sondern ergänzen ihn. Bei gutem Wind ziehen sie die Schiffe mit und sparen dadurch bis zu 50 Prozent Treibstoff oder bis zu 1200 Dollar am Tag. Obwohl die Segel noch nicht marktreif sind, beißen schon Kunden an.

Die stolzeste Erfindung des Münchner Industriedesigners Stephan Augustin, der so Dinge wie Autointerieurs und Skateboards entwirft, ist der Watercone, ein einfaches und billiges Gerät, mit dem man Trinkwasser aus Salzwasser gewinnen kann – ohne Einsatz von Strom oder Benzin. Die Erfindung ist für Entwicklungsländer gedacht, wo in den nächsten Jahren Trinkwasser so wertvoll sein wird wie heute das Öl. Augustin hat einen Hang zu »grünen« Produkten. »Als Industriedesigner kann man unglaublich viel Müll herstellen«, so sein Kommentar. »Mit so was kann ich etwas Verantwortliches produzieren.«

»Wenn man sagt, man solle etwas für die Gesellschaft tun, dann stehen die Erfinder an allererster Stelle«, gab Fischer zu bedenken, »denn was brauchen wir? Wir brauchen Arbeitsplätze, und Erfinder schaffen Arbeitsplätze.«

Er hatte Recht. Politiker reden so viel von Arbeitsplätzen, dass man irgendwann glaubt, sie würden von ihnen persönlich geschaffen. Doch die einzigen Arbeitsplätze, die ein Politiker schafft, sind im Militär, im Beamtenwesen und natürlich in der eigenen Partei. (Wenn die Politiker wirklich clever wären, würden sie in der Parteizentrale ganz einfach fünf Millionen neue Büros einbauen und basta, schon sind die Probleme Deutschlands gelöst.) Sämtliche anderen Arbeitsplätze schulden ihre Existenz direkt oder indirekt irgendwelchen Produkten.

»Ich denke, dass es wichtig wäre, dass man die Leute, die Arbeitsplätze schaffen, nennt«, bemerkte Fischer, »dass man sie ein bisschen herausstellt und sagt, er oder sie hat etwas für die Gesellschaft getan. Ich wundere mich, dass die Politiker das nicht erkennen. Es reicht nicht aus zu sagen, dass Deutschland Ideen braucht. Man muss etwas dafür tun – und die Ideale, die damit verbunden sind, als etwas Positives sehen.«

Fischers Firma beschäftigt heute 1900 Menschen in Deutschland und weitere 1500 in 18 anderen Ländern. Der Berliner Tieknot-Erfinder Beier verkauft inzwischen Lizenzen für seinen Krawattenknotenschmuck an junge Schmuckdesigner. Maha Alusi hat ihren Keller in eine Werkstatt verwandelt und drei Mitarbeiter eingestellt, mit denen sie schon Tausende von Kerzen produziert und per Internet verkauft hat.

Heute verdankt Deutschland DaimlerChrysler 182 000 Arbeitsplätze, und in der hiesigen Autoherstellung arbeiten insgesamt rund 800 000 Menschen. Zählt man dann auch noch die Zulieferbetriebe hinzu, kommt man laut Verband deutscher Automobilhersteller auf über 1,8 Millionen Jobs. Und wenn man die ganzen Branchen hinzurechnet, die aus dem Auto entstanden sind, vom Straßenbau über Tankstellen, Taxiunternehmen und Versicherungsbüros bis hin zu diesen niedlichen Stofftieren, die man von innen ans Autofenster klebt, dann sind es weit über fünf Millionen Arbeitsplätze, die aus der Erfindung der Drais, Daimler & Co. entstanden sind. Und wenn man von der Motorisierung der Welt insgesamt spricht, also Motorboote, Flugzeuge und Schiffe mit einbezieht, und natürlich die allseits beliebte Ölindustrie, dann hört man zu zählen auf.

**Die Deutschen,
eines der reichsten Völker der Welt,
halten es für verwerflich,
Geld zu haben**

Ob man nun in andere Länder reist und sich dort lächerlich verhält, oder ob man aus anderen Ländern hierher kommt und sich hier lächerlich macht, den Deutschen ist beides gleich unangenehm. Es gibt nur einen einzigen Wirtschaftszweig, der einem Deutschen noch peinlicher ist als Prostitution, und das ist der Tourismus.

Als Exhawaiianer weiß ich, was Tourismus bedeutet: nämlich Geld. Und als Amerikaner weiß ich: Geld ist gut. Das Leben auf Hawaii ist teuer, denn es muss alles importiert werden. Die paar Ananas, die wir da anpflanzen, reichen nicht aus. Also, wir finden Tourismus gut.

Umso deutlicher habe ich das Gefühl, manche Deutsche fühlen sich tief in ihrem Herzen durch den Tourismus beleidigt. Immer wieder höre ich die Klage, diese amerikanischen und japanischen Touristen kämen lediglich für ein paar Tage her und wollten in dieser kurzen Zeitspanne »ganz Deutschland« sehen. Doch wenn man aus Übersee nach Europa kommt, dann ist das eine Reise, die man nur einmal im Leben macht. Mindestens auf Rom, Paris und London will man einen Blick geworfen haben, und wenn's noch passt, auch einen auf München, warum nicht? Die Deutschen jedoch sehen das anders. Ein paar Tage seien einfach nicht genug Zeit für ihr schönes Land. Wer ernsthaft vorhat, Deutschland kennen zu lernen, muss drei, vier Wochen hier verbringen und die zahlreichen hyperkultivierten Museen, Konzerthallen, Opernhäuser und Theater besuchen oder mindestens die Cafés in München-Schwabing und Berlin-Mitte, wo man in aller Ruhe mit den dortigen Philosophen diskutieren kann. Doch Touristen verlangt es nur nach Kitsch: Schloss Neuschwanstein, Oberammergau, Oktoberfest. Wenn sie nach Amerika zurückkehren, erzählen sie dann ihren Freunden von langen philosophischen Diskussionen in deutschen Literaturcafés, die ihr Leben, ihre Denkweise, ihre Existenz auf der Erde – wenn man überhaupt von »Erde« als physischem Phänomen in Raum und Zeit sprechen kann – für immer verändert haben? Nein, sie zeigen Dias von Bier trinkenden Männern in Lederhosen.

Es gibt hierzulande wenige Touristenfallen, die den Deutschen peinlicher sind als Rüdesheim am Rhein.

Man versteht, warum. Der Ort selbst ist klein und verschlafen und eigentlich nicht viel mehr als eine Uferstraße, von der einige Gassen abzweigen. Der Unterschied zu anderen Städtchen dieser Größe besteht in den Menschenmassen. Sie ergießen sich aus Bussen, Schiffen, Autos: deutsche Kegelclubs, holländische Pensionäre, amerikanische Ehepaare, die sich ihre Europareise über Jahre zusammengespart haben, Scharen von Japanern. Sie schwärmen durch die Straßen und drängeln alle einem Ziel entgegen: der Drosselgasse.

Girlanden überspannen die Gasse, alle paar Meter prangt ein handgeschmiedetes Wirtshausschild mit goldenen Lettern und verschnörkelten Weinreben. Musik dringt aus jedem Fenster, jeder Tür und jedem Hof. Die Bands stammen aus Manila und Tschechien und spielen Humpa-Humpa-, Schunkel-, Britney-Spears-Musik und *A Horse With No Name* durcheinander. Jedes Haus ist entweder ein Restaurant, Hotel, Souvenirladen oder alles zugleich. Dortige Angestellte haben die Pflicht, lustige Hüte, pseudo-bayerische Trachten und sehr viele Weinschoppen auf einmal zu tragen. Auf jedem Tisch eine rot-weiß-karierte Tischdecke und Brezeln. Es fehlt nur ein Warnhinweis für Herzpatienten: *Folklore Overkill*.

Als ich mich das erste Mal an einem sonnigen Sommertag in die Drosselgasse stürzte, folgte ich instinktiv einer Busladung älterer Männer – vermutlich ein Karnevalsverein – bis in ein Restaurant, setzte mich in die Ecke und bestellte erschöpft ein Schnitzel. Bald musste ich entdecken, dass der Wirt ein

Genie war. Er hatte an der Wand ein Schild angebracht, über das sich die Männer eine geschlagene Stunde unterhielten. Sie konnten nicht aufhören, darüber zu witzeln. Das Schild bewarb bloß einen Cocktail:

Orgasmus: 3,50 Euro.

Als die Kellnerin kam – eine gestandene Mutter mittleren Alters, die in ihrem Leben schon alles gesehen hat –, ahnte ich Trouble. Bald flogen ihr die Sexwitze nur so um die Ohren. Ich schaute mit Schadenfreude zu: Gleich würde ich erleben, wie die Männer die Standpauke ihres Lebens bekamen. In Berlin hätten sie nicht mal den Mund öffnen können, schon hätte die Kellnerin sie fertig gemacht. Doch wir waren in Rüdesheim.

Diese Kellnerin machte mit: »Ich soll deinen Orgasmus mit dir teilen? Schätzchen, das überlebst du nicht.«

Die Gruppe verfetteter Ehemänner schüttelte sich vor Gelächter. Bevor sie gingen, posierte sie mit ihnen vor dem Orgasmus-Schild, mit einem nach dem anderen. Ich kann nicht sagen, wie viel Trinkgeld sie bekommen hat, aber ich wette, dieses Schild steht immer da, wenn sie arbeitet.

Ein vertrautes Gefühl durchflutete mich: Das hier war professioneller Tourismus. Ich fühlte mich nicht mehr in Deutschland.

Nur eines blieb im Dunkeln: Weshalb kamen die Leute eigentlich her? Was wollten sie überhaupt anschauen? Die Drosselgasse war ja bloß das, was wir »Touristenfalle« nennen: das Restaurant, der Souvenirladen neben der eigentlichen Attraktion, die die Leute anzieht. Aber wo war die Attraktion?

Die Japaner würden es wissen. Ich mag japanische Touristen. Wer den japanischen Reisemarkt anzapfen kann, hat eine gut funktionierende Tourismuswirtschaft. Unter ihnen fühle ich mich wie zu Hause auf Hawaii. In Deutschland macht man sich lustig über sie und wundert sich, dass die Japaner so viele Dinge über Deutschland wissen, die man hierzulande selbst nicht weiß. Japanische Touristen können auf einem Rheinschiff stehen und das Loreley-Lied mitsingen. Das eigentlich Verwunderliche ist, dass die Deutschen sich zwar ständig darüber lustig machen, sich aber nie fragen, wie es dazu kam.

Ich folgte also einer Busladung japanischer Touristen in die Gasse. Es ging verdammt flott. Sie hielten sich nicht auf. Immer der Gruppenleiterin nach, huschten sie an Souvenirläden, an Kneipen und Restaurants vorbei, bis sie tief in der Gasse einen Weinkeller erreichten und die Treppen hinunter verschwanden. Es war ein deutscher Weinkeller, in dem ausschließlich japanisches Personal wartete. Es dauerte nur wenige Minuten, kaum genug Zeit, um an einem Glas zu nippen: Sie suchten sich ein paar Flaschen guten deutschen Rheinweins aus, gaben ihre Adressen an, damit die Flaschen nachgeschickt werden konnten, und zack!, schon ging es zurück Richtung Bus.

Auf dem Rückweg sprach ich die Gruppenleiterin an. Ich musste mich beeilen, um mit der zierlichen Frau Schritt zu halten. Die zehn älteren Ehepaare hinter ihr waren ebenfalls erstaunlich flink. Nein, sagte sie, sie hätte keine Ahnung, warum die Japaner ausgerechnet die Drosselgasse besuchten. »Alles Packagetouren«, sagte sie. »Drosselgasse, Heidelberg, Rothenburg ob der Tauber, Neuschwanstein.«

Ein älterer japanischer Herr hatte unsere Konversation mitgehört. Er lachte und sagte: »Japaner haben seit dem Krieg immer noch viele Freunde in Deutschland!« Doch schon fuchtelte ein alter Kerl neben ihm mit den Händen: »Das ist nur ein Witz!« Ein Dritter wusste mehr. »Das Loreley-Lied lernen wir in der Schule«, sagte er in gebrochenem Deutsch. »Einer unserer Bildungsminister hat einmal Deutschland besucht, kehrte mit dem Lied zurück und nahm es in unseren Lehrplan auf. Vielleicht war es sein Versuch, Japan zu verwestlichen. Es ist eins dieser Dinge über Europa, die jeder lernt.«

Allerdings half mir das auch nicht weiter. Ich meldete mich

im Hotel »Rüdesheimer Schloss« und überredete den Betrei-
ber Heinrich Breuer, bei einer Portion Kaninchen mit Preisel-
beeren und einem Glas Riesling mit mir zu plaudern.

In den alten Tagen, erzählte er, noch vor dem Zweiten Weltkrieg, kamen die Leute her, um das Niederwalddenkmal, eine
zehn Meter hohe Germania-Statue hoch auf dem Hügel über
der Stadt, zu sehen. Nachdem sie den Berg hinauf und hinab
gekraxelt waren, hatten sie einen Mordsdurst, also begannen
die Weinbauern der Gegend, in der Drosselgasse Wein aus-
zuschenken. Das Niederwalddenkmal war die Attraktion, die
Drosselgasse die Falle, wie sich das gehört.

Doch heute ist das Niederwalddenkmal so gut wie vergessen. Oder können Sie sich vorstellen, dass Amerikaner oder
Japaner zu Hause herumsitzen, geplagt von dem Gedanken:
»Bevor ich sterbe, muss ich unbedingt noch das Niederwalddenkmal sehen!« Nein, heute kommen jedes Jahr 2,7 Millionen Besucher, um die Drosselgasse zu sehen. Das Medium ist
die Botschaft; die Falle ist die Attraktion. Wer sonst auf der
Welt bringt eine solche Leistung? Stellen Sie sich vor, man
fliegt nach Hawaii, kauft sich ein paar Hawaiihemden und
ein Grasröckchen aus Plastik für die Verwandtschaft von einer weißen Frau mit einer falschen Blume im Haar und fliegt
zurück, ohne den Waikiki-Strand gesehen zu haben. Auf Hawaii sind wir zwar gut, aber so gut sind wir noch nicht.

»Wie kommt es, dass die Drosselgasse so viel gastfreund-
licher ist als der Rest von Deutschland?«, fragte ich.

»50 Prozent unserer Gäste kommen aus dem Ausland,«
sagte er. »Wir waren alle schon mal in Amerika und wissen,
dass unsere Kunden daran gewöhnt sind, dass der Kunde
König ist.« Rüdesheimer Hotels halten einen internationalen
Standard. Rüdesheimer sprechen täglich Fremdsprachen.
Die Rüdesheimer Kids wachsen umgeben von Menschen
aus sämtlichen Erdteilen auf. Ganz Rüdesheim ist eine einzige Tourismusmaschine, die ganz genau weiß, wo das Geld
herkommt. Nicht schlecht für ein kleines Städtchen in der
Pampa. Ich war voller Bewunderung.

Es war Märchenabend im Rüdesheimer Schloss. Die Kellnerinnen trugen grüne Jägerhütchen und posierten mit ihren Gästen für Fotos. Es wurde langsam spät und die Gäste begannen, eine lange, laute Polonaise hinzulegen. Sie schoben die Tische zur Seite und wanden sich durch die Räume. Sie stampften mit den Füßen und sangen aus voller Kehle. Wir konnten uns kaum noch unterhalten. Einige waren kurz davor, umzufallen.

»Und was machen Sie, wenn die Leute besoffen sind und außer Kontrolle geraten?«, brüllte ich.

Er schaute die Polonaise an und zuckte mit den Schultern. »Das«, brüllte er zurück, »nenne ich nicht besoffen.«

Rüdesheim ist nicht nur in punkto Gastfreundlichkeit ein Vorbild, es ist auch eine echte Geldmaschine, aber noch nie habe ich einen Bericht darüber gelesen oder gesehen, der diese Stadt nicht als peinlich hinstellt. Es ist nicht so, dass man hierzulande nicht gern Geld verdient, ganz im Gegenteil. Nur sich dazu durchringen, diesen Verdienst zu loben, das kann man nicht. Der Deutsche darf mit seinen kulturellen Leistungen oder sozialem Bewusstsein angeben, nie jedoch mit seinem Geld. Tief im Herzen ist er überzeugt, dass das, was er am Besten tut – Geld verdienen –, moralisch verwerflich ist.

»Profitstreben wird in Deutschland negativ gesehen, ganz im Gegensatz zu den USA«, bestätigte Mark Spoerer, Wirtschaftshistoriker an der Universität Hohenheim in Stuttgart. »Es gibt in Deutschland einen Ethos, dass Gewinn dubios ist. Als Wirtschaftswissenschaftler halte ich Konkurrenz und Profitstreben für gut. Trotzdem habe ich ein Unbehagen gegenüber den Menschen, die im System erfolgreich sind. Vielleicht, weil sie unter dem Verdacht stehen, rücksichtsloser als andere zu sein. Man stellt sich nicht automatisch vor, sie wären kreativer oder einfallsreicher.«

Bei uns Amerikanern ist das umgekehrt. Als die Wellen verarmter europäischer Einwanderer nach Amerika einströmten, konnten sie hier, im großen Unterschied zu ihrer Heimat, ungehemmt Geld verdienen. In Europa war das vor allem dem Adel vorbehalten. Endlich selber Geld zu verdienen war eine Art Rache: Seht her, was ich alles ohne euch schaffe.

Wir Amerikaner erfinden Brettspiele wie *Monopoly*, damit unser Nachwuchs schon im zarten Alter die aufregende Welt des Kapitalismus kennen lernt. Die Deutschen lehren ihre Kinder *Mensch ärgere dich nicht*. Während Deutschlands Volkshelden meist Sozialisten sind, verehren wir Amerikaner unzählige Helden des Kapitalismus, von John D. Rockefeller und J. Paul Getty bis Bill Gates. Wie viele Menschen hierzulande wissen, wer Haribo, Tchibo oder Quelle gegründet hat? Wer kennt die Vornamen von Bertelsmann, Siemens oder Neckermann? Immer wieder wundert man sich, wie reich die heimlichtuerischen Aldi-Brüder sind, aber niemand hält sie für Vorbilder. Auch bei uns gibt es linke Politiker, doch keiner von ihnen würde sich im Traum einbilden, sie würden mit »Kapitalismus-Kritik« auch nur eine Stimme gewinnen. Und während unsere Kulturschaffenden von Steven Spielberg bis Michael Moore stolz darauf sind, dass ihr Erfolg Geld einbringt, wissen hier die wenigsten, dass Leute wie Picasso und Karajan Millionäre waren. Lieber erzählen sich die Deutschen – ein Volk, das Geld mit beiden Händen schaufelt – finstere Geschichten, in denen sich ein Großkapitalist nicht als Arbeitgeber profiliert, sondern als Bösewicht, von *Tatort*-Episoden bis zu den Heuschrecken-Horrorstorys der Politiker auf Stimmenfang. Es gibt viele Theorien, wie eine derart paradoxe Einstellung sich so hartnäckig halten konnte. Mein Favorit ist die über die Handwerkerzünfte.

Heutzutage sind Handwerker die Leute, die mal in unserer Wohnung vorbeischauen und den Teppich verlegen. Im Mittelalter aber lag die gesamte Produktion von Waren in ihren Händen. Es gab keine Tante-Emma-Läden, es gab nur Handwerker-Läden. Vor der Industrialisierung waren sie die Industrie, und ihre Zünfte waren gleichzeitig Gewerkschaft und Monopol. Sie kümmerten sich um Ausbildung und Soziales, zum Beispiel die Witwenversorgung, und griffen in die Politik der Städte und Gemeinden ein, aber sie diktierten auch die Preise und verjagten Handwerker, die nicht dazugehörten. In manchen Orten waren sie so mächtig, dass sie den Stadtrat bestimmten. In Nürnberg, sagt man, hatte die Zunft der Honigsammler und Bienenzüchter eine eigene Gerichtsbarkeit und stellte sogar eine kaiserliche Leibwache. Derartige Machtbefugnisse reichten bis ins 19. Jahrhundert.

Die Zünfte waren auch die großen Gleichmacher, denn sie vertraten die Interessen ihrer Mitglieder nicht nur nach außen, sondern auch nach innen. Wer sich einen Vorteil gegenüber anderen Mitgliedern verschaffte, musste sich verantworten. »Immer dann, wenn jemand Werbung machte, wurden die Zünfte aktiv«, sagte Wilfried Reininghaus, Fachmann für Gewerbegeschichte. »Man durfte nicht vor dem Laden stehen und Kunden hereinbitten. Es gab viele solcher Vorschriften. Der Ausdruck, ›jemandem den Laden dichtmachen‹ stammt aus dieser Zeit.«

Die Zünfte verboten nicht nur Werbung, sondern auch Finanzierungsinstrumente wie Kredite oder Vorschüsse, die sich nur die großen Handwerker leisten konnten, und betrieben Protektionismus. Im 18. Jahrhundert war der Handel in Köln so gut wie ausgestorben, weil die Zünfte den Verkauf von Produkten aus Billiglohnregionen außerhalb der Stadt verboten hatten. Die Händler von Billigwaren machten einen Bogen um Köln, und die Stadt war isoliert.

Vor allem Konkurrenz und Innovation waren nicht erwünscht. »Zunftmitglieder, die besonders kreativ oder übermäßig produktiv waren und daher mehr Aufträge hatten, wurden oft gedeckelt«, erzählte Mark Spoerer, »weil die anderen Handwerker durch sie weniger Aufträge bekamen. Wenn ein Zunftmitglied mehr verdienen wollte als die anderen, musste es auswandern. Ich kenne Beispiele aus meiner Heimat Köln, wo Handwerker nach Deutz gezogen sind, wo man ohne Zunftzwang produzieren konnte. Die Zünfte beschränkten den Wettbewerb.«

Ausnahmen gab es jedoch immer wieder genug. Deutschland wäre heute nicht halb so reich, wenn es nicht genug findige Deutsche gegeben hätte, die sich trotz Regulierung wirtschaftlich profilieren konnten.

Werbeverbot, Protektionismus, Verteufelung von Finanzierungsinstrumenten … es finden sich tatsächlich noch mittelalterliche Sitten im Deutschland von heute. Man darf sonntags nicht einfach seinen Laden öffnen. Man darf in Filmen kein *Product Placement* betreiben, obwohl die amerikanische Konkurrenz es in Hollywoodfilmen darf. Lange durfte man in der Werbung das eigene Produkt nicht mit einem Konkurrenzprodukt vergleichen. Alles unfairer Wettbewerb. In Deutschland ist jedes offene Konkurrenzverhalten unfairer Wettbewerb.

Noch nach Auflösung der Zünfte und Einführung der Gewerbefreiheit im 19. Jahrhundert versuchten die Handwerker in Innungen die gleiche Mentalität mit anderen Mitteln weiter zu führen. »Man hat zum Beispiel durch Petitionen bei der Gewerbeaufsicht versucht, Fabrikprodukte vom Markt fern zu halten«, sagte Reininghaus. »Und es geht weit über den Bereich des Handwerks hinaus. Auch in der Schwerindustrie denkt man zünftig.«

Daher also der übermäßige deutsche Drang nach Konsens, Kooperation und Überregulierung des Marktes. »In Gegenden, wo die Zünfte besonders stark waren«, meinte Spoerer, »ist die Rede von Konsenskapitalismus und Mitbestimmung, da gibt es Runde Tische, wo sich Gewerkschaften mit Unternehmern hinsetzen und einen Konsens bei Problemen suchen. Zünfte gibt es nicht mehr, man könnte aber behaupten, das Denken ist noch in den Köpfen der Leute.«

Wir stellen uns heute vor, Gewerkschaften und der Kampf der Arbeiter für soziale Gerechtigkeit seien Resultate der Industrialisierung, aber die Methoden und Ideen stammen aus den Zünften. Streiks, Boykottaktionen und Ausschlüsse waren Strategien, die schon die Gesellen im späten Mittelalter benutzten, um ihre Meister unter Druck zu setzen. Die frühen Sozialisten Deutschlands waren keine Arbeiter, sondern Handwerker. August Bebel, Mitbegründer der SPD, war Drechsler. Der Gedanke, dass der Staat den Arbeiter vor Konkurrenz schützen muss, ist eine Fortsetzung der mittelalterlichen Ideologie der Zünfte.

Das erklärt auch, warum wir Amerikaner das Geldverdienen so sehr verherrlichen. England zertrümmerte schon früh die Macht der Zünfte und etablierte den Kapitalismus, den wir frohen Muts aus England in die Neue Welt mitnahmen. Es gibt zu Recht kaum eine mythische Figur, die man mehr mit Amerika verbindet als den Tellerwäscher. Wer in Europa kennt schon Paul Revere, Johnny Appleseed oder Daniel Boone? Es gibt Menschen hier, die den Ausdruck *Uncle Sam* nicht kennen. Aber den Tellerwäscher, der zum Millionär wurde, kennt jeder. Seiner Geschichte eifert jeder Amerikaner nach. Er verkörpert den amerikanischen Traum.

Seltsam nur, dass es keinen deutscher Tellerwäscher gibt. Die Deutschen verdienen Geld zuhauf, aber sie verbinden den Traum vom Geldverdienen nur mit Amerika. Wer bei uns aufwächst, hört jeden verdammten Tag Sprüche wie:»Du kannst alles erreichen, wenn du es wirklich willst« oder »Hier kann jeder Präsident werden.« Sollte ein deutscher Vater seinem Sohn so etwas erzählen, würde dieser erwidern:»Papi, du bist ganz schön naiv. Mathematisch gesehen liegen die Chancen für eine Einstellung bei eins zu 82 Millionen.« Die Amerikaner glauben, ihr Land sei besonders; die Deutschen halten ihr Land für besonders schwierig.

Dabei gibt es hierzulande jede Menge Tellerwäscher-Geschichten. Die Presse bringt fast täglich Aufsteiger- und Erfolgsstorys, nur werden sie nicht so wahrgenommen. Die vielen Skandal- und »Deutsche-Firma-in-Trouble«-Artikel, für die der *Spiegel* so berühmt ist, drehen sich nicht um irgendwelche Loser, sondern um große, erfolgreiche Firmen, die alle irgendwann klein angefangen haben. Ihre Geschichten sind halt dann erst pikant, wenn sie wieder fallen. Genau wie in

Hollywood werden auch in Deutschland um bestimmte Promis Aufsteigerlegenden gestrickt: Claudia Schiffer wurde in einer Diskothek entdeckt. Thomas Jahn, der Regisseur des 1997-Blockbusters *Knockin' on Heaven's Door*, machte als Taxifahrer Bekanntschaft mit seinem Star Til Schweiger, der ihm nach der Fahrt sagte, er werde seinen Film produzieren. Sendungen wie *Deutschland sucht den Superstar* feiern den ungebändigten Willen der Jugend, Stars zu werden und ihren Traum zu verwirklichen … ganz zu schweigen von all den Leuten, die hierzulande jede Woche 150 Millionen Euro für Lottoscheine hinlegen, sicherlich auch mit gewissen Hoffnungen. Gerhard Schröder war Sohn eines Hilfsarbeiters und einer Fabrikarbeiterin, lernte Einzelhandelskaufmann, holte die Mittlere Reife in der Abendschule nach und endete als Bundeskanzler. Angela Merkel wuchs als Pfarrerstochter in einer Kleinstadt in der DDR auf, nicht unbedingt die beste Voraussetzung für eine Karriere in der CDU, schlug zunächst weitab vom öffentlichen Leben einen wissenschaftlichen Berufsweg ein, verirrte sich dann ohne große Vorbereitung mit Mitte 30 als Frau in die bekanntlich männerdominierte Politik und wurde Bundeskanzlerin.

Doch während wir Amerikaner solche Aufsteigergeschichten als vorbildlich zitieren, werden sie in Deutschland dezent verschwiegen, wie der jüngste Sohn, der in die Großstadt gezogen ist und dort als Transvestit auftritt. Seine aufgeklärten Eltern akzeptieren seinen Lebenswandel, was soll man machen, aber an der Wand hängen mehr Bilder von seinem Bruder, dem Postbeamten. Wir Amerikaner wollen den sozialen Aufstieg so sehr, dass wir uns darüber definieren: Wir sind alle Tellerwäscher. Die Deutschen wollen den sozialen Aufstieg ebenso, aber Tellerwäscher, bitte schön, sind sie nicht.

Umso ironischer, dass eben dieser Tellerwäscher-Mythos viel eher auf Deutschland zutrifft als auf meine Heimat.

2004 hat Statistics Canada, das kanadische Amt für Statistik, eine seltsame Studie herausgegeben: *Generational Income Mobility*. Darin misst der Ökonom Miles Corak die Durchlässigkeit zwischen den Einkommensschichten. Er stellt die Frage: Wenn man in eine arme Familie hineingeboren wird, wie stehen dann die Chancen, dass man als Erwachsener sozial aufsteigt? Er vergleicht also das Einkommen der Eltern zu der Zeit, als die Kinder geboren wurden, mit dem Einkommen der Kinder, wenn diese später erwachsen sind. Er nennt es »Einkommensmobilität«, im Grunde geht es aber um Chancengleichheit. Eine Gesellschaft, in der viele Menschen auf- oder absteigen, ist eine Gesellschaft, in der Menschen aus unterschiedlichen Schichten mehr oder weniger die gleichen Chancen im Leben haben: Der Reiche, der viele falsche Entscheidungen fällt, kann ebenso gut absteigen wie jener Arme aufsteigen kann, der eine gute Idee hat und konsequent an deren Durchsetzung arbeitet.

Die Studie verglich die Einkommensmobilität in Amerika, Kanada und Europa. Das Ergebnis war verblüffend – zumindest für mich. Ganz oben auf der Liste standen nämlich nicht die USA. Sie standen nicht mal in der Mitte. Mein Blick wanderte an den skandinavischen Ländern, an Frankreich, Kanada usw. vorbei, bis ich endlich meine Heimat fand – ganz unten.

Ich rief diesen Corak an und fragte ihn, ob ihm da nicht ein klitzekleiner Fehler unterlaufen sei.

Nein, sagte er, kein Fehler. Was soziale Mobilität betrifft, stehen die skandinavischen Länder ganz oben und Amerika ganz unten.

Und wo liegt Deutschland?

»Die Mobilität ist in Deutschland um 20 Prozent höher als in den USA«, sagte er. Ich muss gestehen, das hat gesessen. Nun wollte ich wissen, was eine Gesellschaft denn eigentlich mobil macht.

Vor allem drei Faktoren, meinte er. »Wir haben herausgefunden, dass in Gesellschaften mit einer hohen Einkommensmobilität von Generation zu Generation Akademiker nicht wahnsinnig viel mehr verdienen als Nichtakademiker. Die Diskrepanz im Einkommen zwischen diesen Gruppen ist gering. Je näher ihre Durchschnittslöhne beieinander liegen, desto leichter ist es für den Sohn, in eine andere Einkommensgruppe zu wechseln als die des Vaters.« Die nächsten zwei Gründe hatten mit Bildung zu tun. »Ein weiterer Faktor ist die Höhe der Ausgaben der öffentlichen Hand für Kinder und Jugendliche. Wir haben herausgefunden, dass Gesellschaften mit einer hohen Einkommensmobilität dazu neigen, mehr Geld in das Bildungssystem zu investieren, besonders für Kinder. Wichtig ist auch die Art der Ausgaben. Ein Schulsystem, das extrem gestaffelt ist und die Schüler schon früh in Akademiker und Nichtakademiker einteilt, können Außenseiter und Immigranten nur sehr schwer durchbrechen. Das Resultat ist niedrige Einkommensmobilität von Generation zu Generation.«

Die Diskrepanz zwischen Arm und Reich ist in Amerika außergewöhnlich groß, dazu kommt, dass die höhere Bildung durch das System der privaten Universitäten vielen ärmeren Bürgen verschlossen ist. Am schlimmsten betroffen sind Schwarze.

In Deutschland dagegen ist der Unterschied zwischen hohen und niedrigen Löhnen nicht so gravierend wie in Amerika. Schon jetzt ist die Einkommensmobilität in Deutschland höher als die in Frankreich und England, und würde vermutlich so hoch stehen wie in den skandinavischen Ländern, wenn die Haupt- und Realschulabgänger nicht benachteiligt wären. »Es gibt einiges zu überdenken, was öffentliche Ausgaben für Bildung in Deutschland angeht«, meinte der Kanadier. »Im Vergleich zu den höchst mobilen Ländern wie Dänemark ist das deutsche Bildungssystem stärker gestaffelt.« Er meinte damit die frühe Einteilung in Gymnasium- und Nichtgymnasiumschüler: In diesem Stadium entscheiden sehr viele Kinder, genau den Bildungsweg zu gehen, den ihre Eltern gegangen waren, und bleiben damit auch nach der Schule oft in der Einkommensklasse ihrer Eltern stecken. Ähnlich wie die Schwarzen in Amerika leiden die hiesigen Ausländerkinder mehr als andere unter dem ungleichen Schulsystem.

Ich fragte Corak, was Einkommensmobilität für eine Gesellschaft bedeutet. Mobilität hat ja nicht unbedingt etwas mit Arbeitslosigkeit oder Konjunktur im Allgemeinen zu tun. Die Frage ist nur, wie leicht es ist, von einer Einkommensschicht zur anderen zu wechseln.

Er meinte, sie sei vor allem psychologisch wichtig: Wer glaubt, er habe in einer Gesellschaft gute Chancen aufzusteigen, engagiert sich mehr und identifiziert sich stärker mit seinem Land.

»Es gibt viele Leute, die daran festhalten – egal, unter welchen Umständen sie leben –, dass sie arbeiten, um ein besseres Leben für ihre Kinder zu schaffen«, sagte er. »Besonders Immigranten, die einen hohen Preis dafür zahlen mussten, ihre Heimat zu verlassen, um in ein neues Land zu kommen. Sie sind bereit, eine Menge Widrigkeiten in ihrem eigenen Leben auszuhalten, solange sie sich sagen können, dass sie das alles für ihre Kinder auf sich nehmen. Alle kapitalistischen Gesellschaften rechtfertigen sich selbst, indem sie sagen, ›vielleicht ist es schwer, aber man kann auch Erfolg haben.‹«

Haben Sie sich je gefragt, warum wir Amerikaner trotz allem patriotisch sind? Weil wir glauben, unser Land gibt uns genau diese Chance. Umgekehrt: Warum sind Deutsche so misslaunig ihrem Staat gegenüber? Weil sie glauben, hier sei es unmöglich, etwas zu bewegen. Sie haben keine Tellerwäscher-Geschichte. Zumindest glauben sie nicht, dass sie eine haben. Sie haben sie bloß vergessen. Ich möchte Sie bitten, sich einmal kurz in Ihre Kindheit zurückzudenken. Erinnern Sie sich noch an folgende Sage? Ein Ritter, meist verarmt, reitet in den Wald, besiegt den Drachen, gewinnt die Prinzessin und das halbe Königreich und ist am Ende … na ja, Millionär. Heute ist das nur noch ein Abenteuermärchen für Kinder, im Mittelalter meinte man es ernst. Der Aufstieg eines verarmten oder sonstwie ganz unten gelandeten Ritters liefert das Grundgerüst für einige der großen literarischen Kunstwerke des Mittelalters, zum Beispiel Parzival. Die Europäer erzählten ihre Tellerwäscher-Legende lange, bevor es Amerika gab. Einer der ältesten und ureigensten Mythen der Deutschen ist eine Aufsteigerstory.

Im feudalen Herrschaftssystem des Mittelalters lebten die meisten Nichtadeligen in Unfreiheit und hatten nur sehr begrenzte Möglichkeiten, sozial aufzusteigen. Eine der augenfälligsten Ausnahmen war etwas, was man »den besonderen Dienst am Herren« nennt – ausgeübt von so genannten Ministerialen. Heutigen Staatsministern nicht unähnlich, übernahmen die Ministerialen die Arbeit, zu der die Obrigkeit keine Zeit oder Lust aufbrachte, sei es die Verwaltung herrschaftlicher Ländereien, den Schriftverkehr mit anderen analphabetischen Adeligen oder das Verdreschen von Bauern, die ihre Steuern nicht entrichtet hatten. Die Ministerialen waren in der Regel unfrei wie alle anderen auch, gleichzeitig aber waren sie ihrem Herrn so unverzichtbar, dass sie einen immer höheren Status und Privilegien an sich ziehen konnten, bis sie mit den armen Bauern ihrer Vorfahren nichts mehr gemein hatten. Da diese Ämter meist vererbbar waren, konnten Ministerialenfamilien über Generationen so viel Macht, Reichtum und Einfluss gewinnen, dass sie am Ende faktisch mit ihren adeligen Herren gleichstanden, auch wenn sie rechtlich immer noch unfrei waren.

Die coolsten Ministerialen waren die Ritter. Ihnen standen auch die besten Aufstiegschancen offen. Wer sich als Unfreier in Raufereien hervortat, bekam eine Rüstung und gab beim nächsten Scharmützel sein Bestes. Bei Misserfolg war man halt tot, bei Erfolg jedoch stieg man auf. Nahm man gar am Kreuzzug teil, waren die Karrieremöglichkeiten unermesslich. Als man die Stadtstaaten des Heiligen Landes eroberte, gab es Grafen, die zu Königen aufstiegen. Da wurden weiter unten in der Hierarchie ein, zwei Plätze frei für neue Grafen. Das erklärt, warum Rittertum so sexy war. Es ging um mehr als nur ein Schwert und einen Eisenpanzer. Es ging um die Idee des Aufstiegs.

Ich verrate Ihnen ein Geheimnis: Der Tellerwäscher-zum-

Millionär-Traum ist gar keine amerikanischen Erfindung. Er kommt aus Europa. Man verbindet ihn mit uns Amerikanern, weil wir uns dazu bekennen. Wir halten uns einfach für das Land der unbegrenzten Möglichkeiten, also sind wir es auch. Deutschland versteht sich als das Land der endlosen Bürokratie, politischer Unbeweglichkeit und wirtschaftlicher Innovationsunlust, also ist es das auch. In Wirklichkeit ist Deutschland das Land der unbegrenzten Möglichkeiten, aber die Deutschen werden es nie wissen.

Tun Sie mir bitte den Gefallen und erzählen Sie es nicht weiter.

Die Deutschen sind Patrioten –
und wissen es nicht

»Ich sehe mich überhaupt nicht als Deutscher«, sagte der junge Mann, der im Verlagswesen arbeitete. »Ich habe so wenig gemeinsam mit einem Bayer oder Hamburger wie mit dem Mann im Mond. Ich bin Weltbürger, höchstens ein Europäer, aber kein Deutscher.«

Es war also ein typisches Gespräch, wie man es in Köln, München, Hamburg und auch sonst überall in diesem Land führt. Wenn Ihnen jemand erzählt, er sei Weltbürger, ist das ein sicheres Zeichen dafür, dass er Deutscher ist.

Wir saßen in einem schicken Café, es war wieder mal Weltmeisterschaft und wir hatten eigentlich über Fußball gesprochen, aber dann, logisch bei all dem stolzen Fahnenschwenken, ging die Konversation nahtlos über zu den Gefahren des Patriotismus. »Ich habe überhaupt keinen Bezug zum deutschen Staat«, erklärte er. »Dieser Staat hat nichts mit mir zu tun, mit dem, was ich bin.«

»Du meinst, abgesehen von der Sprache, deiner Schul- und Uni-Ausbildung, deinem Job, diversen Freiheiten, der Infrastruktur, der Wirtschaft und den Werten, die du verinnerlicht hast, zum Beispiel auch deiner intellektuellen Distanz zum Staat?«

Da wurde er wütend. Er begann, sämtliche Sünden Deutschlands aufzulisten, von den alten Nazis in der Justiz über Umweltsünden bis hin zum geistfeindlichen Materialismus der Gesellschaft. Er zog richtig vom Leder. Er wurde immer lauter, und bald war er auch knallrot im Gesicht. Am Anfang dachte ich, wir spielen hier ein intellektuelles Spiel, wir amüsieren uns über das abstrakte Puzzle des Patriotismus, der uns nicht wirklich nahe gehen kann, weil es eine völlig abstrakte Frage ist. Jetzt dachte ich: Ich werde gleich von einem Pazifisten erschlagen. Ich muss irgendwas tun. Ich begann zu nicken, und ich nickte so lange, bis sein Gesicht wieder eine normale Farbe hatte.

Diese verkorkste Beziehung zum Staat ist mehr als eine intellektuelle Spielerei. Sie geht den Deutschen richtig zu Herzen. Sie haben eine intensive Bindung zu ihm, aber die ist emotional mindestens so kompliziert wie eine Vater-Sohn-Beziehung. Der Sohn beschwert sich: »Du hast mich enttäuscht.« Der Vater erwidert: »Ach, ich konnte nicht anders, so schlimm bin ich nicht, wenn du älter bist, wirst du das verstehen.« Das ist die falsche Antwort, und der Sohn beschließt, nie wieder mit ihm zu reden, außer er braucht Geld, und wird fortan immer aufbrausend, wenn seine Freunde nach seinem Vater fragen.

Als ich zum ersten Mal erfuhr, dass man sich hier kaum traut, Sätze wie: »Ich bin stolz auf mein Land« über die Lippen zu bringen, war ich schockiert. (Das Höchste was man hier zustande kriegt, ist: »Ich bin stolz auf unsere Nationalelf.«) Als Amerikaner glaube ich an das natürliche Recht eines jeden, sein Land zu lieben. Wer das Land nicht achtet, das ihn hervorgebracht hat, kann sich doch selbst auch nicht achten, dachte ich. Mehr und mehr beschlich mich das Gefühl, von 82 Millionen Selbstmordgefährdeten umgeben zu sein. Ich beobachtete die Menschen auf der Straße, wenn ich spazieren ging, und fürchtete, jeden Moment könne der Selbsthass explodieren wie eine geistige Atombombe und in der Mitte Europas nichts hinterlassen als ein schwarzes Loch.

Als mehrere Jahrzehnte lang kein kollektiver Selbstmord passiert war, begann ich, die Leute etwas näher anzuschauen. Für ein Volk, das angeblich keinen Nationalstolz besitzt und Tag für Tag unter einer schweren Bürde von Scham und Selbstverachtung umherstolpert, geht es den Deutschen erstaunlich gut. Ehrlich gesagt gehören sie zu den robustesten und lebendigsten Völkern der Welt.

Klammheimlich holen sie von irgendwo eine ganze Menge Selbstachtung her. Inzwischen weiß ich auch, woher: Indem sie andere Länder noch kleiner machen als sich selbst.

Die charmantesten Patriotinnen, mit denen ich je das Vergnügen hatte, über die zweifelhafte Kultur meines Landes zu diskutieren, waren drei lustige Damen, die ich eines Abends in einer Aachener Karibik-Cocktailbar kennen lernte. Ich wollte sie eigentlich bitten, mir den »typischen Deutschen« zu beschreiben. Doch sie sträubten sich vehement.

»Ich finde solche Klischeevorstellungen überhaupt nicht gut«, schnaubte die Blondine.

»Verallgemeinerungen sind immer falsch«, erklärte mir die Brünette.

»Für euch Amerikaner ist immer alles schwarz/weiß, aber wir wollen auch die Hintergründe und Zusammenhänge sehen«, sagte die Schwarzhaarige.

Wir bestellten noch eine Runde, während wir auf ihre Freunde warteten, und ich ergriff die Gelegenheit, das Thema zu wechseln. »Wenn ich Margaritas trinke«, sagte ich, »denke ich immer an die Tacos, die man bei uns zu Hause kriegt.«

Das war der Startschuss.

»In Amerika gibt es kein richtiges Essen, oder?«, fragte die Blondine.

»Alle essen nur Hamburger. Deshalb sind Amerikaner so fett.«

»Es stimmt wirklich«, versicherte mir eine, »meine Freundin war einmal in den Staaten, sie sagt, sie konnte kein richtiges Essen finden.«

»Wo war sie d…«, versuchte ich, doch ich kam nicht weit.

»Es gibt mehr Hamburger-Restaurants als Lebensmittelläden.«

»Und sie essen dieses pampige Weißbrot.«

»So pauschal kann man das nicht…«, sagte ich.

»Sie essen auch nie zu Hause«, fuhr eine andere fort. »Sie lassen sich ihr Fastfood liefern oder bringen es vom Imbiss mit. Meine Freundin sagt, die Familie, bei der sie wohnte, hat nie gekocht.«

Wer kein Amerikaner ist, ahnt nicht, wie oft man hierzulande in solche Gespräche verwickelt wird. Ich habe oft den Verdacht, dass man hier bereits in der ersten Klasse lernt: »Von allen Menschen dieser Erde weiß nur der Amerikaner rein gar nichts über seine eigene Heimat und ist daher sehr dankbar, wenn ein Deutscher ihn darüber aufklärt.«

Erst hier habe ich erfahren, dass wir Amerikaner religiöse Fanatiker sind (dass ich das nie ahnte, obwohl ich unter Mormonen aufgewachsen bin!), keine Pressefreiheit genießen (das lernte ich im gleichen Jahr, als Michael Moore den Oscar bekam) und keine Fremdsprachen sprechen (das höre ich oft von Deutschen, sobald sie sicher sind, dass ich auch genug Deutsch verstehe).

Doch erst in Aachen, als ich in die kulinarischen Besonderheiten meiner Heimat eingeweiht wurde, verstand ich, worum es den Damen wirklich ging: Sie waren Patriotinnen, und was für welche. In typisch deutscher Manier drückten sie ihre Liebe zum eigenen Land nicht aus, indem sie ihr Land lobten, sondern indem sie über andere Länder herzogen. Der übliche Spruch des intellektuell angehauchten Deutschen, der behauptet, nicht stolz auf sein Land zu sein, lautet: »Wer seinen Stolz aus einer Nation oder sonst einem Kollektiv beziehen muss, leidet wohl unter einem Minderwertigkeitskomplex.« Was er meint, ist: »90 Prozent aller Menschen auf der ganzen Welt leiden unter einem Minderwertigkeitskomplex, wir aber stehen zum Glück darüber.«

Jetzt verstand ich, warum keine Woche verging, in der nicht in einer deutschen Zeitung über irgendeine fundamentalistische Splittergruppe oder irgendeinen verrückten Rechtsspruch in den USA berichtet wird – Fälle, die belegen, dass wir Amerikaner einfach nicht so weit sind wie die Deutschen. Andere Völker legen die Hand aufs Herz und sagen: Ich liebe mein Land. Die Deutschen beschreiten den intellektuell anspruchvolleren Weg und reden so lange über die Probleme anderer Länder, bis sie sich sagen: »Ach, wenn es so ist, muss ich nicht auswandern. Ich kann auch gleich hier bleiben.«

Zurzeit sind es vor allem drei Länder, über die sie am liebsten herziehen: die USA, Russland und Israel. Gäbe es diese Länder nicht, es ist nicht auszudenken, was die Deutschen sich selbst vorwerfen würden.

Dieser Putin! Ein gefährlicher Mann, ein Diktator. Diese selbstherrliche, kalte Art, hat er denn nie etwas von Konsenspolitik gehört? Hier hat man sich wirklich Hoffnungen gemacht, dass aus den Trümmern des Kalten Krieges und der historischen Feindschaft eine neue Freundschaft entstehen könnte – aber nicht mit diesem Anti-Gorbi.

Und Israel, Israel! Warum kann es einfach nicht begreifen, dass Gewalt schlecht ist und die Palästinenser im Recht sind? Verstehen sie nicht, dass die Deutschen aus dem Holocaust etwas gelernt haben und diese Lektion vor allem an Israel weitergeben möchten? Aber sie hören und hören einfach nicht zu.

Allerdings muss ich feststellen: mehr schlechte Eigenschaften als meine Heimat kann keiner vorweisen. Amerika führt den kleinen, exklusiven Club der Länder an, über die Deutschland am liebsten herzieht. Auf seine Art steckt eine gewisse Anerkennung darin. Wenn die Menschen hier nicht auf die Straße gehen, um gegen die Situation in Sudan, Simbabwe, Saudi Arabien und Nordkorea zu protestieren, dann halten sie diese Länder ihrer Beachtung für nicht wert. Da gehöre ich doch lieber zu den Ländern, über die man sich hier gern aufregt.

Die Deutschen geben sich viel Mühe, um zu vertuschen, dass sie in Wahrheit Patrioten sind. Lange Zeit haben sie mich mit ihrer so genannten »Lokalpatriotismus«-Strategie an der Nase herumgeführt. Dieses Täuschungsmanöver verläuft so: »Wissen Sie, wir sind ja nichts anderes als eine rein zufällige Ansammlung ganz verschiedener Regionen, die alle ihre eigenen Bräuche haben und sonst gar nichts miteinander zu tun haben. Wenn ein Hamburger mit einem Bayern zusammentrifft, sagt der eine ›Brötchen‹, der andere ›Semmel‹. Sie können sich kaum miteinander verständigen. Die so genannte Nation ›Deutschland‹ ist eigentlich ein künstliches Konstrukt. Deswegen sieht sich keiner als ›Deutscher‹, sondern als ›Schwabe‹ oder ›Rheinländer‹. Keiner wird Ihnen sagen, er sei stolz auf sein Land, aber jeder ist stolz auf seine Heimatstadt und seine Fußballmannschaft, sogar auf sein Bier. Es ist eine Freude zu sehen, wie ein Kölner und ein Düsseldorfer sich über Kölsch und Alt streiten!«

Also, von so einem hoch intellektuellen Volk hätte ich schon mehr erwartet. »Semmel« und »Brötchen« – fast, als ob wir von *verschiedenen Planeten* stammen! Ich bitte Sie. Wenn Sie glauben, ein Regensburger hat es schwer, in Magdeburg eine Weißwurst zu kaufen, versuchen Sie mal als Hawaiianer in Dallas *poi* zu bekommen. Jedes Land der Welt pflegt derartigen Lokalpatriotismus. Jede einzelne High School Amerikas betrachtet sich allen anderen High Schools als weit überlegen, trotzdem bildet sie sich nicht ein, nicht mehr zu Amerika zu gehören. Auf Hawaii kleben wir unseren Lokalpatriotismusspruch direkt auf die Stoßstange: *Lucky you live Hawaii* – gleich neben die amerikanische Flagge. Und wenn man glaubt, ein Hamburger und ein Bayer haben nichts gemeinsam, lassen Sie sich die beiden mal auf den Straßen von New Orleans begegnen: Dort entdecken sie schnell ihre deutschen Gemeinsamkeiten. Das Lokalpatriotismusargument ist so fadenscheinig, dass man fast meint, die Deutschen hätten einfach Angst, ihren Stolz auf ihr Land zuzugeben.

Nicht alle, natürlich, nur die Westdeutschen. Seltsamerweise haben erstaunlich viele meiner ostdeutschen Freunde hier in Berlin keine Angst, das S-Wort zu benutzen. Das kann nur daher kommen, dass sie beide Extreme selbst erlebt haben. Sie wissen wie es ist, in einem Überwachungsstaat zu leben, und sind jetzt froh und glücklich, in einem freien Land zu sein. Aber Moment mal, was rede ich da: Sie sagen ja nicht, sie seien stolz auf Westdeutschland, sondern sie seien stolz, ein Ossi zu sein.

»Ich bin total stolz darauf, eine Ossi-Frau zu sein«, sagte die Psychologin und allein erziehende Mutter. »Wir haben ganz andere Sachen erlebt – zuerst die DDR-Sozialisation, dann wie alles gekippt wurde. Das sind Erfahrungen, die die Wessis nicht haben. Die Ossis sind gruppenfähiger und kontaktfreudiger. Die Ost-Frauen sind belastbarer. Ich möchte niemals mit einer West-Tussi tauschen, die dazu verdonnert wird, die Kinder zu hüten. Ost-Frauen sind nicht so bescheuert, dass sie sagen, es ist ein Verbrechen, ein Kind in den Kindergarten zu bringen.«

»Klar bin ich stolz auf eine Menge Sachen«, meinte die Designerin. »Auf meine Ausbildung und auf meine Erfahrungen, die ich in dem anderen Land machen konnte. Ich kenne ein Leben jenseits von Konsum und Werbung – was mich heute noch mit Freude erfüllt und stolz macht. Ich bin stolz auf meine Weltoffenheit und Beweglichkeit, die viele Ossis haben. Ich bin stolz, dass Menschen wie Platzeck und Merkel das politische Klima verändert haben. Ich bin stolz auf unsere ehemalige LPG, die ein super fortschrittlicher und ökologisch wirtschaftender Betrieb geworden ist. Das war sie auch schon zu Ostzeiten, jetzt ist sie noch besser.«

»Ich bin stolz, als protestantische Pfarrerstochter quasi zur kleinen Dissidentin erzogen worden zu sein«, sagte die Dokumentarfilmerin. »Ich bin stolz auf meine beste Freundin, die in der DDR lieber in den Knast ging, als nicht ihre Meinung zu sagen. Ich bin besonders auf die Haltung meines Vaters stolz, der mir beibrachte, wie das geht – in einer Diktatur leben und sich trotzdem nicht verbiegen.«

»Die Revolution war in meinen Augen zwar sehr durch die westlichen Medien gesteuert«, sagte die Psychologin. »Trotzdem: die Menschen waren bereit, auf die Straße zu gehen, obwohl sie wussten, dass Leute mit Maschinengewehren auf den Dächern standen.«

Wir Amerikaner werden 1989 nicht so schnell vergessen. Als beinahe die gesamte Bevölkerung der DDR »Nein« zu ihrem Staat sagte, war das ein einmaliger Akt des Volkswillens. Ein derartiges historisches Ereignis haben wir nicht vorzuweisen. Die Deutschen vergleichen sich gern zu ihrem Nachteil mit Frankreich und behaupten von sich, dass sie nie genug Mumm gehabt hätten, eine Revolution durchzuziehen. Sie unterschlagen dabei, dass sie im November 1918 ihren Kaiser aus dem Lande gejagt haben, und ihre Revolution vom November 1989 war nicht nur weniger blutig als die französische, sie war auch erfolgreicher. (Und was lernen wir daraus? Im November haben die Deutschen besonders schlechte Laune.)

Für mich war das Schönste an der Revolution, die man hier mit einem atemberaubenden Understatement »Wende« nennt, Zeuge sein zu dürfen, wie diese Germanen einmal im Leben begeistert waren, ohne dass Fußball im Spiel war. Sie waren wie ausgewechselt. Weg war ihre penetrant überlegene, kritische Intelligenz und sie waren einfach froh und dankbar. Es dauerte, wenn ich mich recht entsinne, etwa fünf Minuten. Dann kehrte wieder Alltag ein: weder den Ost- noch den Westdeutschen war irgendwas gut genug. Sie waren wieder wie Geschwister, die den ganzen Tag nach Eis quengeln, und dann, wenn sie es bekommen, missgönnen sie es einander. Als der Ruf der Ossis sich darauf einpendelte, faul, naiv und unmotiviert zu sein, hatte ich das Gefühl: das ist die Rache der Westdeutschen dafür, dass die Ossis ihnen die Show gestohlen hatten.

Seltsam nur, dass dieser Ruf heute noch besteht, obwohl inzwischen eher das Gegenteil zutrifft.

Die Ossis, die ich kenne, sind positive, fleißige, professionelle Menschen, die – zu meiner Schande – schon vor dem Fall der Mauer mehr gereist sind als ich. Sie sind Filmemacher, Graphikdesigner, Sozialarbeiter und aufstrebende Studenten. Man meckert darüber, dass Arbeitslose nicht bereit sind, ihren Wohnort zu wechseln: diese Ossis würden bis ans

Ende der Welt reisen, um ihr Leben erfolgreich zu gestalten, und haben es zum Teil getan. Dann schaue ich in die Zeitung und lese – dass wird vielleicht für einige von Ihnen eine schockierende Neuigkeit sein, aber sie stimmt wirklich –, dass die Bundeskanzlerin Merkel, Fußballstar Ballack und Tokio Hotel, die heißeste Rockband des Landes, alle aus dem Osten kommen.

Die Deutschen sind so exklusiv auf den Vergleich mit anderen Ländern fokussiert, dass sie ihr eigenes Land nur aus den Augenwinkeln wahrnehmen. Wenn sie dann doch ausnahmsweise merken, dass es auch was Gutes über ihr eigenes Land zu sagen gibt, sind sie überrascht und verwirrt. Zum Beispiel Schröders historisches »Nein«.

Nachdem der Bundeskanzler den USA zum Irakkrieg eine Absage erteilte, konnte man richtig spüren, wie stolz ganz Deutschland ein paar Tage lang war. Die Tage waren heller, sonniger, unbeschwerter, und die Menschen auf der Straße locker und beschwingt.

Keiner bemerkte die Ironie: Nur hier kann man ein »Nein« als heroische Tat feiern. Andere Völker sind stolz auf ihr Land, wenn es etwas vollbringt. Die Deutschen sind stolz, wenn ihr Land sich weigert, etwas zu vollbringen. Hätte Schröder den Mount Everest bestiegen, hätte man gesagt: er will nur Aufmerksamkeit. Hätte er ein Heilmittel gegen Aids erfunden, hätte man gesagt: Die Idee lag in der Luft. Hätte er in einer durchzechten Nacht Saddam Hussein überredet zurückzutreten, und gleich darauf Osama bin Laden eigenhändig geschnappt und der New Yorker Polizei ausgeliefert, hätte man gesagt: Schön, aber was ist jetzt mit der Arbeitslosigkeit? Hätte er selbst Amerika den Krieg erklärt, es in einer Blitzaktion über Nacht erobert und damit die Welt von der blutigen Herrschaft des Materialismus und Imperialismus befreit, hätte man gesagt: typisch Medienkanzler. Nein, Schröder wusste, sein Volk kann man nur auf eine Art beeindrucken: »Och nö, kein Bock.«

Fast noch bemerkenswerter fand ich, dass man gleich glaubte, das wäre zum ersten Mal passiert. Als Schröder »Nein« sagte, verstanden wir Amerikaner die Aufregung nicht: Für uns waren Absagen aus Deutschland schon lange Routine. Bereits der zweite Bundeskanzler Deutschlands sagte zu einem amerikanischen Krieg »Nein«.

»Als Ludwig Erhard 1966 das Weiße Haus besuchte, verlangte Präsident Lyndon B. Johnson, er solle Truppen und Geld für Vietnam zur Verfügung stellen«, sagte Alfred Mierzejewski, Historiker an der University of North Texas und Autor der Biographie *Ludwig Erhard. Der Wegbereiter der sozialen Marktwirtschaft.* »Das verstieße zwar gegen das Grundgesetz, aber die Westdeutschen haben ihre Verfassung oft geändert. Er hätte zumindest den Vorschlag vor den Bundestag bringen können. Erhard sagte einfach, das Grundgesetz würde ihm nicht erlauben, Truppen zu schicken, und er könne kein Geld geben, weil er es nicht hätte. Johnson war ein ziemlich großer Mann. Er stand vor Erhard, der sitzen blieb, und machte ihm mit sehr lauter Stimme klar, welche Verantwortung er hatte. Er hat ihn wirklich zusammengeschimpft. Doch Erhard saß da und ließ alles einfach über sich ergehen.«

Erhard hatte kein Problem damit, »Nein« zu meinem Präsidenten zu sagen, weil es ihm schon seit Jahren zur Gewohnheit geworden war. Seitdem er für die Wirtschaftspolitik in den westlichen Besatzungszonen verantwortlich zeichnete, zeigte sich sein irritierender Eigensinn. »Erhard fühlte sich den Alliierten nicht unterlegen«, sagte Mierzejewski. »Sowohl die Briten als auch die Amerikaner machten gern gehässige Bemerkungen über ihn. Die Briten nannten ihn den dicken Jungen, der nie zufrieden ist, und immer noch mehr verlangt, sobald er etwas bekommt.«

Bei der Währungsreform 1948 bestand Erhard zum Unmut der Amerikaner darauf, dass die geplanten Reformen nicht ausreichen würden, die Inflation zu stoppen. Dazu müssten die Rationierungen sowie alle Preis- und Lohnkontrollen abgeschafft werden. Genau davor aber hatten die Alliierten Angst: die Preise könnten derart in die Höhe schnellen und die Löhne so tief sinken, dass die Wirtschaft zusammenbräche.

»Die Alliierten wollten im Juni 1948 die neue Währung einführen, und Erhard wusste das«, sagte Mierzejewski. »Die Alliierten baten die Westdeutschen nicht um ihre Meinung, gaben aber bekannt, was sie vorhatten. Erhard ergriff die Gelegenheit. Am Vorabend der neuen Währung deregulierte er eine große Anzahl von Sektoren (und sechs Monate später setzte er auch eine Lohnderegulierung durch). Er fragte die Alliierten vorher nicht um Erlaubnis, obwohl er es den Regeln nach hätte tun müssen. General Clay bestellte Erhard in sein Büro und stutze ihn zurecht: ›Sie haben nicht die Vollmacht, die Rationierung zu ändern.‹ Erhard erwiderte: ›Ich habe sie auch nicht geändert, ich habe sie abgeschafft.‹«

Deutschland hatte gerade den Krieg verloren. Wir Amerikaner hatten jeden Grund, eingeschüchterte, dankbare, formbare Politiker als Gesprächspartner zu erwarten. Stattdessen hatten wir es mit lauter bockigen Dickschädeln zu tun. Nicht nur Erhard hatte Traute.

Der größte Neinsager war Kurt Schumacher. Er schüchterte die Amerikaner dermaßen ein, dass die *Time* ihn aufs Titelblatt nahm und wie ein gefährliches Tier beschrieb: »Er sprach mit einer herausfordernden knurrenden Stimme, die noch die sanftesten Worte wie Schimpftiraden klingen ließ; er übertrieb in Situationen, wo ihm eine mildere Reaktion den Weg erleichtert hätte; er machte es den westlichen Alliierten schwer, ihm zu vertrauen. In einer Rede nach der anderen griff er den Westen an – zuerst, weil dieser keinen Plan hatte, dann, weil er eine Politik verfolgte, die ihm nicht gefiel.«

Schumacher war freiwillig in den Ersten Weltkrieg gezogen, in Polen wurden seine Arme von Kugeln zerfetzt, worauf er 26 Stunden im Feld lag und sein rechter Arm amputiert werden musste. Das hielt ihn nicht weiter auf. Als die Nazis an die Macht kamen, machte er sich bei ihnen unbeliebt mit

Sprüchen wie: »Die ganze nationalsozialistische Agitation ist ein dauernder Appell an den inneren Schweinehund im Menschen«, und der NSDAP sei »die restlose Mobilisierung der menschlichen Dummheit gelungen«, und erlebte infolgedessen das Dritte Reich von verschiedenen KZs aus. Auch das beirrte ihn nicht lange. Nach dem Krieg ging er als SPD-Vorsitzender fleißig dran, sich bei den Alliierten unbeliebt zu machen. »Wir hier in Deutschland betreiben weder russische noch amerikanische noch britische noch französische Politik«, beharrte er einmal. »Wir betreiben deutsche Politik.«

»Er stieß alle Besatzungsmächte vor den Kopf«, schrieb der Historiker Gordon A. Craig in seinem Buch *The Germans*. »Die Russen aus offensichtlichen Gründen, die Briten und Franzosen, weil er ›zu arrogant‹ und ›zu deutsch‹ war, die Amerikaner, weil er ›zu sozialistisch‹ war.« Schumacher machte aus der germanischen Liebe zum »Nein« ein Lebenswerk. Seine Neigung zu dem Wort fiel dermaßen auf, dass seine Mitarbeiter der ausländischen Presse gegenüber gewundene Entschuldigungen suchen mussten: Er meine nicht »nein«, sagte einer seiner Mitarbeiter der *Time*, sondern »ja, aber so nicht«.

Der Schlimmste von allen war Konrad Adenauer (der nur knapp vor Schumacher zum Bundeskanzler gewählt wurde). Obwohl er nach außen das Bild des Amerika-Freundes pflegte – besonders im Wahlkampf –, verhielt er sich überhaupt nicht so, wie es die Alliierten von einem Besiegten und Gedemütigten erwartet hatten. »Wir sind kein afrikanischer Stamm«, grollte er einmal, »sondern eine mitteleuropäische Nation, und wir sind stolz darauf.«

»Adenauer war so offensichtlich der Chef, dass die Amerikaner darüber Witze machten«, meinte Thomas Schwartz, Historiker an der Vanderbilt University in Tennessee und Autor des Buches *Die Atlantik-Brücke*. »Es schien, dass immer er die Entscheidungen traf und stets bekam, was er wollte. Deutschland hatte damals sehr viel Einfluss, und Amerika wollte das Land unbedingt in der Allianz haben. Adenauer konnte das zu seinem Vorteil ausnutzen, seine Macht ausspielen und erreichte eine ganze Menge.«

»Kurz nachdem sich die erste Regierung gebildet hatte«, sagte Mierzejewski, »präsentierte Adenauer den Alliierten seine Minister. Das Protokoll, dem alle vorher zugestimmt hatten, sah vor, dass die Hohen Kommissare der Alliierten auf dem Teppich auf der einen Seite des Raums stehen würden, während Adenauer auf der anderen Seite stehen sollte, wo der Teppich aufhörte, auf nacktem Boden. Das sollte seine Position symbolisieren. Doch als er das Zimmer betrat, ging er schnurstracks zum Teppich und positionierte sich darauf, direkt vor den Hohen Kommissaren.«

Seit Kriegsende versuchten die Alliierten immer wieder, die westdeutschen Industrieanlagen zu demontieren, teils, um eine Wiederbewaffnung zu verhindern, teils als Wiedergutmachung. Doch sie hatten die Rechnung ohne Adenauer gemacht. »Es gab ständig Streitereien darüber«, so Mierzejewski. »Adenauer benutzte seine so genannte Salamitaktik: eine Fabrik nach der anderen. Er verhinderte die Demontage dieser Fabrik, dann jener; er rettete die Schiffswerften in Bremen mit dem Argument, sie wären wichtige Arbeitsplätze. ›Wenn wir diese Jobs verlieren, bekommen wir soziale Unruhen, und was dann?‹, argumentierte er. Die Alliierten mussten die Liste der zu demontierenden Fabriken ständig nach unten korrigieren, und 1952 gaben sie das Ganze entnervt auf.«

Als Adenauer im Kalten Krieg die Sowjetunion offiziell anerkannte, um die Heimkehr von 10 000 Deutschen aus russischer Gefangenschaft zu sichern, stieß er die USA abermals vor den Kopf. Er bestand darauf, dass amerikanische Soldaten, die auf deutschen Straßen mit überhöhter Geschwindigkeit fuhren, unter deutsche Gerichtsbarkeit fielen. Er verlangte, dass die deutsche Regierung in multilateralen Kommissionen vertreten war. »Er schuf Souveränität, Schritt für Schritt«, betonte Mierzejewski. »Er arbeitete unermüdlich daran. Eins folgte aufs andere. Es war klar, Adenauer war nicht zufrieden zu stellen, bis er die Souveränität erreichte. Währenddessen war er stets bedacht, dennoch als verlässlicher Partner aufzutreten.«

Als *Time* Adenauer 1954 zum Mann des Jahres erkor, beschrieb sie ihn als einen »unverwüstlichen Verhandlungspartner – unermüdlich, hartnäckig, so gut wie unbeweglich«. Mit einer Mischung aus Bewunderung und Furcht ergänzte sie, »1953, nur acht Jahre nach Scham, Schrecken und Ohnmacht der Niederlage im blutigsten Krieg der Menschheitsgeschichte, ist Deutschland wieder da. ...Wie immer bei solchen Umwälzungen, hat es lang gedauert, aber bei weitem nicht so lange, wie selbst der zuversichtlichste Deutsche hätte erwarten können, als er eines Tages 1945 aus den rauchenden Trümmern kroch und erfuhr, dass das Nazireich nicht mehr existierte.«

Diese Leute, diese Alt-49er, waren weit entfernt davon, Bittsteller und Marionetten der Besatzer zu sein, wie es manchmal dargestellt wird. Sie waren nicht in den verhätschelten, konsensverliebten 70ern groß geworden. Das waren Street-Fighting Men. Sie kamen aus der Weimarer Republik, wo Politik nicht selten auf der Straße mit den Fäusten ausdiskutiert wurde.

Heute betrachtet man 1945 als einen tiefen Einschnitt: Alles war entweder vorher oder nachher. Für sie war das nicht so. Für sie war der Zusammenbruch des Dritten Reichs nur eine weitere Runde im Kampf um einen demokratischen Staat, und die Politik, die danach kam, war eine Fortsetzung ihrer Politik der Weimarer Zeit. Für Adenauer galt das besonders: Im Kaiserreich aufgewachsen, war er bereits 41, als der Erste Weltkrieg zu Ende ging und er Oberbürgermeister von Köln wurde, beim Ausbruch des Zweiten Weltkrieges war er schon ein umstrittener Politiker. Bundeskanzler wurde er erst mit 73 und regierte weitere 14 Jahre. Er verkörperte ein Kontinuum durch die deutsche Geschichte, für das die zwölf Jahre des Dritten Reiches zeitlich gesehen eine der kürzeren Episoden war. Craig schrieb, es war vor allem seine persönliche Stärke, die den Deutschen das Vertrauen in einen eigenen Staat wiedergab. »Sein politischer Stil, der streng, ernsthaft und patriarchalisch war, überzeugte sie, dass die Autorität, nach der man sich damals sehnte, auch in einer demokratischen Regierung unter seiner Führung möglich war, und ihr Glauben an ihn hat nie ernsthaft gewankt, solange er im Amt war.«

Bei uns zu Hause veranstalten Hollywoodstars dramatische Lesungen der Unabhängigkeitserklärung vor laufender Kamera und stellen die Aufnahme ins Internet. Unser Gründungsjahr 1776 dient als Titel für Bücher, Filme und Musicals. Wenn ein Amerikaner wissen will, wie sein Staat gegründet wurde, braucht er nur lange genug den Fernseher eingeschaltet zu lassen. Mein Gott, wer irgendwo auf der Welt wissen will, wie unser Staat gegründet wurde, braucht nur lange genug den Fernseher eingeschaltet zu lassen!

Doch ich musste erst mein halbes Leben hier verbringen, bevor ich das erste Mal vom Parlamentarischen Rat hörte.

Ich kenne Adenauers Konterfei, seinen Wahlspruch »Keine Experimente« und seine vielen Fehler. Ich kenne auch genügend Fotos vom zerstörten Dresden und den Trümmerfrauen, vom Bau und Fall der Mauer. Aber von dem Moment, als der erste erfolgreiche demokratische Staat Deutschlands ins Leben gerufen wurde, habe ich nie was erfahren. Hätte mir mal einer gesagt, dass im Parlamentarischen Rat 70 Politiker neun Monate lang eines der ungewöhnlichsten politischen Dokumente der Welt, das Grundgesetz, verfasst haben, hätte selbst ich als Ami die Bedeutung dieses Moments erfasst. Auch wenn der Text zu anstrengend für mich gewesen wäre, hätte ich mir mindestens die Bilder anschauen wollen.

Ich meine das nicht ironisch. Ich will wirklich Bilder sehen. Die Deutschen haben auch Bilder genug: von der Gründung des Deutschen Reiches, von der Weimarer Republik, von Hitler sowieso, von fast allem. Nur nicht vom Parlamentarischen Rat. Ich rief bei der Bundeszentrale für politische Bildung an und fragte nach dem deutschen Trumbull. John Trumbull war der Maler, der im Auftrag unserer ersten Regierung viele

163

Werke über die Gründung der Vereinigten Staaten schuf. Sein vielleicht wichtigstes Gemälde zeigt, wie die Abgeordneten 1776 dem Kongress die Unabhängigkeitserklärung vorlegen. Das war der Anfang des Krieges und die Geburtsstunde unseres Landes.

»Vielleicht«, meinte mein Ansprechpartner, »gibt es irgendwo ein Gruppenfoto – das müssten Sie mal googeln –, aber ein berühmtes Bild gibt es meines Wissens nicht. Wenn Sie nach Ikonen dieser Zeit suchen, sind Sie bei der Luftbrücke besser aufgehoben. Der Parlamentarische Rat war zwar die Geburtsstunde der deutschen Demokratie, aber«, meinte er fröhlich, »im Grunde bestand er bloß aus lauter langweiligen Reden.«

Schlagartig wurde mir klar, warum es in Deutschland keinen Patriotismus gibt. Wenn schon die Zentrale für politische Bildung die Geburtsstunde des Landes langweilig findet, wie soll man dagegen ankämpfen?

Es wird Sie vielleicht schockieren, aber es gibt Amerikaner, die patriotischer vom Parlamentarischen Rat sprechen, als man es hierzulande tut. Craig beschreibt kurz, aber dramatisch, wie im Rat trotz des verlorenen Krieges und der Bestrebungen der Alliierten ein souveräner Staat zustande kam. In den verschiedenen Fassungen des Grundgesetzes kann man nämlich die Versuche erkennen, aus lauter Selbsthass nach dem Holocaust die Vollmacht des künftigen Staates so weit zu beschneiden, dass er so gut wie machtlos gewesen wäre. Doch einen entmachteten Staat nimmt irgendwann keiner mehr ernst, auch seine eigene Bevölkerung nicht. Dass die Abgeordneten im Parlamentarischen Rat es dennoch schafften, einen eigenständigen Staat aufzubauen, ist keine Selbstverständlichkeit. Craig hebt den FDP-Vorsitzenden und späteren Bundespräsidenten Theodor Heuss hervor, der in einer Rede nach der anderen seine Kollegen davor warnte, »dass ihre Erinnerung daran, wie die Nazis ihre Macht missbraucht hatten, sie nicht dazu verführen sollte, dem neuen Staat jede Autorität und Gewalt abzusprechen.« Ein schwacher Staat wäre zwar im Interesse der Alliierten gewesen, aber Heuss und andere interessierte nur, was im Interesse der Deutschen war.

Auch vor einem Zentralstaat hatten die Amerikaner und die europäischen Nachbarn Angst. Sie wollten den neuen Staat so stark wie möglich dezentralisieren und die Staatsgewalt auf die Länder verteilen, sodass kein zweiter Hitler mehr möglich wäre, höchstens lauter kleine Diktatoren in jedem Bundesland, die einander bekämpften und Frankreich in Ruhe ließen. Der Traum von einem Puzzle-Deutschland erinnert ein wenig an den Westfälischen Frieden nach dem Dreißigjährigen Krieg, in dem man das Land zu einem Brei aus lauter kleinen Staaten verarbeitete: endlich harmlos!

Der geplante föderalistische Staat sollte nicht einmal Republik werden, sondern »Bund deutscher Länder« heißen. »Das wurde vor allem von den Amerikanern stark unterstützt, aber auch von den Franzosen, die wollten, dass Deutschland eine möglichst schwache Bundesexekutive hatte«, meint der Historiker Udo Wengst vom Institut für Zeitgeschichte in München.

Damit waren nicht alle im Parlamentarischen Rat einverstanden. »Darunter auch Adenauer, der schon wusste, dass er ein Bundeskanzlerkandidat werden könnte«, so Wengst. »Er wusste, er könnte nur gut regieren, wenn der Bund entsprechende Kompetenzen hatte.« Heuss nannte einen »Bund deutscher Länder« einen Staat, der vor allem für junge Leute keine »moralische Attraktivität« besäße und nichts anderes als ein Ausweichen vor der politischen Verantwortung sei. Nach neun Monaten Streit ist aus dem Parlamentarischen Rat ein Staat hervorgegangen, der zwar föderalistisch ist, jedoch viel zentralistischer, als die Amerikaner geplant hatten.

Die Alliierten haben zwar noch einige Änderungen im Grundgesetz verlangt, aber es war zu spät, den Kern zu ändern: Die Entstehung eines starken, eigenständigen Staates konnten sie nicht mehr verhindern.

Zugegeben, wir Amerikaner übertreiben es manchmal mit unserem Patriotismus. Wenn wir unsere Gründungsväter anschauen, die die erste moderne Demokratie geschaffen haben, sind wir schon ein bisschen stolz darauf. Warum auch nicht? Wir wissen, dass es auch anders hätte kommen können. Eine der größten Ängste nach der Revolution war, dass der erste Präsident George Washington die Macht an sich reißen und sich als Quasi-König auf Lebzeiten etablieren könnte. Er war so ungeheuer populär, dass man ihn einstimmig ins Präsidentenamt wählte, sogar zweimal. Historiker glauben heute, er hätte sogar seinen Nachfolger selbst bestimmen können, hätte er nur gewollt. Erst, als er sich nach der zweiten Amtsperiode freiwillig zurückzog, wurde klar: Wir haben tatsächlich eine Demokratie. Die Leistung unserer Gründungsväter war nicht selbstverständlich.

Auch die Leistung der Gründungsväter der Bundesrepublik war alles andere als das. Wären andere an der Macht gewesen, hätte es durchaus passieren können, dass wirklich Fabriken demontiert worden wären, oder dass wieder Weimarer Verhältnisse in der Politik eingekehrt wären. Es ist ja nicht so, dass Deutschland 1945 nur so strotzte vor gutem Führungspotential. Doch die Alt-49er haben davon ungerührt eine der stabilsten und vorbildlichsten Demokratien der Welt geschaffen. Das gibt selbst ein gestandener Deutscher zu, wenn man ihn erstmal bei einem guten Whisky ein paar Stunden lang in die Ecke diskutiert. Sollte man ihn jedoch seine Nachkriegspolitiker freiwillig in der Öffentlichkeit erwähnen hören, glaubt man, er rede da von ein paar amerikahörigen Naivlingen, die direkt aus einem Heinz-Erhardt-Film in die Politik gesprungen sind und es gerade noch unter Anleitung der Siegermächte knapp geschafft haben, eine notwendige, längst überfällige Kurskorrektur zu vollziehen. Die Deutschen von heute sind von der Zwölfjährigen Katastrophe des Dritten Reiches fasziniert, aber das 60-jährige Wunder danach lässt sie völlig kalt. Erklären kann ich mir das nicht.

Oder vielleicht doch. Vielleicht ist dieses Volk trotz seines politischen Engagements nicht wirklich politisch veranlagt. Ich habe da so eine gewagte Theorie. Nicht ihr Abscheu vor Patriotismus hindert sie daran, die Leistung ihrer Alt-49er-Gründungsväter gebührend anzuerkennen, sondern die Tatsache, dass es irgendwo im Hintergrund andere, ältere Gründungsväter gibt, die ihnen ins Ohr raunen: Ihr sollt keine andere Identitätsstifter haben neben uns. Und das Volk gehorcht wie in einer uralten Trance.

Es hat eine Weile gedauert, bis ich herausfand, wer diese Gründungsgeister sind.

**Die Deutschen machen aus ein paar toten Dichtern
dermaßen Kult, dass man fast meint,
sie würden sie auch lesen**

Es war im schmutzigen, trostlosen Oberhausen im Ruhr-
pott vor 20 Jahren, als ich die Bestätigung bekam, dass ich
in Deutschland das finden würde, wonach ich mich immer
gesehnt hatte.

Ich war erst seit kurzem hier und noch als Missionar für die
Mormonenkirche unterwegs. In Schlips und Kragen stiefelten
ein Mitarbeiter und ich von Tür zur Tür, bis uns eines Abends
ein Familienvater in sein Wohnzimmer einlud. Wir schöpften
Hoffnung: Wenigstens einer dieser gottlosen Germanen will
unsere Botschaft hören! Mitnichten.

Er war Taxifahrer und das schon sein ganzes Leben lang.
Das heißt, er beherrschte die Kunst, ohne Pause zu reden.
Wir waren nicht gekommen, um zu lehren, sondern um be-
lehrt zu werden. Während seine Frau in der Küche werkelte
und die Kinder fernsahen, enthüllte er uns die echte Wahrheit
hinter der Bibel. Höflichst warteten wir auf die Gelegenheit,
mit dem Wort Gottes einzuspringen, kamen aber nicht zum
Zug. Er ging über zur Geschichte der Menschheit, und selbst
da machte er nicht Halt. Er schlug den Bogen zurück bis zur
Entstehung der Welt und noch weiter. Er wusste Antworten
auf Probleme, über die die Wissenschaftler sich seit Jahren
streiten. Er wusste Antworten auf Fragen, die die Wissenschaft sich noch gar nicht gestellt hatte. Irgendwann blieb
mir nichts anderes übrig, als beeindruckt zu sein.

Es war meine erste Begegnung mit einem deutschen Intellektuellen.

Ich wusste, ich war am richtigen Ort. Danach hatte ich
mich auf Hawaii gesehnt: ein Land, das mehr Wert auf geistige Dinge legt als auf Sonne, Surfen und Spaß. Spaß! Geht's

noch oberflächlicher? Ich wollte nach Europa, der Wiege der Kultur. (Sie müssen mir verzeihen – ich war jung und dumm. Nach 20 Jahren weiß ich den Wert von Sonne, Surfen und Spaß zu schätzen.) Hätte mir ein hawaiianischer Taxifahrer die gesamte Geschichte der Welt und des Kosmos darlegen können? Dieser Mann war für mich der Beweis: Kultur wird hier ganz hoch gehandelt, höher als Politik, höher als Promis, höher als die Surfwettervorhersage. Dabei machte es mir überhaupt nichts aus, als sich herausstellte, dass sein Wissen vor allem aus Büchern von Erich von Däniken stammte. Sein Herz war am rechten Fleck.

Man sagt, die Eskimos hätten mehr Begriffe für »Schnee« als alle anderen Völker der Welt. Doch das ist nichts gegen die Anzahl der Wörter, die die Deutschen für Kultur haben. Wir Amerikaner streiten uns, machen Kompromisse und erreichen einen Konsens, aber wir haben keine Streit-, Kompromiss- oder Konsenskultur. Wir richten uns gern stilvoll ein, verfolgen aber keine Wohnkultur. Wir haben Spaß; die Deutschen haben eine Spaßkultur. Die Deutschen sind solche Kulturfanatiker, dass sie aber auch in allem und jedem irgendeine Kultur vermuten. Im Duden fand ich zwar keine Bananenschaleausrutschkultur, Hochzeitstagvergesskultur oder Kreditkartensperrkultur, aber ich bin sicher, sie werden da sein, wenn ich sie brauche. Irgendwo in Deutschland gibt es eine Kulturmolkerei, in der ständig neue Begriffe für den Kulturkult gezüchtet werden – in Kulturkulturen natürlich.

Ich war so beeindruckt von der deutschen Kultur der Kulturverehrung, dass es Jahre dauerte, wirklich Jahre, bis mir die ersten Widersprüche auffielen. Warum man sich so viel aus Hochkultur macht, verstehe ich, aber weshalb macht man sich so wenig aus Popkultur? In einer Massengesellschaft sollte Hochkultur theoretisch die Spitze des Eisbergs darstellen, mit ganz viel Popkultur für die Massen darunter. Die Spitze ist ganz deutlich zu sehen, aber darunter ist kein Eisberg, höchstens ein paar Eiswürfel.

Wenn die Deutschen etwas wirklich lieben, machen sie was

daraus. Sie lieben Autos, also sind ihre Autos Weltklasse. Deutschland ist das zweitreichste Land der westlichen Welt, man könnte eigentlich meinen, auch das deutsche Kino würde Weltstandard erreichen. »Wie das?«, zucken die hiesigen Produzenten wie vor einer gotteslästerlichen Idee zurück: »Wir können doch nicht mit Hollywood konkurrieren!« Wieso eigentlich nicht? Hollywood ist alles andere als übermächtig. Ein Hollywoodproduzent wäre der Erste, der zugibt, dass ihre Produktionen heutzutage schlapp sind. Haben Sie nicht die letzten drei *Star Wars*-Filme gesehen? Deutsche Filmemacher quengeln gern darüber, dass Hollywoodproduktionen so viel mehr Geld zur Verfügung steht, aber wenn sie es wirklich wollen, erreichen sie spielend deren Niveau. 2004 standen drei nationale Filme in den Top Fünf der deutschen Kinocharts. Nummer eins war die *Star Trek*-Parodie *(T)Raumschiff Surprise*, in der Special Effects zu sehen waren, die locker mit einem Hollywoodfilm konkurrieren konnten, und das für einen Bruchteil eines U. S.-Budgets. Auf Platz fünf stand *Der Untergang*, der ebenso auf Hollywoodniveau war und der mit seinem fast dokumentarischen Blick in das erschreckenden Herz des Dritten Reiches zu den besten Kriegsfilmen der Welt gehört. Die Amerikaner und Engländer haben die letzten Tage Hitlers schon zweimal verfilmt; keine dieser Darstellungen reicht an die deutsche heran. Doch das bleiben Ausnahmen.

Die meisten Deutschen, die Popkultur betreiben, tun dies mit der zynischen Distanz eines Germanistikdoktoranden, der Pornos drehen muss, um in der Kulturwüste von heute zu überleben. Sie behaupten gern, sie fänden gut, was sie tun, wir leben ja in einer aufgeklärten Welt, und auch Pornographie kann Kunst sein, man beachte nur die surrealistische Rahmenhandlung und die redundante Choreographie ihres Films. Doch wenn man ihre Pornos anschaut, merkt man spätestens wenn man gähnen muss, dass sie mit dem Herzen nicht bei der Sache waren.

Noch seltsamer als die halbherzige Popkultur erscheint mir,

dass die Hochkultur kaum etwas mit dem heutigen Leben zu tun hat. Es ist fast, als ob die wahren Zuschauer irgendwelche unsichtbaren Geister des 19. Jahrhunderts wären, die zu randalieren drohen, sollten sie jemals erkennen, dass sie schon Hunderte von Jahren tot sind, und der eigentliche Job eines Kulturschaffenden besteht darin, genau diesen Geistern auf elegante Weise die alte Welt vorzugaukeln.

Zum ersten Mal fiel es mir bei den *Räubern* auf. 1990 hat eine Aufführung des Klassikers am Bayerischen Staatsschauspiel ganz München aufgeregt, weil Karl, Franz & Co. Punkklamotten trugen. Es war ein genialer, revolutionärer Versuch, die 200 Jahre alte Sturm-und-Drang-Story in unsere Zeit zu übertragen. Eine tolle Idee! Zwischen Schiller und uns lagen immerhin der Untergang des Adels und der Aufstieg der Demokratie, die Industrialisierung und die Geburt der Massengesellschaft und tausend andere Dinge, die die Welt verändert haben.

Ein paar Jahre später kam *Jurassic Park*. Ganz München war aufgeregt – natürlich nicht im positiven Sinne, denn es war klar, das wird ein hirnloses, knallbuntes Actionspektakel, das eigentlich nur zum Untergang der abendländlichen Kultur führen kann. Als Journalist eines amerikanischen Medienwirtschaftsblattes war ich zur Pressevorführung eingeladen. Ich fragte unter meinen deutschen Kollegen herum, ob sie auch hingingen: »Och, wenn ich gerade Zeit habe, vielleicht. Man weiß ja, was einen erwartet.« Zur Vorstellung war das Kino voll gestopft.

Und in der Tat, uns wurde serviert, was wir erwarteten. Ein alternder Wissenschaftler greift in die Schöpfung ein und spielt Gott. Weil er das kann. Weil wir das heute können. Auf der Leinwand jagten Dinosaurier hin und her, aber man denkt gleich weiter: Nuklearenergie. Genmanipulation. Die Wissenschaft von heute weiß fast alles, aber was passiert, wenn wir unser Wissen wirklich umsetzen? Die Teenies, die 1990 die Inszenierung der *Räuber* verpasst, aber 1993 *Jurassic Park* gesehen hatten, durften spätestens 1998 wählen: genau rechtzeitig für die Diskussion um Stammzellenforschung. Ich wundere mich noch heute, dass die Grünen diesen Film nicht mitpromotet haben. Oder gar einen zweiten Teil gedreht: *Gemüse Park!* »Das soll... das soll... Mais sein? Er ist riesig! Oh Gott, er hat uns gesehen! Aaaaah!«

Nach dem Film hörte ich dieselben Kommentare wie vorher: »Na ja, typisch Spielberg eben«; »Hätte man sich nicht ein bisschen Mühe geben können, auch was fürs Hirn dabei zu haben?«, und natürlich das obligatorische »Kitsch«.

Ich war ein wenig verwirrt. Ich wusste, ich hätte dieselben Kommentare machen müssen wie meine Kollegen, aber irgendwie konnte ich es nicht. Ich teilte meine Gedanken natürlich niemandem mit, aber sie machten mir Sorgen. War ich tief im Herzen vielleicht doch einfach kulturlos? Hätte ich doch Surfen studieren sollen anstatt Literatur? Oder war ich einfach schon zu lange in Deutschland?

Jurassic Park war besser als *Die Räuber.*

Als Junge bin ich auf eine Privatschule geschickt worden, die im Gegensatz zu unseren staatlichen Schulen Religionsunterricht anbieten darf. Unser armer Mr. Neal wollte uns Kids für die Bibel begeistern, indem er sich vor der Klasse aufbaute und die Werbetrommel für sie rührte: »Ihr wollt Action? In diesem Buch gibt es mehr Action als in jedem Comic! Kriege! Sex! Die Sintflut! Ihr wollt Mord und Totschlag? Den allerersten Mord der Welt findet ihr hier drin. Ihr wollt Horror? Hier steht, wie Jesus starb und *nach drei Tagen auferstand*!« Also schaute ich mal rein. Ich entdeckte auch tatsächlich eine Sintflut, irgendwo zwischen langen genealogischen Aufzählungen und zahlreichen Geboten versteckt. Man hat sie ohne die richtige Liebe zum Detail ausgemalt, muss ich sagen. Hätte Stephen King sie beschrieben, sähe sie ganz anders aus. Sorry, Mr. Neal. Es war ein netter Versuch, aber Bibel bleibt Bibel.

Und Schulstoff bleibt Schulstoff: ob *Lulu* im Puff oder *Der Ring des Nibelungen* unter Industriebossen, einen Bezug zu meinem Leben finde ich kaum (außer natürlich das wohlige

Gefühl, das die E-Kultur immer vermittelt: *Wenn du hier drin sitzt, bist du kultiviert*). Währenddessen beschleicht mich ständig das Gefühl, der Regisseur will eigentlich nur nachträglich seinen Deutschlehrer beeindrucken.

Es wird Sie vielleicht schockieren, aber es ist nicht gerade so, dass deutsche Kultur das meistverkaufte Exportgut des Landes ist. Auf einer Liste der einflussreichsten Personen der Menschheitsgeschichte würden Luther, Marx, Einstein und Gutenberg in den Top Ten stehen, da bleibt nicht mehr viel Platz für Beethoven und Wagner.

Bei den Nobelpreisen für Literatur bis 2005 sind die Deutschen zwar gut vertreten – mit sieben Preisen schneiden sie eindeutig besser ab als in den Bereichen Politik (vier Friedenspreise) und Wirtschaft (zwei Preise). Doch ihre sieben Literaturtrophäen wirken mickrig, vergleicht man sie einmal mit ihrer Präsenz auf den wissenschaftlichen Gebieten, wo sie stets Platz drei belegen: 14 Medizinpreise, 14 Chemiepreise und 18 Physikpreise. In der Kultur sind sie gut, in der Wissenschaft jedoch sind sie ausgezeichnet. Warum ist es ihnen dann so wichtig, sich das Land der Dichter und Denker zu nennen? Was wäre eigentlich so schlimm an »das Land der Kernspalter und Autobauer«? Es ist ein bisschen so, als würde Pamela Anderson sich als Handmodel für die Werbung einer Nagellackfirma bewerben: kann sein, dass sie schöne Hände hat, aber früher oder später muss ihr jemand sagen, dass sie etwas noch Schöneres hat.

Warum diese ungeheuere Liebe zu einer Museumskultur?

Die Antwort kam mit einem jungen Skinhead.

Vor einigen Jahren waren Neo-Nazis bei einer Talkshow eingeladen, mit anderen jungen Menschen zu diskutieren und ihre Ansichten darzulegen. Ein bekennender Rechtsradikaler und selbst ernannter Patriot wurde gefragt, warum er denn Deutschland so großartig fände.

Ich gebe zu, ich hatte ein wenig Mitleid mit ihm. Im Rampenlicht sah er leicht überfordert aus. Die Klügeren unter seinen Kameraden hatten es abgelehnt, sich den Kameras zu stellen, und ihn hinter der feindlichen Linie allein zurückgelassen.

Doch er schaffte es. Seine Antwort: »Na, wegen Goethe und Schiller und so.«

Zum Glück hat ihn die Talkmasterin nicht um sein Lieblings-Goethe-Zitat gebeten oder gar um seine Meinung über das Problem der Individualisierung und Sozialisierung unter dem Aspekt des Gruppenselbsterhaltungszwangs bei *Faust* – da wäre er vermutlich in Tränen ausgebrochen. Doch seine Antwort erstaunte mich. Alles andere an seiner Einstellung war radikal und antiestablishment, nur diese Antwort nicht. Sie hätte nicht biederer ausfallen können. Und nicht wahrer.

Wenn die Deutschen von Goethe und Schiller reden, sprechen sie nicht von Literatur, sie sprechen von einem Phänomen ihrer Seele, vom Land der Dichter und Denker, vom Goetheundschillerding. Diese beiden Namen werden so oft anstelle von »Kultur« genannt, dass ich überrascht bin, dass der Duden nicht schon längst einen eigenen Eintrag dafür hat, so ähnlich wie:

Goetheundschiller (n), mystischer Ursprung alles Deutschen, der Garten Eden des deutschen Geistes, einzig anerkannte Grundlage deutscher Größe, Garant und Rechtfertigung der Stellung der Deutschen in der Welt. Weitere deutsche Mythen: → Wolpertinger, → Schlaraffenland, → Vineta, → 1968, → Leitkultur.

Alle suchen die deutsche Identität überall und finden sie nirgends. Der Skinhead wusste es: Goethe und Schiller sind die einzige Identität, die die Deutschen haben.

Ob die Politiker genauso über Kultur denken wie der junge Glatzkopf? Um das herauszufinden, rief ich alle großen Parteien an und konfrontierte sie mit folgender Frage: »Was bedeuten Goethe und Schiller für Deutschland?«

Das kommt Ihnen vielleicht nicht wie eine brisante Frage

vor, mir aber schon. Ein amerikanischer Politiker, nach Mark Twain oder Herman Melville gefragt, wäre erstmal verdutzt: »Hoppla, ich bin kein Literaturwissenschaftler, was soll ich mit Twain und Melville? Fragen Sie mich lieber über die Verfassung oder die Unabhängigkeitserklärung aus.« Selbst wenn er sich einen Ruck gäbe, würde er am ehesten etwas Unverbindliches sagen wie: »Diese großen Schriftsteller zählen zu den beliebtesten Geschichtenerzählern der Nation und sind Vorbilder für spätere Generationen von Autoren.« Ein US-Politiker, der Weisheit und Entscheidungshilfe in Romanen sucht, kommt ganz offenbar nicht mit seinem Beruf zurecht.

In Deutschland jedoch wird das geradezu erwartet.

Ohne Ausnahme haben alle Parteien geantwortet, als ob Goethe und Schiller bis vor kurzem Abgeordnete ihrer Fraktion gewesen wären. Ihre literarische Bedeutung wurde ganz nebenbei erwähnt, wenn überhaupt. Keiner schrieb, »Goethe und Schiller haben die deutsche sowie die internationale Literatur nachhaltig geprägt«. Ebenso wenig hat irgendein Politiker deren Schriften als persönlich bedeutend bewertet – ab und zu soll ja Literatur den Leser auch menschlich bewegen. Antworten wie: »Ich erinnere mich gern daran, wie ich als junger Mensch ›Die Leiden des jungen Werther‹ verschlungen habe und mich gleich mit dem Held umbringen wollte; es war eine herrliche Jugenderfahrung« waren nicht darunter.

Die Einzige, die das literarische Wirken der beiden hervorhob, war Monika Grütters, Mitglied der CDU/CSU Bundestagsfraktion, die gleich mehrmals die große Bedeutung der beiden betonte. Mutigerweise fügte sie hinzu, dass diese Bedeutung »nicht nur« für die Politik galt, »sondern auch« für die ganze Bevölkerung – Donnerwetter. Die PDS/Die Linke ist gar nicht so sicher, welche Rolle das Volk in der Kultur überhaupt spielen soll. Kulturgenuss ist vielleicht Sache des Volkes, aber nicht Kultur schaffen. Der Bundesvorsitzende der PDS Lothar Bisky forderte »Kultur als Staatsziel« und schrieb: »Moderne Bearbeitungen von Goethe und Schiller gedeihen besser mit reichlichen Förderwelten.« Er sagte es nicht laut, aber ich vermute, die Linken haben Goethe und Schiller bequeme Jobs in einem gut ausgestatteten Fördergremium nach der Revolution versprochen. Wenn Sie glauben, Sie würden schon alle sozialkritischen Versionen vom *Faust* kennen, warten Sie bis nach der Revolution.

Bei der SPD haben sich Goethe und Schiller wohl als Parteistrategen hervorgetan. »Politisches Handeln«, schrieb Wolfgang Thierse als Vorsitzender des Kulturforums der Sozialdemokratie, sei laut Goethe und Schiller »nur dann zukunftsfähig, wenn Realität und Vision nicht gegeneinander ausgespielt werden. Hier bietet das Studium der Schriften beider nach wie vor Anregungen in Hülle und Fülle.« Er gab zwar keine Quelle an, aber er kann nur aus dem berühmten politisch-philosophischen Grundsatzpapier *Wilhelm Tell oder der Versuch über eine Annäherung an politisches Engagement unter Berücksichtigung der Notwendigkeit des Kompromisses im demokratischen Abstimmungsprozess* zitiert haben. Bei der FDP profilierten sich die beiden als Meinungsforscher modernster Prägung: »Die Thematiken, mit denen sich diese beiden großen Dichter und Literaten beschäftigt haben, waren auch immer die Themen der Menschen in Deutschland«, schrieb der Vorsitzende der FDP-Bundestagsfraktion Wolfgang Gerhardt. Das erklärt, warum die FDP immer so nah am Puls der Zeit bleibt: Vor jeder Koalitionsverhandlung schlagen sie geschwind bei den *Wahlverwandtschaften* nach und schmieden daraus ihr geschmeidiges Wahlprogramm.

Bei den Grünen tobten sich Goethe und Schiller als Vollblutoppositionelle aus. Letztens hätten sie wieder mal einen Vorstoß der CDU/CSU strikt abgelehnt: »Die Versuche, in Deutschland eine homogene ›Deutsche Leitkultur‹ wieder beleben zu wollen«, schrieb Claudia Roth, Bundesvorsitzende von Bündnis 90/Die Grünen, »sind wenig überzeugend – schon deshalb, weil sie auf die beiden größten deutschen Dichter, auf Goethe und Schiller, verzichten müssen.« Ich kann mir genau vorstellen, wie die gesamte Grünen-Fraktion sich bei einer CDU-Rede geschlossen erhebt und protestierend den Saal verlässt, an der Spitze natürlich die großen Dichter selbst. Allerdings verschweigt sie, dass Goethe und Schiller sich über solche Thematiken schon mal ganz anders ausgelassen haben, und zwar damals, als sie in der NPD-Fraktion gegen die Überfremdung wetterten. Schon Goethe, erinnerte sich der Parteivorsitzende Udo Voigt, hätte gefragt, »welche Regierung die beste sei« und geantwortet: »›Diejenige, die uns lehrt, uns selbst zu regieren.‹ Was für ein Gedanke in Zeiten geistiger Fremdbestimmung!« Durch welche Macht Goethes Meinung nach Deutschland im Moment fremdbestimmt sei, ließ Voigt diskret offen, aber ich nehme an, es geht um die konkrete Gefahr Napoleon.

Schon beeindruckend, die beiden. Allen Parteien gleichzeitig zu dienen, egal welcher Richtung – manche würden das wischiwaschi nennen, ich nenne das politisch engagiert. Nicht jeder Literat bringt das fertig. Günter Grass hat es meines Wissens bisher nur geschafft, einer einzigen Partei zu dienen. Was macht er den ganzen Tag? Schlafen?

Wenn Historiker über die Gründung des Deutschen Reiches im Jahre 1871 sprechen, beschweren sie sich gern darüber, dass Bismarck dies von oben nach unten erledigt habe, ohne dem Volk eine Chance zu geben, sich mit dem Staat zu identifizieren. Sie vergessen dabei, dass das Volk bereits eine Identität hatte.

Ich dachte immer, eine »Identität«, was immer das sein mag, sei etwas Natürliches, das von selbst aus dem Unbewussten entsprießt. Nicht so in Deutschland. Hier wurde Identität auf dem Reißbrett entworfen, und zwar gleich zweimal: im Kleinen und im Großen. Die große entstand im Bildungsbürgertum; die kleine in Bayern. Beide waren künstlich erschaffen.

Das Schuhplattler- und Alpen-Image der Bayern ist das beste Beispiel. Haben Sie sich je gefragt, warum fast die ganze Welt glaubt, sämtliche Deutsche liefen in Lederhosen und Dirndln herum und hören den ganzen Tag Humpa-Humpa-

Musik? Weil die Bayern die fleißigsten und phantasievollsten Identitätsschöpfer Deutschlands waren.

»Bayern war damals neu«, erzählte der europäische Ethnologe Walter Hartinger von der Universität Passau. »Zwischen 1803 und 1815 entstand unter Napoleon ein Land, das vorher nicht existiert hatte. Vor allem die bayerischen Könige Ludwig I. und sein Sohn Maximilian II. haben gesagt, wir müssen diesem Land eine neue Identität schaffen, und zwar keine militärische.« Denn Bayern lag eingekeilt zwischen zwei militärischen Übermächten – Österreich und Preußen. Es war ihnen klar, mit diesen beiden konnten sie niemals konkurrieren. Sie mussten einen anderen Weg finden. »So haben sie versucht, sich kulturell zu profilieren«, erklärte Hartinger.

Ludwig I. ließ für das Volk bauen – die Bavaria, die Walhalla, die Befreiungshalle, Theater und Museen. »Unter König Maximilian II.«, so Hartinger, »bekam das Ganze dann System. Er wollte ganz gezielt eine bayerische Identität fördern, die darauf basiert, dass bayerische Kultur überlegen ist. Er hat die besten Wissenschaftler, Kulturwissenschaftler und Mathematiker auf die bayerischen Universitäten berufen, dazu eine Menge führender Philosophen aus dem Norden, die sich hier niederließen. Beinahe hätte er sogar Kant nach Bayern geholt.«

Neben Wissenschaft und Kunst hat er das Brauchtum gezielt gefördert. Aus der Mode gekommene Trachten wurden neu geschneidert, vergessene Volkstänze wieder einstudiert. Maximilian II. feierte eine große Trachtenhochzeit, zu der aus allen Landesteilen jeweils ein Brautpaar mitsamt Begleiter in ortsüblicher Tracht zu erscheinen hatte. Nur er trug königliches Ornat. »Im Vorfeld wurden viele Trachten erfunden«, sagte Hartinger.

Das bayerische Brauchtum, das wir jetzt kennen, kam dann richtig in Schwung mit den gezielten Pflege- und Trachtenbewegungen der 1880er Jahre. »Man traf eine Selektion aus einzelnen Elementen des Brauchtums, die irgendwo noch da waren«, so Hartinger. »Die Kleider der Oma wurden nach ästhetischen Gesichtspunkten neu geschneidert. Man nahm sich ein Vorbild an Gemälden aus dem 18. Jahrhundert oder aus Votivbildern, die Jäger zeigten oder Frauen in Festtagskleidung. Die Trachten, wie wir sie jetzt kennen, sind so gut wie alle Neuschöpfungen der Pflegetradition.«

Wie kam es, dass die bayerische Identität in Deutschland so stark und in der ganzen Welt zu einem Symbol des Deutschen insgesamt wurde? Vor allem während der Industrialisierung wurde das rustikale Bayerische populär und verbreitete sich bis in den Norden, ähnlich wie Amerika nach dem Krieg Jeans und Rock 'n' Roll exportierte. In anderen Gebieten Deutschlands begann man, das eigene Brauchtum zu erforschen oder übernahm gleich das Bayerische, und als 5,5 Millionen Deutsche nach Amerika auswanderten, nahmen sie das ganze Zeugs mit.

Etwa zur gleichen Zeit, als die bayerischen Könige eine Identität für ihr Volk kreierten, bastelte das Bildungsbürgertum in den benachbarten Fürstentümern an einem anderen Projekt. Die Idee lag schon lange in der Luft, und nach Napoleons demütigendem Spaziergang durch Europa wurde der Ruf nach einem vereinigten Reich immer lauter und die Suche nach einer gesamtdeutschen Identität immer hektischer. Vor allem Geschichte, Sprache und Literatur wurden nach Hinweisen auf die deutsche Seele durchforstet.

Schon vor Napoleon verlangte der Philosoph Johann Gottlieb Fichte in seinen *Reden an die deutsche Nation* (obwohl es so was noch gar nicht gab) eine Nationalerziehung, die von den Gebildeten ausgehen sollte. »Ah!«, dachten sich Hunderte Intellektuelle, »wir werden gebraucht!« Also schrieb Gustav Freytag nach langen Recherchen den sechsbändigen national angehauchten Romanzyklus *Die Ahnen*, der das Schicksal einer Familie von germanischen Urzeiten (es fängt im Jahr 357 an!) bis in die Gegenwart beschrieb. Wenn es bereits so lange Deutsche gab, müsste es sicherlich auch so was wie eine deutsche Seele geben: *Sum diu hic, ergo sum.* Ich war schon immer hier, also bin ich. Das erscheint mir zwar höchst theoretisch (meine Vorfahren kommen aus Schweden, dennoch sehe ich mich nicht als Teil der gesamtschwedischen Seele), aber wenn die Deutschen es unbedingt so haben wollen ...

In dieser Zeit wurde auch das Mittelalter neu entdeckt. Man suchte die klassischen Ritterromane, die man heute noch in der Schule lehrt, nach Ur-Deutschem ab – und wurde fündig. Falls Sie sich jemals gefragt haben, warum man immer von Werten wie Ehre und Treue spricht, wo Vitamin B und Ellenbogen in Wirklichkeit viel praktischer sind: das stammt aus dem Mittelalter und wurde von den Romantikern für »deutsch« erklärt.

Der antisemitische, antipolnische, antifranzösische, antikatholische und antiadelige Lehrer »Turnvater Jahn« konzipierte seine Turnvereine als patriotische Zellen, in denen Volksgut verbreitet wurde. Heute kann man über »patriotisches Turnen« schmunzeln, aber damals erschien es der Obrigkeit so subversiv wie heute die Falun Gong-Bewegung dem chinesischen Staat. Allein in Preußen entstanden über 100 Turnplätze. Gleichzeitig sprossen Hunderte von politisch motivierten Männergesangvereinen aus dem Boden, in denen Volksgut intoniert wurde – man wollte eine gemeinsame Volksseele herbeiträllern.

Die Brüder Grimm suchten die Identität vor allem in der Sprache. In einem Vortrag vor einer politisch aufgeheizten Germanistenversammlung 1846 in Frankfurt am Main definierte Jacob Grimm Identität folgendermaßen: »Was ist ein Volk? Ein Volk ist der Inbegriff von Menschen, welche dieselbe Sprache reden.« Solche Sprüche zeigen, wie verzweifelt man nach einer Definition von »Volk« suchte: Wir Amerikaner haben eine gemeinsame Sprache mit England, Kanada und Australien und sind trotzdem nicht daran interessiert, dort das Wahlrecht zu beantragen. Doch wer gezwungen ist, eine Nation mit apolitischen Begriffen zu erfassen, muss sich was einfallen lassen.

Stellen Sie sich vor, die amerikanische Revolution wäre von

Studenten, Amateurturnern und Männerchören ausgetragen worden, die ständig Shakespeare zitiert und Lieder gesungen hätten. Wir Amis würden heute noch Plumpudding essen. Wenn der Philosoph und Romantiker Friedrich Schlegel mit dem doch etwas veralteten *Nibelungenlied* zu einem Amerikaner gekommen wäre und irgendwas von Nationalcharakter geschwärmt hätte, hätte der gesagt: »*Friedrich, it's just a story.*«

Doch der Gedanke griff, und heute ist das deutsche Selbstverständnis nicht auf eine Verfassung, Grenzen, Gesetze oder eine sonstige politische Wirklichkeit begründet, sondern auf Kultur. Warum feiert dieses Volk weder seine Politiker noch seine Wirtschaftshelden? Weil weder Politik noch Wirtschaft die Deutschen deutsch machen. Warum können sie Popkultur genießen, aber nicht ernst nehmen? Weil sie damit das Goetheundschillertum infrage stellen würden. Kein Wunder, dass die Deutschen in der ständigen existenziellen Angst leben, sie könnten ihre Identität verlieren. Einen Hamburger zu essen heißt, europäische Esskultur zu verraten; eine interessante Aussage in einem Brad Pitt-Film zu suchen heißt, *Faust* zu vernachlässigen, selbst einen unterhaltsamen Film zu machen heißt, nicht mehr deutsch zu sein. Was für andere Alltag ist, ist für die Deutschen existenzbedrohend.

Das erklärt, warum der Staat alles daransetzt, sein Volk ständig daran zu erinnern, dass es ein Kulturvolk ist. Während wir Amerikaner die Gesichter unserer Präsidenten auf unsere Geldscheine drucken, damit uns nicht entfällt, dass wir eine Nation sind, trugen die alten D-Mark-Scheine die Gesichter von Wilhelm und Jacob Grimm, von der Pianistin Clara Schumann oder zeigten Stiche von Albrecht Dürer. Als ob der Staat, der die Scheine druckt, sich schämt, ein Staat zu sein und lieber so tut, als sei er ein Museum. In Amerika ist Kultur Privatsache. Wenn die Einwohner einer Stadt ihr gutes Geld nicht für eine Theaterkarte hinlegen wollen und die Geschäftsleute ihre Sponsoringgelder besser woanders aufgehoben sehen, hat die Stadt bald kein Theater mehr, und so soll es

184

unserer Meinung nach auch sein: Wenn ein Hamburgerkoch seine Frikadellen immer wieder anbrennen lässt und irgendwann keine Kunden mehr hat, wird sein Betrieb auch nicht vom staatlichen Hamburgergremium gefördert. Der deutsche Staat jedoch schaudert bei dem Gedanken, das Volk könne zu wenig Zugang zu Wagner haben. Also hält er die mittelalterliche Tradition des öffentlichen Mäzenatentums seit 1000 Jahren aufrecht, und zwar zu horrenden Kosten. Jedes Jahr wenden Bund, Länder und Kommunen über acht Milliarden Euro für Theater, Kino, klassische Konzerte und Museen auf. Mein Land, mit seiner fünfmal größeren Wirtschaft, investiert jährlich laut der Förderinstitution National Endowment of the Arts knapp anderthalb Milliarden Dollar in Kultur – gerade mal ein Fünftel des deutschen Etats. Der deutsche Staat sorgt zudem noch dafür, dass den öffentlich-rechtlichen Sendern weitere 6,7 Milliarden Euro im Jahr zufließen – mehr als jeder anderen öffentlich-rechtlichen Fernsehanstalt der Welt, einschließlich der auch nicht gerade kleinen BBC.

Die Deutschen nehmen wie selbstverständlich an, dass sämtliche Nationen, die Kultur schätzen, sich ebenso als »Kulturnation« begreifen. Das ist nicht unbedingt der Fall. Andere Nationen definieren sich über ihre dicken Atomraketen, prächtigen Militärparaden, exaltierten Könige bzw. blutigen Umstürze oder schlicht über ihre vergangene bzw. gegenwärtige Größe. Frankreich ist auch stolz auf seine Literaten, aber noch stolzer ist es auf seine Revolution. Dass ein Politiker das Wort »Kulturnation« ständig im Munde führt, ist ein eher deutsches Phänomen. Ich verrate Ihnen jetzt ein schockierendes Geheimnis: in meinem 315 000-Einträge-Wörterbuch der englischen Sprache finde ich nicht mal den Begriff *cultural nation*.

Am Ende einer steilen, von Bäumen gesäumten Straße hoch über dem Rhein steht ein zweistöckiges Haus, das im spätklassizistischen Stil auf dem Gewölbe einer uralten Kellerei der Minoritenmönche gebaut wurde. Die Villa heißt Haus

Parzival. Hier hat der Germanist, Übersetzer, Dichter und Vollblutromantiker Karl Simrock seine Sommer verbracht.

Simrock hatte bei Schlegel und Arndt studiert, empfing ab und zu Besuch von den Grimms und Ludwig Uhland und verfasste schwärmerische Gedichte über die Schönheit des Rheins. Bekannt wurde er als Übersetzer zahlreicher Werke des Mittelalters und des germanischen Altertums, von der *Edda* über die Gedichte Walthers von der Vogelweide bis hin zu Wolframs *Parzival*. Sein größtes Verdienst war, das *Nibelungenlied* mit einer schwungvollen und lesbaren Übersetzung populär zu machen, ja, es gar zu einer Art deutschem Ersatz-Gründungsmythos zu erheben. Er gehörte zum harten Kern der deutschen Identitätsbastler.

Sein Haus Parzival liegt ein paar Meter ab von der Straße hinter einem schwarzblauen, verschnörkelten Eisenzaun. Das Haus ist gelb, dieses typisch deutsche Buttergelb. Das sanft ansteigende Gelände ist voller Pflanzen – gepflegte Blumenbeete, Wildgräser, selbst das Unkraut ist malerisch. Dazwischen ein Teich, ein Vogelbad, ein hölzerner Tisch mit Stühlen. Eine Ahorn, eine Esche, eine Trauerweide machen den Garten schattig.

Ich stand eine Weile da und betrachtete den Garten. Er strömte Ruhe aus, und ich bildete mir ein, dass man von hier aus den Rhein riechen konnte. Alles war leicht. Hier war jeden Tag Sommer.

Ich stellte mir vor, wie Simrock im Garten spazieren geht. Zwischendurch greift er zum Gartenwerkzeug und kümmert sich um seine neuen Spargelbeete. Er hat ein Buch dabei, einen dieser alten Lederbände, die von außen kaum identifizierbar sind, weil der Umschlag keine bunte Abbildung enthält. Es ist sicher der *Iwein*. Nach einer Weile setzt er sich hin und liest. Wenn der Tag zur Neige geht, nimmt er ein Glas Wein dazu.

Es war das perfekte deutsche Leben. Das Leben, das die meisten Deutschen heimlich leben wollen – damals wie heute. Ein großes Haus – weder eine Mietwohnung noch eine protzige Villa, eher ein ... Anwesen. Genug Geld, um finanziell unabhängig zu sein, aber nicht so viel, dass man als reich beschimpft wird. Im Haus hat man eine Küche mit offenem Kamin. Keine Mikrowelle, kein Plastik. Alles strahlt Ursprünglichkeit aus: Stahl, Stein, Holz. Im Salon ein altes Klavier, ein echter Perser, ein echtes Hausmädchen. Ein Arbeitszimmer – pardon, eine Privatbibliothek natürlich, mit bequemen Stühlen und einem breiten Schreibtisch, denn »arbeiten« heißt, man befasst sich mit dem Griechischen und mit Latein. Der ideale Deutsche arbeitet mit den Dingen des Geistes. Nicht des Hirns, sondern des Geistes. Er hat Muße. Dass er kein Snob ist, zeigt, dass er nebenbei ein Handwerk ausübt. Er respektiert die Arbeit mit den Händen, und verbringt deshalb viel Zeit im Garten, er kocht selbst in der Küche, wenn Gäste kommen, oder, wie Simrock es tat, er legt einen kleinen, edlen Weingarten an und nennt seinen Wein nach einer Figur aus den alten Schriften, mit denen er sich gerade beschäftigt: Eckenblut, nach dem Riesen in der Dietrichssage. Wenn Freunde vorbeikommen, geht man am Rhein spazieren und diskutiert die Arbeit am griechischen Text und die Entwicklungen in Frankreich oder den anderen wichtigen Regionen der Welt.

So will jeder Deutsche sein, dachte ich mir, als ich da stand. Was vor mir liegt, ist nichts weniger als die deutsche Seele selbst. Meine Chance war gekommen. Ich musste mich nur ein Stündchen an diesen Tisch in den Garten setzen, dann würde sie sich schon blicken lassen. Wenn ich die jetzigen Bewohner nett fragte, würden sie es sicher erlauben.

Ich klingelte. Aber es machte keiner auf. Niemand war zu Hause.

Die Deutschen glauben tief im Herzen,
Nörgeln sei ein Zeichen
überlegener Intelligenz

Zum 60. Jahrestag des Kriegsendes 2005 stellte sich *Die Zeit* die Frage, ob je wieder so etwas Ähnliches wie das Dritte Reich in Deutschland entstehen könnte. Zwei Autoren verfassten Pro- und Kontra-Meinungen. Der Interessantere war natürlich der Pro-Kommentar. Wer im heutigen Deutschland, einem penetrant pazifistischen Staat, Gründe finden will, warum hier bald das Vierte Reich entsteht, muss sich wirklich anstrengen. Der Nationalsozialismus, meinte der Pro-Kommentator, lebe in den deutschen Köpfen: »Er steckt in den Aufpassern«, schrieb er, »den Liebhabern des Verbietens und Strafens, den hysterischen Beobachtern jeder Abweichung ... Er steckt in dem Nachbarn, der die Kehrwoche kontrolliert, in dem Passanten, der den Falschparker anzeigt, ohne behindert worden zu sein, in der Mutter, die anderen Müttern auf dem Spielplatz Vorhaltungen macht. Er steckt, mit einem Wort, in dem guten Bürger, der seine eifernde Intoleranz auf Befragen wahrscheinlich als zivilgesellschaftliches Engagement ausgeben würde.«

Irre ich mich, oder höre ich da einen gewissen Stolz mitschwingen? Etwa: »Keiner schafft es, so schlimm zu sein wie wir Deutschen.«

Nach einem Vortrag kam einmal ein junger Mann zu mir und sagte: »Ich erzähle Ihnen eine Geschichte, und Sie sagen mir, ob sie typisch deutsch ist.« An dieser Stelle möchte ich Ihnen die gleiche Frage stellen und geselle zwei weitere Geschichten hinzu. Ein Hinweis: nicht alle stammen unbedingt aus Deutschland. Erkennen Sie das »typisch Deutsche«?

Ein junger Pfadfinder nahm mit seiner Truppe an einem großen Pfadfindertreffen teil. Die Halle war voller Pfadfinder-
gruppen nebst ihren Projekten: selbst gebaute Indianerzelte,
wissenschaftliche Experimente, Ausstellungen über die Geschichte ihres Heimatortes und Münzsammlungen. In dieser
bestimmten Gruppe galt es als lässig, das Hemd über der Hose
zu tragen. Das zeugte von einer gewissen Unabhängigkeit den
Regeln gegenüber. So schlenderte der Pfadfinder umher, bis
ihn aus dem Nichts ein fremder Truppführer am Ärmel pack-
te und anschnauzte: »So läuft kein Pfadfinder herum! Du
gehst sofort auf das Klo und steckst dein Hemd in die Hose!«
Typisch deutsch?

Ein Mädchen auf dem Lande fuhr mit dem Fahrrad eines
Tages nach einem Besuch bei einer Freundin nach Hause. Die
Landstraße war verlassen, kein Auto weit und breit, und weil
es ein schöner Tag war, und das Mädchen gute Laune hatte,
fuhr sie nicht auf dem Seitenstreifen, sondern, ein wenig ver-
träumt, im Slalom mitten auf der Strasse. Langsam näherte
sich ihr auf einem Seitenstreifen ein anderer Radfahrer. Als
der ältere Herr auf gleicher Höhe war, brüllte er das Mädchen
von der Seite aus vollem Halse an – so laut und überraschend,
dass sie fast vom Fahrrad gefallen ist: »Fahrräder gehören auf
den Seitenstreifen!« Typisch deutsch?

Vor nicht allzu langer Zeit erschien in einer Zeitung ein
Bericht über einen brodelnden Streit in einem bestimmten,
äußerst schicken Viertel einer Großstadt, wo auch viele junge
Mütter lebten. Kinder und Hipster: das kann nicht lange gut
gehen. Zur Empörung der Mütter fingen die Cafébesitzer der
Gegend an, Schilder aufzustellen, auf denen so etwas stand
wie: »Kinder sind hier willkommen, solange sie sich artig verhalten und leise sprechen.« Typisch deutsch?

Nun wollen Sie sicherlich wissen, welche Geschichten aus
Deutschland stammen. Die Mütter-Gegen-Café-Geschichte
trug sich 2005 in dem Stadtteil Andersonville in Chicago zu;
die Pfadfinder-Episode passierte mir als Junge auf Hawaii;

nur die Fahrradgeschichte fand in Deutschland statt. Auch wir Amis haben Aufpasser, hysterische Beobachter jeder Abweichung und Nachbarn, die andere Nachbarn kontrollieren. Der Unterschied ist: Wir nennen diese Menschen »doof«, »unausstehlich«, »Idiot« und noch viel mehr, aber nicht »typisch amerikanisch«. Wenn ein Amerikaner sagt: »Das kann nur in Amerika passieren«, bezieht er sich immer auf etwas Positives: ein Einwanderer schafft es vom Bodybuilder zum Moviestar und zum Gouverneur, eine Gruppe Krebskranker bringt die mächtigsten Tabakkonzerne der Welt vor Gericht und gewinnt. Nur in Deutschland reserviert man die Formel »typisch deutsch« für Negatives. Die Deutschen reden ständig von Identitätskrise und wollen wissen, was sie von anderen Völkern unterscheidet. Nichts leichter als das: Deutschland ist das Land, das sich mit Begeisterung über seine schlechten Eigenschaften identifiziert.

Das zeigt sich schon in seiner Liebe zu Problemen. Deutschland ist von jedem neuen Problem derart fasziniert, dass es fast schade wäre, es zu lösen. Niemanden stört es weiter, dass, objektiv betrachtet, kein Problem darunter ist, das nicht längst anderswo auf der Welt existiert. Eine Mauer mitten durchs Land, die Bruder von Bruder trennt, Schwester von Schwester? Die Koreaner leben noch heute damit. Keine blühenden Landschaften in Ostdeutschland 15 Jahre nach dem Mauerfall? Der amerikanische Bürgerkrieg ist jetzt 240 Jahre her, und die Südstaaten haben sich noch immer nicht erholt. Das Scheitern der deutschen Multikulti-Gesellschaft nach ganzen 50 Jahren Einwanderung? Versuchen Sie mal, mit einem New Yorker Taxifahrer eine Unterhaltung auf Englisch zu führen.

Nein, es sind nicht ihre Probleme, die die Deutschen einzigartig machen. Es ist die Liebe und Begeisterung, mit der sie ihre Probleme gegen unverbesserliche Optimisten verteidigen.

Auf Reisen in Süddeutschland machte ich Halt in der mittelalterlichen Stadt Regensburg und traf mich in einer Altstadtkneipe mit einigen Fremdenführern, die ich kennen gelernt hatte.

Es war ein netter Abend. Wir machten Witze, sprachen über Politik und lokalen Tratsch und das alles auf Englisch. Nur ein Bekannter der Fremdenführerinnen konnte offenbar nicht so gut Englisch und hielt sich aus dem Gespräch heraus. Ab und zu warf ich einen Blick zu ihm herüber. Er dachte nach. Ich werde nervös, wenn Deutsche nachdenken. Ich wusste, gleich passiert was. Dann kam es: »Das ist wieder mal typisch deutsch«, sagte er. »Fünf Deutsche stehen herum, ein Amerikaner kommt herein und schon reden alle englisch. Dabei kann er auch noch Deutsch. Wir Deutschen passen uns aber auch jedem an, selbst wenn es gar nicht notwendig ist.«

Die anderen lachten. Man stimmte mit ihm überein: »Du hast Recht, das gibt es wirklich nur in Deutschland!« Er hatte uns durchschaut. Dann ging die Konversation weiter – auf Englisch, natürlich – und keiner dachte weiter darüber nach. Doch seine Bemerkung war eine viel größere intellektuelle Leistung, als sie alle ahnten.

Mir wäre es schwer gefallen, etwas Negatives an der Situation zu finden. Diese Leute hatten sich eine Menge Mühe gemacht, so gut Fremdsprachen zu lernen. Mithilfe ihrer Kenntnisse machten sie Besucher mit den Schönheiten ihrer Stadt bekannt und brachten Geld nach Hause. Aufgefordert, diese Situation zu kritisieren, wäre ich nie auf so eine tiefgründige These wie »sich mit einem Fremden in dessen Sprache zu unterhalten, zeugt von der grundlegenden Unsicherheit der deutschen Seele« gekommen. Wir Amerikaner würden eine Fremdsprache nicht als Zeichen von Unsicherheit ansehen. Wir bilden uns eher ein, Fremdsprachenkenntnisse zeugen von überlegener Bildung und Weltläufigkeit. Wenn ein Deutscher mit ein paar Durchschnittsamerikanern englisch spricht, sind sie in der Regel hin und weg: »Sagen Sie doch was auf Deutsch! Können Sie auch französisch? Lernt das jeder in der Schule bei euch? Ihr Europäer seid alle so gebildet, es ist nicht auszuhalten!«

Doch unser Bekannter ließ sich von solchen Oberflächlichkeiten nicht täuschen. Er dachte nach, bis er etwas so Tiefgründiges, so Unerwartetes fand, dass ich nur sagen kann: Hut ab. Manche Deutschen halten ihre Landsleute generell für phantasielos. Stimmt nicht. Dieses Land investiert so viel Denkfleiß und Phantasie in die Kritik – man kann auch sagen: Nörgelei –, dass der Rest der Welt nur staunen kann.

In dieser Gesellschaft ist Nörgelei ein Intelligenzbeweis.

Es waren die Franzosen und Amerikaner, die den IQ-Test entwickelt haben. Das spricht nicht für sie. Sie fühlen sich offenbar auf dem Gebiet der Intelligenz so unsicher, dass sie Formeln und mathematische Maßstäbe zu Hilfe nehmen müssen. Nicht so die Deutschen. Hierzulande existiert eine viel bessere Prüfung für Intelligenz. Ich nenne sie den Nörgel-Quotient-Test: Wer zu jeder Zeit, in jeder Lage spontan nörgeln kann, ist intelligent.

Welch einen Stellenwert Intelligenz in Deutschland genießt, sieht man daran, dass der Nörgel-Q-Test immer und überall anzutreffen ist, ob am Stammtisch, unter Politikern oder in den Printmedien. Wer die Schlagzeilen im *Spiegel* mit denen des amerikanischen *Time Magazine* vergleicht, stellt fest: Das amerikanische Magazin informiert, das deutsche kritisiert.

Der Druck, seine Intelligenz zu beweisen, ist so groß, dass eine Zeitschrift wie der *Spiegel* es sich nicht leisten kann, nur einen Moment lang zufrieden zu wirken. Sollte ein *Spiegel*-Autor einmal einen Aussetzer haben und etwas Positives schreiben, gehen in der Redaktion sofort die Alarmglocken los und der Fehler wird durch Bilder oder Überschriften korrigiert. Oktober 2005 erschien ein Beitrag zum 15-jährigen Jubiläum der deutschen Wiedervereinigung – mitten in einer Atmosphäre von tiefer Hoffnungslosigkeit in den neuen Bundesländern – mit der Aussage: Unter diesen Umständen sind wir viel besser, als wir glauben. Diese Botschaft war dermaßen positiv, dass es einem den Magen umdrehte. Man war geneigt zu sagen: Ist das hier *Spiegel für Dummies*? Doch die Redaktion hatte geistesgegenwärtig reagiert. Es war wohl zu spät, den Artikel herauszunehmen, also verpasste man ihm zumindest einen Titel, der kritisch klang: »Die deutsche Denkfaulheit« taufte man ihn, und der Ruf war gerettet.

Als Deutscher muss man allzeit bereit sein, den Nörgel-Q-Test bestehen zu können. Ich bin immer wieder erstaunt, wie sie es schaffen. Selbst dann, wenn die nationalen Profi-Nörgler wieder mal so exzessiv genörgelt haben, dass sie sich selbst in Selbstzweifel stürzten, schaffen sie es doch immer wieder, sich am eigenen Schopf wieder aus dem Sumpf herauszunörgeln.

In einer *Brigitte*-Ausgabe berichtet ein Kolumnist von seinem Kampf mit dem teuflischen inneren Drang, nicht mehr jammern zu wollen. Es wird so viel in diesem Land gejammert, ob man es damit nicht übertreibt? Nein, schreibt er, wir jammern durchaus nicht zu viel, denn Jammern ist ein Garant gegen Fehler – und er geht daran, es zu beweisen. 1933 waren die Deutschen nicht kritisch genug, heute dagegen macht die »German Angst« uns kritisch und nachdenklich. Angst sei die Grundlage der modernen deutschen Gesellschaft: »aufgeklärt, undogmatisch, politisiert«. Die naiven Amerikaner singen mit Todd Rundgren *Love is the answer*; die Deutschen singen *Angst is the answer*. Der Artikel ist eine unglaubliche intellektuelle Leistung: Auf dem dünnen Fundament der Jammerei baut er ein universelles Gedankenkonstrukt von Hitler über die Tiefen der deutschen Mentalität bis hin zu einer Art Nörgelutopie, in der nichts schief gehen, keine falsche Entscheidung fallen kann, weil alle zu viel nörgeln. Er erinnert an diese Physiker, die nach der Weltformel suchen, die alle Rätsel der Quantenphysik erklärt. Er sucht nach der ultimativen Theorie des Nörgelns.

Erst gegen Ende des Artikels erfährt man im Kleingedruckten, dass der Autor Psychotherapeut ist. Moment mal: Ein Psychotherapeut, der Angst empfiehlt? Ist das nicht ein bisschen wie der Zahnarzt, der in seiner Praxis Bonbons verteilt?

Doch – es tut mir Leid, es berichten zu müssen – es gibt auch Fälle, wo die Deutschen versagen.

Ich unterhielt mich einmal mit dem Würzburger Wirtschaftsprofessor Peter Bofinger, der ein kluges Buch über die deutsche Wirtschaft geschrieben hat. Das Buch war zwar erfolgreich, aber nicht so sehr wie erhofft. Ich fragte ihn, warum. »Bevor es auf den Markt kam«, sagte Bofinger, »sprach ich auf einer Tagung mit einem Vorstandsmitglied von Zeiss, und er erkundigte sich nach dem Titel. Als ich ihn nannte, meinte er: ›Der Titel ist nichts. Er ist zu positiv.‹« Der Zeiss-Manager sollte Recht behalten. Wie hieß der verheerende Titel? *Wir sind besser, als wir glauben.*

Als Amerikaner bin ich besonders stolz darauf, schon einmal den Nörgel-Q-Test bestanden zu haben, und das, ohne ihn zu kennen.

Eine Journalistin einer öffentlich-rechtlichen Rundfunkanstalt wollte mich zu einer Radiosendung einladen, in der ich über mein Buch *Die Nibelungenreise* sprechen sollte. Sie wollte nur noch Rücksprache halten und mich gleich zurückrufen. Ich freute mich, aber als sie sich wieder meldete, meinte sie, ihre Chefin hätte Bedenken. Ich sollte noch einmal klarstellen, was ich wirklich von Deutschland und den Deutschen halte.

Ich versuchte, ihre Zweifel zu zerstreuen: »Ich finde die Deutschen in Ordnung, und ich lebe gerne hier«, versicherte ich.

Doch das stellte sie nicht zufrieden. »Ich meine mehr in der anderen Richtung«, sagte sie. »Meine Chefin befürchtet, dass Sie die ganze Zeit nur vom Oktoberfest schwärmen werden. Dass Sie als Amerikaner Deutschland gegenüber nicht kritisch genug sind.«

In meiner Begeisterung, mein Buch im Radio anpreisen zu dürfen, hatte ich die erste Regel des intellektuellen Austausches vergessen: Man muss etwas Negatives sagen. Wer von Deutschland nur begeistert ist, dem glaubt der Deutsche kein Wort. Ich verstand, was ich zu tun hatte. Man will ja nicht als naiv gelten. »Wo Sie das ansprechen«, meinte ich, »es gibt da ein, zwei Dinge … Ich finde die Deutschen ziemlich steif und verkopft.«

»Gut ...«, sagte sie.

»... Und sie haben keinen Humor«, fügte ich hinzu.

»Vielen Dank, Herr Hansen!«

»Und noch was«, sagte ich. »Warum können sie nichts tun, ohne es stundenlang zu diskutieren, bis es irgendwann überflüssig ist, überhaupt zu handeln?«

»Ja, super, ich denke, meine Chefin wird das schon überzeugen.«

»Und diese Arroganz. Sie urteilen über andere Länder, als ob sie Gott wären und Jesus und Einstein dazu, und tun selbst rein gar nichts, um die Probleme der Welt zu lösen. Dennoch haben sie die Weisheit mit Löffeln gefressen. Klar machen sie nichts falsch – wer nichts macht, macht auch keine Fehler.«

»Alles klar, das reicht jetzt aber, das ist schon recht überzeugend.«

»Sie sprechen über Kapitalismus, als ob es eine Krankheit wäre, aber haben Sie jemals diese Villen am Schlachtensee gesehen? Sie verurteilen die Machenschaften der CIA und denken nicht eine Sekunde daran, was ihre Geheimdienste da draußen die ganze Zeit anstellen, wo ihre Banken ihr Geld hernehmen, welche Kompromisse ihre Politiker hinter verschlossenen Türen machen müssen ... nein, Hauptsache, jemand anders ist schuld ... Hallo?«

Sie hatte aufgelegt. Obwohl ich noch gar nicht fertig war.

Es wurde übrigens doch noch eine sehr schöne Radiosendung. Ich durfte sogar sagen, warum ich gern hier lebe.

Doch Kritik soll man nicht allzu heftig kritisieren. Sie erfüllt hierzulande eine wichtige Funktion, vielleicht die wichtigste überhaupt. In einer Demokratie, die wie eine traditionelle Ehe funktioniert – von oben nach unten –, kann langes, andauerndes Nörgeln das effektivste demokratische Instrument sein, das dem Volk bzw. der Ehefrau zur Verfügung steht. In einer neomittelalterlichen Gesellschaft ist die Meinung des Volkes ja eigentlich nicht gefragt. Entscheidungen werden eigenständig von der Obrigkeit getroffen. Das Volk kann sich erst dann einbringen, nachdem eine Entscheidung gefallen ist, und zwar durch Kritik. In einer Von-unten-nach-oben-Gesellschaft ist es genau umgekehrt. Dort werden Initiativen und Vorschläge vom Volk erwartet, und Kritik wird als passiv und wenig hilfreich abgetan. Bei uns zu Hause sind Sprüche wie »wenn du keine bessere Idee hast, halt die Klappe und lass uns unsere Arbeit machen« die übliche Reaktion auf Kritik. In Deutschland ist Kritik eine ehrenwerte Aufgabe. Über die Jahrhunderte schärfte das die Kritikfähigkeit des Volkes ungemein. Deswegen sind die Deutschen so unvergleichlich gut darin, Fehler zu finden, und einen Gesetzesvorstoß, ob Arbeitsmarkt- oder Rechtschreibreform, auseinander zu pflücken, bis kaum etwas davon übrig bleibt. Wer dieses Talent unterschätzt, übersieht, wie oft die deutsche Obrigkeit durch die Kritik des Volkes vor ihren eigenen schlechten Entscheidungen gerettet wurde.

Weil Deutschland nun mal ein sehr intelligentes Land ist, verfügt es über eine entsprechende Bandbreite der Kritikfähigkeit. Man sagt, die Araber haben mehr Begriffe für »Kamel« als jedes andere Volk der Welt – da können die Deutschen nur lachen. Sie haben so viel mehr Wörter für Kritik, dass der Begriff »Kritik« nicht ausreicht, sie alle zu umfassen. Als Überbegriff muss man von »Nörgelei« sprechen. Um die Auswirkungen des hiesigen Nörgeleigebots zur Gänze begreifen zu können, ist ein eigenes Fach für Kritikforschung gefordert, das es bisher noch nicht gibt. Dies ist ein bedauernswerter Zustand, dem meiner Meinung nach abgeholfen werden muss.

In der Hoffnung, die akademische Elite der Republik würde meine Vision einer längst überfälligen Nörgelästhetik teilen, habe ich mir erlaubt, den philologischen Fakultäten von 20 deutschen Universitäten folgendes Gesuch zu schicken:

Sehr geehrter Dekan,
die deutsche Nörgelei (einschließlich Beschwerde, Jammerei, Kritik und andere Formen) erfüllt ästhetisch alle Voraussetzungen einer Kunstform und nimmt dazu in der heutigen Gesell-

schaft ein breites Spektrum von Funktionen wahr. Dennoch wird sie auf deutschen Universitäten weder in ihren ästhetischen noch ihren soziologischen Aspekten wahrgenommen. Ein modernes Universitätssystem kann sich dieses Versehen nicht länger leisten.

Ich schlage daher die Einrichtung eines ebensolchen Lehrstuhls mit mir selbst als Lehrstuhlinhaber vor. Als wissenschaftliche Grundlage dient meine anbei liegende Abhandlung, die die Grundlagen einer neuen Nörgelästhetik überzeugend darstellt. Zu einer Probevorlesung bin ich jederzeit bereit. Ich bitte um Antwort innerhalb von vier Wochen, weil ich sonst ein Angebot auf der Universität Hawaii annehmen muss.

Mit freundlichen Grüßen,

Eric T. Hansen, M.A.

Anbei legte ich meine Abhandlung zur Ästhetik des Nörgelns, die, wie ich hoffe, dereinst einigen ehrgeizigen Nörgelforschern als Grundlage dienen wird, einen neuen Zweig der Philologie aus der Taufe zu heben. Dies ist meines Wissens die erste Abhandlung zur Grundlage einer Nörgelästhetik, die jemals geschrieben würde, und sollte ich irgendwann ehrfurchtsvoll als Vater der deutschen Nörgelforschung bekannt werden, dann war mein Leben nicht umsonst.

Versuch über eine Abhandlung
zu den Grundlagen
einer deutschen Nörgelästhetik

Eine Grundsatzabhandlung
zur Einrichtung eines Lehrstuhls
und zur Erlangung eines Lehrauftrags
für Nörgelästhetik in der philologischen Fakultät

vorgelegt von Eric T. Hansen, M.A.
01.04.2006, Berlin

o. Inhaltsverzeichnis

1. Einleitung

In seiner *Dialektik der Aufklärung* schrieb Adorno: »Klassifikation ist Bedingung von Erkenntnis, nicht sie selbst, und Erkenntnis löst die Klassifikation wiederum auf.«[1] Das gilt umso mehr für die Klassifizierung des Nörgelns, wenn auch vorerst unklar bleiben muss, ob das Nörgeln Erkenntnis oder Erkenntnis das Nörgeln auflöst.

2. Klassifizierung des Nörgelträgers

Nörgeln zieht sich durch alle Schichten des gesellschaftlichen Miteinanders. Dementsprechend sind Nörgelausgangssituation und Nörgelplattform dem Nörgelträger zuzuteilen.

2.1. Bundesnörgler

Der Politiker, das Kirchenoberhaupt, der Verbandsvorsitzende und der führende Unternehmer nimmt eine Stelle in der Hierarchie der Bundesrepublik ein, von der aus sie von oben nach unten nörgeln können.

2.1.1. Bundesnörgler: Beispiele

Beispiel: Der damalige Bundeskanzler Gerhard Schröder beschimpfte seine eigenen Wähler als Sozialschmarotzer, als er

---

1 Adorno, Theodor W. und Max Horkheimer, *Dialektik der Aufklärung. Philosophische Fragmente.* Fischer, Frankfurt, 2004, 15. Aufl.

kritisierte, es gebe »eine Mentalität bis weit in die Mittelschicht hinein, dass man staatliche Leistungen mitnimmt, wo man sie kriegen kann, auch wenn es eigentlich ein ausreichendes Arbeitseinkommen in der Familie gibt.«[2]

Beispiel: Der damalige Bundespräsident Roman Herzog beschimpfte sein Volk als faul und antriebslos als er mahnte, »durch Deutschland muss ein Ruck gehen[3]«.

2.1.2. Bundesnörgler:
Dynamik des Wechselwirkens

Auffallend ist, dass Bundesnörgeln gehäuft in Zeiten auftritt, in denen die Wähler, das Volk, die Kirchengemeinde oder die Arbeitnehmer verstärkt mit ihrer Führung unzufrieden sind. Bundesnörgeln darf man keineswegs als Einbahnstraße sehen. Von unten wird umso eifriger zurückgenörgelt, vor allem durch Elitenörgler.

2.1.3. Die Terminologie des Bundesnörgelns

Auf dem Niveau des Bundesnörglers trägt das Nörgeln oft die Bezeichnungen »Mahnen« oder »Motivieren«.

2.2. Elitenörgler

Die Oppositions-, Außerparlamentarischen-, Feuilleton- und Politalkshownörgler fungieren als Stimme des Volkes, obwohl sie nicht zum Volk gehören.

2 *Guter Rat*, Ausgabe September 2004
3 Berliner Rede, 26. April 1997 im Hotel Adlon, aus dem Archiv des Amtes des Bundespräsidenten

2.2.1. Elitenörgler:
Dynamik des horizontalen Wechselwirkens

Elitenörgeln zielt vor allem vertikal, doch fast ebenso häufig auch horizontal, also gegen konkurrierende Elitenörgler. Publikumszeitschriften nörgeln über die Politik, aber auch über andere Publikumszeitschriften; Kulturkritiker nörgeln über Kultur, aber auch über Kulturkritik. Politisch analysierende Nörgler nörgeln über Politik, aber auch über andere politisch analysierende Nörgler.

2.2.2. Die Terminologie des Elitenörgelns

Dieses bildungslastige und höchst professionalisierte Nörgeln trägt die Bezeichnungen »Analyse«, »Kommentar« oder »Kritik.«

2.3. Volksnörgler

Volksnörgler, auch Unterschichten- oder Privatnörgler genannt, nörgeln aus den untersten Rängen des Landes, also jenseits des öffentlichen Lebens, und zwar ins Leere. Orte des Volksnörgelns sind längst nicht mehr auf Nörgelstammtische begrenzt. In den Arbeitsämtern nörgeln die Arbeitslosen über die Arbeitslosigkeit und über die Beamten, während die Beamten über die Arbeitslosen nörgeln. Kunden nörgeln über Verkäuferinnen, während Verkäuferinnen über die Kundschaft nörgeln. Taxifahrer nörgeln über alles. Seit einiger Zeit bietet auch das Fernsehen eine gern benutzte Plattform für Volksnörgeln in Form von Nachmittagtalkshows, in denen Privatmenschen öffentlich über Privates nörgeln. Schließlich wird im intimen zwischenmenschlichen Bereich genörgelt: Zwischen Ehemann und Ehefrau, zwischen Eltern und Kindern.

2.3.1. Dynamik des Volksnörgelns

An dieser Stelle muss eine Besonderheit des Volksnörgelns erwähnt werden.

Obwohl das Volksnörgeln keinen direkten Einfluss auf die Führung des Landes nimmt, vereint es unterschwellig das ganze Land und schafft eine Art deutsche Gesamtnörgelseele. Volksnörgeln kann jeder. Während ein einfacher Arbeiter nicht auf dem Niveau eines Bundesnörglers nörgeln darf, nörgelt selbst der ranghöchste Bundesnörgler privat auf dem Niveau des Volksnörglers. Die Volksnörgelei hat also ganz Deutschland gemeinsam, sie ist daher die demokratischste Form des Nörgelns. Das Beuys-Wort »Jeder Mensch ist ein Künstler«[4] gilt umso mehr für das Volksnörgeln: Jeder Mensch ist ein Nörgler. Das macht eine umfassende Nörgelästhetik umso dringlicher, denn unbewusst trägt jeder Deutsche ständig zu einem gesellschaftlich, zeitlich und thematisch unbegrenzten Nörgelgesamtkunstwerk bei.

2.3.2. Die Terminologie des Volksnörgelns

Hier spricht man von »Meckern«, »Sich beschweren« und von »Nörgeln« im eigentlichen Sinne.

3. Eingrenzung des Nörgelspektrums

Eine zu entstehende Nörgelästhetik muss jede Form des Nörgelns von der gehobenen öffentlichen Kritik bis zu dem privaten Jammern in eine Gesamtdefinition einbeziehen. Als erste Kategorisierung ist eine begriffliche Unterteilung in das höhere und das niedere Nörgeln, im Volksmund E- und U-Nörgeln, zu empfehlen. Diese ästhetische Einteilung ist einer inhaltlichen Einteilung vorzuziehen, denn der gleiche Inhalt kann in allen Bereichen

4 Beuys, Joseph, allgemein bekanntes Sprichwort

des Nörgelns vorkommen, nur die Form ändert sich maßgeblich. Dieses Phänomen der Inhaltsgleichheit bei gleichzeitiger Formungleichheit lässt sich an zwei folgenden Beispielen illustrieren. Das erste stammt aus meiner persönlichen Erfahrung, das zweite aus den Medien:

3.1. Beispiel: U-Nörgeln

Auf einem Kreuzberger Bahnsteig wartete ich eines Morgens auf die U-Bahn, als drei junge Männer den gegenüberliegenden Bahnsteig betraten. Sie hatten offenbar die ganze Nacht gefeiert und kehrten sichtlich angeheitert, wenn nicht gar betrunken, heim. Unvermittelt gab einer der Betrunkenen lautstark eine Nörgelei von sich, die an alle Anwesenden gerichtet war. Abgesehen von der Leidenschaft seines Vortrags war an seiner Nörgelei die erstaunliche Knappheit der Form ästhetisch überaus interessant. Er brüllte: »Scheißdeutschland!«

3.2. Beispiel: E-Nörgeln

Im gleichen Jahr wurde von der Bundesregierung eine bekannte Werbekampagne unter der Überschrift »Du bist Deutschland«[5] gestartet, um den Patriotismus in Deutschland in Gang zu bringen. Auf Plakaten, in Fernsehspots und Zeitschriftenanzeigen sprachen Prominente die Leser/Zuschauer mit den Worten »Du bist Deutschland« an und vermittelten die Botschaft, dass man die Dinge anpacken muss. Die Kampagne an sich ist weniger interessant; interessanter ist die Gegenreaktion, die sie unter den Elitenörglern hervorrief. Kulturkritiker jeder Couleur zogen in Feuilletons und in Fernsehmagazinen über die Kampagne her. *Die Zeit* nannte die Kampagne »geschmacklos« sowie »Propagan-

---

5 Werbekampagne, fischerAppelt Kommunikation GmbH, Hamburg

da« und schrieb: »Ehrlicher wäre es gewesen, einen schneidigen SS-Offizier mit der Unterschrift ›Du bist Deutschland‹ zu zeigen«[6]; der Komiker Harald Schmidt, der selbst an der Kampagne teilnahm, machte sich lustig darüber: »Mich haben heute schon viele gefragt: Wieso bin ich Deutschland? Ich denke, wir sind Papst!«[7]

3.3. Vergleich der Beispiele

Aus all diesen Elitenörgeleien ging immer wieder in verschiedensten Formen die gleiche Aussage hervor: »Man kann Deutschland nicht schönreden, weil Deutschland erfolglos, geschichtsbelastet und zweitklassig ist.« Rein von der Aussage her deckt sich diese Nörgelei weitestgehend mit der Nörgelei des Betrunkenen am Bahnsteig: »Scheißdeutschland«. Zwischen der Elitenörgelei und der Volksnörgelei ist daher zwar in der Form ein Unterschied festzustellen, jedoch nicht in der Aussage.

Es ist nicht objektiv festzulegen, welche Nörgelei ästhetisch wertvoller ist. Die E-Nörgelei war durchgehend phantasievoller und im logischen Aufbau intellektuell überlegen begründet; dafür besaß die U-Nörgelei in ihrer Schlichtheit und der Sicherheit der Aussage eine unvergleichliche, fast naturalistische Schönheit, die nachzuahmen selbst geübten Künstlern nicht immer gelingt.

4. Klassifizierung der Nörgelfunktion

Die Funktion der Nörgelei muss unabhängig von ihrer Form betrachtet werden.

6 »Du bist Werbeagentur«, *Die Zeit*, Nr. 41/2005
7 Sendung »Harald Schmidt«, ARD, 28. 9. 2005

4.1. Die ergebnisorientierte Nörgelei

Die ergebnisorientierte Nörgelei, eine seltene und geradezu plumpe Art der Nörgelei, ist zweckgebunden und will ein spezifisches Ziel erreichen. Eben aus diesem Grund ist sie inhaltlich begrenzt. Nörgelei ist im Grunde eine ästhetische Handlung – auch der überzeugteste Nörgler erwartet zum Beispiel nicht, die Arbeitslosigkeit im eigenen Lande oder gar den Konflikt im Nahen Osten durch Nörgelei lösen zu können. Doch im privaten Bereich ist die ergebnisorientierte Nörgelei effektiv. Wer sagt, »Herr Ober, was macht die Fliege in meiner Suppe«, fragt nicht explizit nach einer neuen Suppe, doch in der Regel bekommt er eine.

4.1.2. Ästhetische Bewertung der ergebnisorientierten Nörgelei

Von allen Formen des Nörgelns ist diese am ehesten kapitalistisch bzw. darwinistisch; allerdings ist sie künstlerisch beinahe völlig ohne Wert, weil der Effekt des persönlichen Vorteils seinen ästhetischen Wert maßgeblich mindert.

4.1.3. Die Terminologie der ergebnisorientierten Nörgelei

Ergebnisorientierte Nörgelei schließt »Beanstanden«, »Bemängeln« und »Reklamieren« ein.

4.2. Die statusorientierte Nörgelei

Die statusorientierte Nörgelei zielt auf Erhöhung, Etablierung oder Bewahrung des sozialen und moralischen Status des Nörgelnden. Ob man nun die Politik, den Chef oder das Wetter kritisiert; ob man im Fernsehen, am Stammtisch oder im Supermarkt meckert (und unabhängig davon, ob man Recht hat oder nicht), die statusorientierte Nörgelei will intellektuelle Überlegenheit beweisen.

Der introviert-statusorientierte Nörgler unterscheidet sich von dem extrovertiert-statusorientierten Nörgler nur im tatsächlichen gesellschaftlichen Status, nach dem beide streben. Man kann sagen, sie sind zwei Seiten derselben Medaille.

4.2.1. Die introvertiert-statusorientierte Nörgelei

Nörgelei ist dann introvertiert, wenn sie sich thematisch ausschließlich um private Angelegenheiten dreht. Wer über andere Autofahrer oder sein Schicksal im Allgemeinen nörgelt, beweist sich selbst und seinen Zuhörern seine Überlegenheit über die Menschen, über die er spricht. Dadurch sichert er seinen Status in der Wahrnehmung der Zuhörer: »Ich verdiene Anerkennung, weil mir Unrecht geschehen ist und ich Besseres verdiene.« Das extreme Beispiel des introvertiert-statusorientierten Nörglers ist der in den Wahnsinn abgerutschte Fremde auf der Straße, der imaginären Zuhörern seine Verschwörungstheorien erläutert. Für seine Umwelt ist er ein bedauernswerter Mensch, der Unsinn redet; doch er glaubt, seine Nörgelei beweise seine Überlegenheit.

4.2.2. Ästhetische Bewertung der introvertiert-statusorientierten Nörgelei

Weil Status ein so hohes und teueres Ziel ist, wird von statusorientierten Nörglern ästhetisch mehr erwartet als von allen anderen. Die ästhetischen Gefahren der introvertiert-statusorientierten Nörgelei liegen auf der Hand: Wer ungeschickt, zu oft, nicht abwechslungsreich genug oder zu offensichtlich introvertiert nörgelt, verliert nach einer bestimmen Zeit bei seinen Zuhörern Glaubwürdigkeit. Diese steht und fällt mit einer ästhetisch anspruchsvollen Dramaturgie.

4.2.3. Die Terminologie der introvertiert-statusorientierten Nörgelei

Bei Erfolg wird introvertiert-statusorientierte Nörgelei neutral als »Erklärung« oder »Erzählung« gekennzeichnet; erst bei Misserfolg wird sie als »Jammern«, »Klagen« oder »Lamentieren« identifiziert.

4.3. Die extrovertiert-statusorientierte Nörgelei

Nörgelei ist dann extrovertiert, sobald sie sich auf ein Thema des öffentlichen Interesses bezieht. Wer über das Verhalten der Bundesregierung bezüglich der Arbeitslosigkeit oder über die Mentalität des deutschen Volkes nörgelt, geht über private Themen hinaus. Er will als selbstlos und um das allgemeine Wohl besorgt gelten. Dies beeinflusst seinen Status maßgeblich: Ob Volksnörgler, Elitenörgler oder Bundesnörgler, er hebt sich moralisch und in der Intensität seiner Ansichten von der gemeinen Masse ab.

4.3.1. Ästhetische Bewertung der extrovertiert-statusorientierten Nörgelei

Diese Form der Nörgelei besitzt höchsten ästhetischen Wert, weil sie einerseits nicht auf ein Ergebnis abzielt und andererseits die Hörer überzeugen muss, dass sie wichtig ist. Um sein Publikum bei Laune zu halten, ist der extrovertiert-statusorientierte Nörgler darauf angewiesen, immer neue Gründe und Zusammenhänge zu finden und auch in den aktuellsten Situationen stets überzeugend zu reagieren. Berufsnörgler in Tageszeitungen unterliegen gerade deshalb einem enormen Druck. Politnörgeln ist eine besonders hohe Kunst, weil der Nörgler mit dem Politiker selbst konkurrieren muss. Wer es in diesem Bereich in die Profiliga schafft, sitzt sonntagabends in einer großen Polit-Talkshow. In der Kampfarena der ästhetischen Nörgelei heißt es oft nörgeln, ohne nachzudenken.

Zugleich ist der Lohn der Nörgelei hier besonders hoch, denn wer auf diesem besonders anspruchsvollem Gebiet sein Publikum immer wieder überraschen, erfreuen und zufrieden stellen kann, kann seinen gesellschaftlichen Status maßlos erhöhen.

4.3.2. Die Terminologie der extrovertiert-statusorientierten Nörgelei

Bei Erfolg wird extrovertiert-statusorientierte Nörgelei mit den Bezeichnungen »kritisches Denken«, »Warnen« und »Differenzieren« belohnt; bei Misserfolg mit den Bezeichnungen »Rechthaberei« und »Besserwisserei« bestraft.

5. Zusammenfassung und Ausblick

Die Nörgelei wurde bereits zu lange von der wissenschaftlichen Forschung ausgeschlossen, und das völlig zu Unrecht. Die Rolle, die sie in der deutschen Gesellschaft spielt, ist flächendeckend und einflussreich. Allein das Volumen an Nörgelei ist so gewichtig, dass man von einer Nationalobsession sprechen muss. Genau wie die Amerikaner sich offen über ihren Positivismus definieren, definiert sich der Deutsche über sein Feingespür für Negativismus, seine Liebe zum Scheitern und seine überlegene Nörgelfähigkeit. Von einer ästhetischen Perspektive aus muss man darüber hinaus anerkennen, dass Nörgelei eine Kunst ist. Mehr noch: Sie ist die beliebteste und weitestverbreitete Volkskunst Deutschlands.

Es ist höchste Zeit, dass die akademische Welt dies anerkennt und den ersten deutschen Lehrstuhl für Nörgelei gründet.

Zu meiner nicht geringen Enttäuschung und zur Schande der deutschen Akademikerwelt kam von den 20 Universitäten nicht ein Lehrstuhlangebot. Ein Dekan besaß sogar die Unverfrorenheit, mir dringend ans Herz zu legen, das Angebot aus Hawaii anzunehmen, »falls wirklich vorhanden«. Ach, wie ernüchternd, erfahren zu müssen, wie sehr es den Gelehrten dieses großartigen Landes heutzutage an Mut und Visionen mangelt, neue, bahnbrechende Wege zu gehen. Armes Deutschland!

Die Deutschen glauben,
Hitler gehöre ihnen ganz allein

In Deutschland erlebt man die lustigsten Dinge, wenn es um Hitler geht.

Ansonsten stets intelligent und überlegt, reagiert der Deutsche bei dem Stichwort wie das Kaninchen auf die Schlange. Sein Puls rast, sein Blick wird starr, seine Schnurrbarthaare beben. Seine Stimme steigt um zwei Oktaven, wird schneller und eindringlicher. Er ist nicht mehr in der Lage, klar zu denken, und stammelt eine Menge wirres Zeugs, ohne dabei von der Stelle zu kommen. Er hat völlig vergessen, dass neben Hitler noch andere Dinge existieren, gerade in Bezug auf seine Vergangenheit. Wenn er auf seine Geschichte zurückschaut, bleibt sein Blick beim Dritten Reich hängen. Jenseits von 1933 wabert nur eine Leere, wie bei jemandem, der an Höhenangst leidet und den Fehler gemacht hat, nach unten zu schauen.

Man braucht sich unter den Deutschen nur mal umzuhören, warum sie so sind, wie sie sind:

»Warum seid ihr alle aus der Kirche ausgetreten?«

»Das hat etwas mit unserer Erfahrung im Dritten Reich zu tun. Seitdem glauben wir an nichts mehr.«

»Warum verteufelt ihr Patriotismus so sehr?«

»Das hat etwas mit dem Dritten Reich zu tun. Seitdem sind wir dem Staat gegenüber sehr skeptisch.«

»Wie kam es, dass dieses Land, das sonst einen recht guten Geschmack hat, solch eine kulinarische Perversität wie den Hawaii-Toast erfinden konnte?«

»Das hat mit dem Dritten Reich zu tun. Damals war es uns verboten, Schinken, Käse, Ananas und Toastbrot zu kombinieren oder Gerichte nach exotischen Inseln zu benennen.«

Die Deutschen glauben, sie wären als Volk 1933 über Nacht auf der Bildfläche erschienen, als deutsche Adams und Evas mit hunderttausendjähriger Verspätung. Sie wissen gar nicht mehr, dass die Säkularisierung schon mit Luther begann, dass ihre Beziehung zum Staat schon gestört war, als sie noch in den Wäldern herumhopsten, und dass, was ihre Neigung zur Skepsis angeht, schon Bismarck beobachtet hat: »Es gehört zum deutschen Bedürfnis, beim Biere von der Regierung schlecht zu reden.«

Auch ihre Beziehung zum Ausland wird über Hitler definiert. »Ihr Amerikaner wollt uns mit euren Nazi-Filmen nur klein halten!«, beschwert man sich gern bei mir. Oder: »Wie lange noch müsst ihr uns daran erinnern? Wann ist es endlich vorbei?« Ich weiß nicht, ob auch Türken, Chinesen oder Luxemburger mit solchen Fragen konfrontiert werden. Ich höre sie immer wieder – als ob wir Amerikaner in irgendeiner Schublade einen Kalender für die nächsten zehn, 20, 100 Jahre liegen haben, in dem an einem bestimmten Tag eines bestimmten Jahres notiert ist: »Heute Holocaust vergessen.«

Vor nicht allzu langer Zeit, stand ich nach einem Vortrag in Heidelberg mit einer Gruppe von Zuhörern zusammen, als mich ein Herr mittleren Alters ansprach. Er wollte mir (A) eine Geschichte erzählen und (B) eine Frage stellen.

»Auf einem Flug nach New York«, fing er an, »kam ich mit meinem Sitznachbarn ins Gespräch. Das Gespräch war wirklich nett. Er war New Yorker, ich bin ein großer New York-Fan, es gab viel zu diskutieren. Es war alles ganz normal. Bis ich ihn fragte: ›Was haben denn so viele Menschen eigentlich gegen uns Deutsche?‹ Da ist er ausgerastet. Ich hätte nicht gedacht, dass die Frage ihn so sehr aufwühlen würde. ›Wollen Sie wissen, was wir gegen Sie haben?‹, fragte er. ›Sie haben sechs Millionen meiner Leute umgebracht, das haben wir gegen Sie.‹ Sie müssen wissen, er war jüdischen Glaubens. Nun meine Frage…«

»Moment mal«, unterbrach ich ihn, »woher wussten Sie, dass er Jude war?«

»Er trug ein Gebetskäppchen.«

»Sie wussten, dass er Jude ist, und fragten ihn trotzdem, was er gegen Deutsche hat?«

»Ja, es war doch ganz normal«, sagte er.

Ich staune immer wieder, wie naiv man sein kann, wenn man es wirklich darauf anlegt.

Der Mann, der fand, es wäre ganz normal, als Deutscher mit einem Juden locker über den Holocaust zu plaudern, zuckte mit den Schultern und fuhr fort: »Aber jetzt meine Frage an Sie: Wie lange dauert es, bis man den Holocaust vergisst?«

»Schätzungsweise noch 1540 Jahre«, vermutete ich.

Er lachte. Er glaubte, ich mache Witze. Aber es war kein Witz. Ich habe es mal ausgerechnet.

Rein gesetzlich kann ein Verbrechen des Vaters nicht auf die Nachkommen übertragen werden, also »verjährt« ein Mord mit dem Tod des Mörders. Nach dieser Theorie müsste der Holocaust mit dem Tod des letzten Nazis vergessen sein, also spätestens in zehn, 15 Jahren. Darauf würde ich nicht wetten.

Eine andere Zahl stammt aus der Bibel, und Gott müsste es eigentlich wissen. In den Zehn Geboten macht er klar, dass eine Sünde doch übertragbar ist, »... Denn ich bin ein eifriger Gott, der die Missetat der Väter heimsucht über die Kinder ins dritte und vierte Glied.« Das sind deutliche Worte. Hätte Hitler sich die Zeit genommen, mal im Alten Testament zu blättern, hätte er gewusst, man schubst die Juden nicht herum, ohne dass es Konsequenzen hat. Rechnet man alle 30 Jahre eine Generation, setzt das Vergessen also im Jahre 2035 ein. Darauf würde ich auch nicht wetten.

Ich habe eine dritte Theorie. Die Situation ist nämlich nicht ganz so neu und einzigartig, wie man denkt.

Im 5. Jahrhundert fielen die Hunnen, vermutlich zusammen mit den Römern, über die reiche, mächtige Nation der Burgunden her und vernichteten sie beinahe völlig. Es war ein grausames Gemetzel, und wenn auch ein kleine Schar

Burgunden überlebte (und später dem heutigen Landstrich in Frankreich seinen Namen geben sollte), die burgundische Nation war für immer verschwunden. Auf heutige Verhältnisse übertragen wäre es, als ob Deutschland über Frankreich herfällt, 90 Prozent aller Franzosen umbringt und die restlichen zehn Prozent zur Auswanderung zwingt. Es hat die damalige Welt tief schockiert. Bis dahin gab es ständig Scharmützel unter den Stämmen, aber der Untergang Burgunds war etwas anderes: eine Horrorvision von dem, was passieren kann, wenn etwas in den fragilen interstämmischen Verhältnissen schief geht.

Was diese Geschichte vergleichbar macht mit dem Dritten Reich, ist jedoch nicht das Ausmaß der Zerstörung, sondern ihre Auswertung in der Populärkultur.

Die Tragödie ging sofort in Legenden über. Die Geschichte wurde von Stamm zu Stamm, von Generation zu Generation weitererzählt. Rund 700 Jahre überlebte sie in den verschiedensten Formen, bis sie um 1200 von einem oder mehreren Autoren in *Das Nibelungenlied* integriert wurde. Von da an wurde sie immer wieder bearbeitet. Man verlor das Interesse an ihr, entdeckte sie neu, vergaß sie wiederum 700 Jahre, bis Wagner sie in die moderne Hochkultur einbrachte. Heute, 1600 Jahre nach dem Massaker, lebt sie immer noch.

Genauso wird es der Geschichte des Dritten Reichs ergehen. Schon jetzt erzählt man die Geschichte in tausenden Variationen. Auch in tausend Jahren wird man noch von der Tragödie unserer Epoche hören. Hitler ist noch schrecklicher als die Atombombe, weil er es noch vor Hiroshima geschafft hat, allein durch Mordlust und Massenmanipulation halb Europa in Flammen zu setzen. Stalin und Mao waren ebenso schlimm wie Hitler, aber keiner überträgt sie auf das eigene Leben. Kaum jemand fragt sich: hätte ich unter Pol Pot mitgemacht? Doch sobald es um das Dritte Reich geht, stellt man sich derartige Fragen.

Meine erste Begegnung mit dieser Frage hatte ich – raten Sie mal – im Kino. In dem Film *Cabaret* gibt es diese berühmte Szene, in der ein junger blonder Nazi ein patriotisches Lied anstimmt und alle erheben sich und singen mit. Das Melodie (die eigentlich an das Horst-Wessel-Lied erinnern sollte, jedoch von der *Wacht am Rhein* adaptiert wurde) ist auf unheimliche Weise mitreißend, der Text positiv und aufbauend: *Tomorrow Belongs to Me! Die Zukunft gehört mir!* Ich wollte direkt losmarschieren. Dieses Gefühl zu spüren, und gleichzeitig zu wissen, wo es hinführt, erschütterte mich. Schon als Junge war mir klar, damals wäre auch ich früher oder später mitgelaufen. Ich bin sicher, mit seiner Hitler-Faszination hat Hollywood nicht nur mir solche Erfahrungen beschert.

Wenn ich Deutsche über Hollywoods Nazi-Fimmel schimpfen höre, beschleicht mich der seltsame Verdacht, dass es sich um eine Art Eifersucht handelt: »Ihr trivialisiert ihn bloß, ihr habt ja keine Ahnung von Hitler. Wir waren dabei, nur wir können ihn verstehen. Hitler gehört uns!« Es erinnert an irgendwelche Urvölker, die Bilder von schrecklichen Dämonen an die Wand malen, um noch schrecklichere Dämonen fernzuhalten. Tief innen sind die Deutschen überzeugt, dass Hitler ihr ganz persönlicher Dämon sei. Sie glauben, er mache sie anders, er sei mit all seinem Schrecken ein Teil ihrer Identität, und fühlen sich bedroht, wenn ihn jemand wegnehmen will.

Doch Hitler ist längst globalisiert.

Das heißt aber noch lange nicht, dass wir Amerikaner alle Deutschen als Nazis abstempeln. Die Frage, die der Mann in Heidelberg nicht gestellt hat, war: »Wann werdet ihr uns wieder für ein ganz normales Volk halten?« Das tun wir doch längst; die Deutschen haben es bloß noch nicht gemerkt.

Für uns Amerikaner bewohnen Nazis seit 1945 nur noch ein Reich: das der Phantasie. Wir kennen sie nur aus historischen Filmen wie *Schindlers Liste* oder Fantasy-Actionkrachern wie *Indiana Jones*. Will aber Hollywood die Deutschen heute darstellen, wird sich ganz anderer Klischees bedient.

Etwas veraltet, aber ungebrochen beliebt, ist das Dirndl-Lederhosen-Klischee, das in den alten *Pink Panther*-Filmen auftaucht. Moderner ist der verkopfte Deutsche: die tollpat-schigen »Nihilisten« in *The Big Lebowski*; auch der schwarz gekleidete, Nickelbrille tragende »Dieter«, der in der Mike Myers-Sketchserie *The Sprockets* jede Woche seine schwarz gekleideten, Nickelbrille tragenden Intellektuellen-Freunde vorstellt mitsamt ihren »verstörenden«, experimentellen Schwarzweiss-Video-Produktionen.

Ein Stereotyp jedoch glänzt durch Abwesenheit: der Neo-Nazi.

Ich kenne unzählige Filme über amerikanische Rassisten und Rechtsextremisten, aber keinen Hollywoodfilm, in dem ein deutscher Neo-Nazi vorkommt. Sie schaffen es ab und zu in unsere Zeitungen, aber nicht in unsere Popkultur. In den USA steht das »typisch Deutsche« heute eher für blonde Schönheiten wie Heidi Klum, mit Ironie überladene Bands wie Kraftwerk und Rammstein, schwerreiche Künstler wie Gerhard Richter und Anselm Kiefer sowie Siemens, DaimlerChystler und Bertelsmann/Random House.

Sollten wir Amerikaner also einem deutschen Touristen be-gegnen und einen Nazi-Witz loslassen, tun wir das nicht aus seelischer Grausamkeit, sondern weil wir glauben, auch er hätte die Nazis längst ins Reich der Symbole verbannt. Wir denken: »He, ein Deutscher! Wenn einer Nazi-Witze versteht, dann er. Das wird ein toller Eisbrecher.« Kommt ein Texaner mit seinem starken Akzent und Cowboystiefeln nach New York, muss auch er damit rechnen, dass früher oder später irgendjemand einen Cowboywitz reißt. Trotzdem glaubt kei-ner der New Yorker, einen echten Rodeo-Reiter vor sich zu haben.

Die Deutschen haben sich selbst so eingeschüchtert, dass sie überhaupt nicht auf die Idee kommen, dass sie mitwit-zeln dürfen. Wenn sie ins Ausland fahren, glauben sie, dass beim Überqueren der Grenze automatisch ein Hakenkreuz auf ihrer Stirn erscheint. Es ist nur eine Frage der Zeit, bis sie darauf angesprochen werden. Jede unschuldige, naive Frage – »Gibt es denn noch Nazis in Deutschland?« – wird zur Qual. Zuerst wird man kleinlaut; dann sagt man sich: »Moment, ich bin kein Nazi, verdammt nochmal!« Danach geht man in die Offensive: »Warum glaubt ihr alle, dass ich ein Nazi bin?«, kehrt mit einer schweren Depression nach Hause zurück und muss erstmal zur Kur. Dabei haben wir keine Ahnung, wovon er spricht. Es bleibt uns nichts anderes übrig, als zu denken: »Es stimmt wirklich: Diese Deutschen haben keinen Humor.«

Oder können Sie über solche Witze lachen, wie sie in amerikanischen Sitcoms vorkommen:

Eine Mutter in *Family Guy* erklärt ihrer Tochter, die sich ihre Lippen aufspritzen lassen will, »die meisten Probleme auf dieser Welt sind auf Minderwertigkeitskomplexe zurückzuführen«. Zum Beweis, dass ein Mangel an Selbstachtung gemeingefährlich ist, sieht man ein Fitnessstudio, in dem ein dürrer, schwacher Hitler sich vergeblich abmüht, irgendwelche lächerlich winzigen Gewichte zu stemmen. Neben ihm ein muskelbepackter, strahlend lächelnder Rabbi mit einem Davidstern am Goldkettchen, der natürlich von mehreren hübschen Aerobicgirls angehimmelt wird.

Oder die *Seinfeld*-Folge, in der ein schwer angesagter, aber chronisch schlecht gelaunter New Yorker Suppenkoch seine Gäste zwingt, zu essen, was auf den Tisch kommt, keine Sonderwünsche durchgehen lässt, und von seinen eingeschüchterten Stammgästen nur noch »Suppennazi« tituliert wird.

Wenn Sie diese Späßchen für eine Verharmlosung der Naziverbrechen halten, bitte ich Sie, im Internet nach dem »Hitlerizer 1.0« zu suchen und mal zu schauen, was passiert, wenn Sie dort den folgenden Absatz eingeben:

»Ich muss Sie darauf hinweisen, dass die Deutschen nicht das alleinige Recht besitzen, das Dritte Reich zu interpretieren!«

Es heißt, wir Amerikaner seien so kriegerisch, weil wir noch nie einen Krieg auf eigenem Boden erlebt haben. In Wahrheit sind wir kriegerisch, weil wir in der Vergangenheit mit den meisten Kriegen unsere Ziele erreicht haben. Der Unabhängigkeitskrieg machte uns frei; der Bürgerkrieg machte uns einig; der Zweite Weltkrieg machte uns zu Helden. Deutschland dagegen hat im Zweiten Weltkrieg keins seiner Ziele erreicht. Da kann man kaum erwarten, dass wir aus demselben Krieg dieselbe Lehre ziehen.

Wenn amerikanischen Schulkinder den Zweiten Weltkrieg durchnehmen, befindet sich der Höhepunkt ihrer Lektion bereits im Jahre 1938. Nachdem Hitler in der Tschechoslowakei einmarschiert war, eilte der britische Premierminister Neville Chamberlain nach München und rang ihm das Versprechen ab, es würde beim Sudetenland bleiben. Mit Grausen begreifen wir, was es bedeutet, dass Chamberlain am Flughafen ein weißes Blatt Papier vor den Kameras schwenkte und von »Frieden für unsere Zeit« sprach; wie er bejubelt wurde. Das Grausen wächst, wenn wir lernen, dass Hitlers Armee wenige Monate später weitermarschierte und der Zweite Weltkrieg mit all seinen Schrecken endgültig ausgebrochen war.

Für uns Amerikaner war der grundlegende Fehler der Europäer, so viel Angst vor dem Krieg zu haben, dass sie für Hitlers wirkliche Pläne blind waren. *Appeasement* nennen wir das: Man versucht, einen Bösewicht zu beschwichtigen, indem man ihm ein Häppchen von dem gibt, was er will. Meine Geschichtslehrerin war überzeugt: Hätte England sofort nach Hitlers Einmarsch im Sudetenland eingegriffen, hätte das Schlimmste verhindert werden können, denn das war noch vor dem Einmarsch in Frankreich, vor dem Russlandfeldzug – und vor Auschwitz.

Diese Lektion hat sich uns so tief eingeprägt, dass die Warnung vor *Appeasement* noch heute immer wieder in Filmen und TV-Shows aufblitzt. In der Sitcom *Seinfeld* machen die Hauptfiguren ganz nebenbei Witze über Chamberlains gutmütige Gewohnheit, halb Europa zu verschenken. Die Historiker werden sich später mit der Frage herumschlagen müssen, ob George W. Bush seine Außenpolitik an Sitcoms orientierte, aber es ist klar, dass sein Einmarsch im Irak ohne die Lektion Chamberlains nicht denkbar gewesen wäre.

Die Deutschen und ihr Hitler erinnern mich an die indische Parabel von den sechs Blinden, die zum ersten Mal einem Elefanten begegnen. Der Erste rennt gegen den Bauch und ruft aus: »Achtung! Eine Mauer.« Der Zweite stolpert, sticht sich an den Stoßzähnen und jammert: »Autsch! Nein, das ist ein Speer!« So geht es munter weiter. Zum Rüssel heißt es: »Vorsicht Schlange!«, zu den Beinen: »Na so was, vier Bäume«, zu den Ohren: »Nein, ein Fächer«, zum Schwanz: »Ach, ein Seil.« Nachdem sich dann jeder eine Meinung gebildet hat, was denn nun ein Elefant sei, gehen sie daran, lang und begeistert darüber zu streiten, wer von ihnen Recht hat.

Anstelle von sechs Blinden gibt es hierzulande bloß zwei. Der Eine empört sich: »Überall nichts als Nazis! Neo-Nazis in Ostdeutschland, Faschisten im Landtag, Ewiggestrige in den großen Parteien und keiner tut was dagegen! Ich wandere aus!« Der andere Blinde behauptet ebenso erregt, »überall nur Holocaust-Filme, Holocaust-Bücher, Holocaust-Gedenkveranstaltungen! Unsere Generation hat nichts damit zu tun, man soll uns endlich in Ruhe lassen! Schlussstrich!« Die Deutschen sind sich sicher, dass hierzulande was nicht stimmt, aber sie können sich nicht entscheiden, ob das daher kommt, dass es zu viele Nazis gibt oder zu wenig.

Der erste Blinde lässt außer Acht, dass sich in jedem Land immer ein bestimmtes Maß an Rassismus und faschistischen Tendenzen findet. Auch in Amerika gibt es Neo-Nazis, und das nicht zu knapp. Auch bei uns schafft es ab und zu ein ehemaliges Ku Klux Klan-Mitglied in die Politik. Erschwerend kommt das dumme Problem hinzu, dass sie vom Prinzip der Redefreiheit geschützt werden. Deswegen sind auch deutschsprachige Neo-Nazi-Websites oft in den USA angemeldet, und deutsche Behörden können nichts dagegen tun.

Was rechtsradikale Gewalt betrifft, kommt Deutschland im Vergleich zu Amerika relativ gut weg. Will man die deutsche Neo-Nazi-Kriminalstatistik mit anderen Ländern vergleichen, stößt man schnell auf Schwierigkeiten, aber eine grobe Schätzung kann man wagen. Während man hierzulande Gewalttaten nach links- oder rechtsradikalen Motiven einordnet, haben wir Amerikaner nur den Überbegriff *hate crimes*. Dieser Unterschied hat einen erheblichen Einfluss auf die Statistik. Als ich dennoch versucht habe, amerikanische *hate crimes* mit politisch motivierten Straftaten in Deutschland zu vergleichen, stellte ich erschrocken fest, dass die deutsche Zahl ungleich höher liegt. Ich wollte schon auswandern, bis ich mich daran erinnerte, dass es in Amerika kein Verbrechen ist, rechtsradikale Schriften zu verbreiten, hierzulande aber schon. Nachdem ich diesen Posten weglieβ, sah es schon anders aus: Pro Kopf geschieht hier wie dort eine vergleichbare Anzahl an Gewaltverbrechen aus politisch motivierten Gründen bzw. aus Hass. Doch da war noch eine Kleinigkeit: der Anteil dieser Straftaten, die tödlich enden, ist in Amerika bedeutend höher als in Deutschland. Das Risiko eines Schwarzen, auf der Straße angegriffen zu werden, ist in Amerika und in Deutschland in etwa gleich hoch. Das Risiko, dabei umzukommen, ist jedoch in Amerika höher.

Ich sähe Gründe, wegen rechtsradikaler Gewalt besorgt zu sein, aber keine, wegen Deutschland besorgt zu sein.

Der zweite Blinde sieht nicht, wie sehr sich die Welt seit Hitler – und wegen Hitler – geändert hat.

Erst der Schock des Zweiten Weltkrieges hat zu unserem modernen grundlegenden Abscheu vor dem Krieg geführt. Wenn man die Einstellungen der Soldaten, der Politiker und Medien vor dem Holocaust betrachtet, meint man, in ein Paralleluniversum zu blicken: Für sie war Krieg wirklich nichts weiter als die »Fortsetzung der Politik mit anderen Mitteln«. Die Adeligen des Mittelalters, Napoleon, die Anführer der Nord- und Südstaaten im amerikanischen Bürgerkrieg haben sich nicht besonders anstrengen müssen, um ihre Kriegsabsichten vor dem Volk zu rechtfertigen. Im Gegenteil, Krieg war ein Aufruf zu Heldentaten. Selbst bei den Kriegsherren des Ersten Weltkriegs habe ich den Eindruck, sie hätten die Schlacht noch als Spiel unter Gentlemen begriffen.

Heute ist es genau umgekehrt. Kein Politiker darf den Fehler machen, einen laufenden oder beabsichtigten Krieg als heroisch darzustellen. Es ist dagegen Pflicht, sobald vom Krieg gesprochen wird, irgendwelche Sätze wie »*War is hell*« einzuflechten. Auch die USA, die den Feldzug bekanntlich noch als legitimes politisches Mittel betrachten, strengen sich ungeheuer an, Krieg nicht wie Krieg aussehen zu lassen. Die Präsidenten John F. Kennedy, Lyndon B. Johnson und Richard Nixon haben den Vietnamkrieg immer nur als »Polizeiaktion« bezeichnet. Als Kennedy auf Kuba einmarschierte, versteckte er sich hinter kubanischen Exilanten, damit es nicht nach Krieg aussähe, sondern nach Revolution. Und für jemanden, der internationale Kompromisse so verachtet wie George W. Bush, hat er sich auffallend lange Mühe gegeben, die Billigung der UNO zu bekommen, bevor er im Irak einmarschiert ist.

»Heute misst man dem Leben insgesamt einen höheren Wert bei«, sagte Michael Byers, Politikwissenschaftler in Vancouver und Autor der Völkerrechtsgeschichte *Kriegsrecht*. »Und das nicht nur, wenn es um die eigenen Soldaten geht, sondern auch, was die Auswirkungen des Krieges auf die Menschen der Gegenseite betrifft. Das macht es den politischen Führern viel schwieriger.«

»Das sind nette Worte«, meinte ich, »aber haben wir wirklich Fortschritte gemacht? Ist das nicht eine schöne Illusion?«

»Das ist überhaupt keine Illusion«, sagte er.

»Und Bush?«

»Es gibt immer wieder Menschen, die Machtpositionen erlangen, obwohl ihre Vorstellung von Richtig und Falsch von der Überzeugung der Allgemeinheit abweicht«, betonte er. »Das passiert jeder Generation. Die neokonservative Truppe, die das Weiße Haus eingenommen hat, ist doch eine ziemliche Anomalie. Schauen Sie sich die Reaktion auf den Irakkrieg an. Und zwar nicht nur die vielen Demonstrationen oder die Nationen, die sich aus dem Krieg herausgehalten haben. Auch jetzt eilt kaum ein Land den USA zu Hilfe. Und die amerikanische Reaktion auf die Bilder aus Abu Ghureib erwuchs nicht aus Sorge um das Leben der eigenen Soldaten, sondern aus der Sorge um die Opfer. Die Amerikaner hatten das Gefühl, ihre Ehre verloren zu haben. In den 1920ern hätten solche Fotos keine vergleichbare Wirkung gehabt.«

Nach dem Zweiten Weltkrieg überschlugen sich die Siegermächte geradezu, Strukturen zu finden, die einen Dritten Weltkrieg verhindern könnten. »Die Charta der Vereinten Nationen in San Francisco war das wichtigste Ergebnis dieses Strebens. Dazu gehörte auch die Festigung und der Ausbau der Regeln, die die Behandlung von Zivilisten und Soldaten im Krieg betrafen. Auch die UN-Konvention gegen Völkermord wäre ohne den Holocaust nie zustande gekommen. Die Erklärung der Menschenrechte natürlich auch nicht.«

Im Herzen dieses Wandels liegt Deutschland.

Es mag Ihnen nur logisch erscheinen, dass Ihr Land heute anders ist als zu Hitlers Zeiten. Es mag Ihnen auf die Nerven gehen, Ihr Leben lang in der Schule, in den Feuilletons, im Kino, im Fernsehen, in den Buchhandlungen und von den Politkern zu sämtlichen passenden Jahrestagen von Vergangenheitsbewältigung zu lesen und zu hören. Wir Amerikaner jedoch schauen auf Deutschland und sehen etwas Ungewöhnliches, sogar Einzigartiges. Und wenn wir lange genug schauen, fällt uns irgendwann auch der Grund ein: Hoppla, wir haben ja nicht mal ein Wort für »Vergangenheitsbewältigung«.

»Nach dem Dritten Reich hier erfolgreich eine lebendige und tolerante Demokratie zu etablieren – das war so eine tief greifende Umwälzung, dass man seitdem herauszufinden versucht, wie das eigentlich funktionieren konnte«, so Byers. »Nehmen Sie zum Beispiel die Leute, die sich heute bemühen, in Afghanistan eine Demokratie zu entwickeln – das Erste, was sie taten, war, den Fall Deutschland zu untersuchen. Das

Nachkriegsdeutschland ist eine wichtige Geschichtslektion für jeden Entscheidungsträger. Donald Rumsfeld hätte ein paar Jahre in Berlin deutsche Geschichte studieren sollen.«

Die deutsche Vergangenheitsbewältigung ist unter internationalen Politikwissenschaftlern so berühmt, dass Harald Welzer, Sozialpsychologe und Autor des Buches *Opa war kein Nazi*, sie »Deutschlands letzten echten Exportschlager« nennt. »Unsere Historiker werden nach Südafrika und Osteuropa eingeladen«, meinte er, »um Vorträge darüber zu halten, wie man nach extremen Gewaltverbrechen eine Transformation einleiten kann.«

Ich fragte ihn, wie Vergangenheitsbewältigung überhaupt funktioniert, und er nannte ein paar Punkte: »Zuerst braucht es die juristische und historische Aufarbeitung. Man muss feststellen, was tatsächlich passiert ist. Es ist wichtig, dass das quer durch die Bevölkerung auf Akzeptanz stößt. Dazu gehört auch der Vorgang der Anerkennung des Leidens der Opfer, am allerbesten eine Begegnung zwischen Opfern und Tätern.«

In Deutschland haben die Alliierten den Stein zwar ins Rollen gebracht, doch ihre manchmal plumpe und schnell beendete »Entnazifizierung« erklärt nicht den radikalen Wandel, den dieses Land seitdem durchgemacht hat.

Heute hat man langsam die Nase voll von den penetranten Alt-68ern, weil man inzwischen erkannt hat, dass auch sie die Weisheit nicht mit Löffeln gefressen haben. Doch ohne sie ist die Vergangenheitsbewältigung undenkbar. Nur dank ihnen hat Deutschland eine Vorreiterrolle in unseren Moralvorstellungen.

»Die Beharrlichkeit, mit der eine kleine Gruppe darauf insistiert hat, dass man sich damit beschäftigt, gehört zu den Erfolgsgeschichten der BRD«, so Welzer. »Die Vergangenheitsbewältigung spielte eine große Rolle dabei, Demokratie möglich zu machen. In so gut wie allen Staaten gibt es Omnipotenzphantasien und Selbstüberschätzung, aber durch die

Erfahrung mit dem Dritten Reich existiert diese ungebrochene Selbstbeweihräucherung bei uns nicht mehr. Das hat dazu beigetragen, dass wir so demokratisch sind und auch international als Verhandlungspartner politisch auf Augenhöhe stehen.«

Wenn Sie glauben, dieses Verhalten sei doch normal, blicken Sie mal kurz über den eigenen Tellerrand. Andere Länder haben nichts Derartiges vorzuweisen. Frankreich wird höchst ungern daran erinnert, dass ein nicht geringer Teil seiner Politiker mit Hitler kollaboriert hat. Der japanische Ministerpräsident Junichiro Koizumi besucht trotz internationaler Proteste wiederholt den berüchtigten Yasukuni-Schrein, in dem Kriegsverbrecher beerdigt sind. Die Türkei stellte den Romanautor Orhan Pamuk, der das historisch bewiesene Massaker an über einer Million Armeniern öffentlich angesprochen hatte, wegen »öffentlicher Herabsetzung des Türkentums« gar vor Gericht. In Österreich und in der DDR hielt man solch eine Vergangenheitsbewältigung wie in Westdeutschland gar nicht erst für notwendig.

Und was uns Amerikaner betrifft, wir pflegen zwar eine Populärkultur, die vor kritischen Filmen und Büchern über die Sklaverei und den Genozid an den Indianern nur so strotzt, aber auf höchster politischer Ebene würde unser Präsident für solche Vorfälle der Vergangenheit nie so deutlich »um Vergebung« bitten, wie es der damalige Bundeskanzler Schröder 2005 für die 27 Millionen Opfer tat, die die Sowjetunion im Zweiten Weltkrieg beklagte.

Eine der publikumswirksamsten Aktionen unserer Popkultur zugunsten der Indianer fand bei der Oscar-Verleihung 1972 statt, als der Oscar-Gewinner Marlon Brando die Indianerin Sacheen Littlefeather an seiner Stelle schickte, um vor laufender Kamera Anklage gegen das amerikanische Volk wegen der Behandlung der *Native Americans* zu erheben. Einerseits war es ein bewegender Moment, und ich bin stolz darauf. Andererseits handelt es sich hier um eine PR-Aktion eines extrem privilegierten Stars in einer glitzerndernden Oscar-Nacht.

Vergleichen Sie das mal mit Beate Klarsfeld.

Als sie auf dem CDU-Parteitag 1968 den damaligen Bundeskanzler Kurt Georg Kiesinger einen Nazi nannte und ihm eine Ohrfeige verpasste, war dies der große Auftakt zur Vergangenheitsbewältigung. Es war mehr als eine Ohrfeige. Es war eine Strafe mit Stil. Eine Ohrfeige ist gesellschaftlich akzeptiert. Eine Frau darf das. Damit bleibt sie anständig und feminin. Eine Ohrfeige ist kein Ei und kein Farbbeutel. Beschimpfungen darf ein Mann ignorieren oder gar zurückgeben; eine Ohrfeige muss er anerkennen. Frau Klarsfeld hat nicht geschrien und mit den Füßen gestampft, sie hat sich nicht wie ein Punk oder ein Kind aufgeführt. Nein, sie blieb ganz adrette Frau der 60er, eine Vertreterin des Volkes mit einer klaren, eindringlichen Botschaft. Die Ohrfeige hat etwas Biederes an sich, was zu Deutschland passte – es passte umso besser zu Kiesinger und beschämte ihn. Beate Klarsfeld war kein Star, und weder der CDU-Parteitag noch ihre Verhaftung boten einen derartigen Rahmen wie die Oscar-Verleihung. Es war deutsche Demokratie von unten, und es war deutsche Demokratie mit unendlicher Klasse. Ich muss zugeben, auch wenn ich Brando verehre: auf eure Klarsfeld bin ich schon ein wenig eifersüchtig.

Obwohl sowohl Bill Clinton als auch George W. Bush die senegalesische Insel Île de Gorée besucht haben, von wo aus zahlreiche Handelsschiffe Afrika mit ihrer lebenden Fracht verließen, und dort von der Schande der Sklaverei sprachen, hat keiner unserer Präsidenten sich je für die Sklaverei entschuldigt. (Entschuldigungen können einen in den Vereinigten Staaten teuer zu stehen kommen.) Das Höchste, was ein Präsident je in der Art zustande brachte, geschah 1993, als Bill Clinton sich für die Annektierung Hawaiis hundert Jahre zuvor entschuldigte. Das sah folgendermaßen aus: Über mehrere Jahre wurde der passende Wortlaut diskutiert, bis endlich eine Liste mit 37 Fehlern zustande kam, die man damals gemacht hatte, gefolgt von einer Entschuldigung in fünf Punkten und gekrönt von einer – raten Sie mal – Haftungsausschlussklausel. Das Papier wurde sodann vom Kongress angenommen und von Clinton feierlich unterzeichnet.

Zum Vergleich: Bei einer Kranzniederlegung vor dem Ehrenmal des jüdischen Ghettos in Warschau fiel Willy Brandt 1970 spontan auf die Knie. Das war mehr als ein offizieller Staatsakt. Was man da erlebte, war eine Ehrlichkeit der Gefühle, die die Welt nicht erwartet hatte. Bei einem deutschen Politiker rechnet man schon damit, dass die Vergangenheit ihn peinigt, aber nicht, dass er es zeigt.

Schon immer hat mich die Frage fasziniert, wie man mit der Schuld des Holocaust aufwachsen kann. In Amerika bekommen wir von früh bis spät eingetrichtert: »Dein Land ist toll, du bist einzigartig, du schaffst alles, was du dir vornimmst.« In Deutschland hört man stattdessen: »Dein Land und deine Vorfahren waren die schlimmsten Verbrecher aller Zeiten, und du darfst das nie vergessen.« Das muss Folgen haben.

Doch ich übersehe dabei, dass Hitler nicht der Einzige ist, von dem sie hören. Sie hören auch von Ernst Reuter, Kurt Schumacher, Konrad Adenauer, Brandt und Klarsfeld und den Alt-68ern, die wussten, wie man damit umgeht, wie man aus einer überwältigenden Schuld ein Leben herausschnitzt, das lebenswert, tolerant und schön ist.

Nur einmal habe ich einen Deutschen das Wort »stolz« in Bezug auf sein eigenes Land sagen hören, ohne zu zögern, ohne lange nachzudenken, ohne die tiefere Bedeutung des Wortes zu erforschen.

Es war eine Freundin von mir. Wir hatten uns zum Frühstück verabredet, und bevor ich kam, hatte sie einen Blick in die Zeitung geworfen. Als ich mich setzte, fragte sie mich: »Hast du gehört, was in Potsdam am Wochenende passiert ist?« Hm, Potsdam ... barocke Schlösser, nicht ganz renovierte Plattenbauten ... Neo-Nazis ... Dabei funkelten ihre Augen. Es war etwas Gutes passiert.

»Nein«, sagte ich, »keine Ahnung.«

»Eine Neo-Nazi-Demo.«

«Willst du mir erklären, warum du so begeistert klingst?«

»Diesmal war es anders«, sagte sie.

Es war November 2005. 200 Neo-Nazis waren per Zug zu einer Demo angereist und hatten sich am Bahnhof Charlottenhof versammelt, um weiter bis zum Hauptbahnhof zu marschieren. Doch als sie ankamen, sahen sie sich konfrontiert mit 2000 Gegendemonstranten. Es war keine richtige Demonstration, die Leute hingen einfach rum und sperrten damit alle möglichen Marschrouten ab. Sie standen, die Neo-Nazis standen, vier Stunden gingen vorbei und keiner bewegte sich. Endlich stiegen die Neo-Nazis wieder in den Zug, um es in einer anderen Stadt zu probieren.

Sie lächelte, und in ihrer Stimme lag eine Art Erleichterung, als ob die Geschichte ein kleines Zeichen war, dass eine ständige, lebenslange Sorge eines Tages von ihr abfallen könnte, und sie sagte: »Du hast gefragt, worauf die Deutschen stolz sind. Darauf bin ich stolz.«

**Die Deutschen lassen sich unheimlich viel
einfallen, um nicht aufzufallen**

Ich habe eine große Schwester, die jedes Jahr nach Paris fliegt. Sie liebt Paris. Sie hat eine Wohnung in Paris. Sie schreibt Off-Broadway-Musicals über Paris.

Berlin hat sie nie gesehen. Und das, obwohl sie hier einen recht netten und gastfreundlichen kleinen Bruder hat. Es ist nicht möglich, sie hierhin zu bewegen. Wenn ich sie sehen will, muss ich nach Paris fahren.

Eigentlich hat sie nichts gegen Deutschland. Wenn ich sie frage, warum sie nie kommt, kann sie mir keinen Grund nennen. Sie flüchtet sich in Ausreden: es gibt so viel zu tun in Paris, sie hat kaum Zeit etc. Aber wir wissen beide, dass das nicht stimmt.

Die Wahrheit höre ich erst, wenn sie von Paris schwärmt: Diese tolle Stadt, die Stadt der Lichter, die Stadt der Liebe, *c'est la vie* und *savoir vivre*, die Bar, wo Hemingway verkehrte, die Straßencafés, wo die Philosophen ihre Zigaretten rauchten, der Arc de Triomphe, der Louvre, *vive la France*!

»Aber du bist überhaupt nicht wie sie«, halte ich dagegen. »Du passt nicht in ihre Haute Couture, du läufst den ganzen Tag in Turnschuhen rum und siehst aus wie eine amerikanische Touristin. Die Franzosen sind eingebildet und unfreundlich. Was heißt hier Stadt der Liebe? Du bist verheiratet und prüde. Du verherrlichst das Leben à la Boheme, aber in Wahrheit bist du ein *American workaholic*. Du könntest nie den ganzen Tag in einem Straßencafé herumsitzen, und wenn deine Existenz davon abhinge.«

»Aber die Atmosphäre ...«

»Die Atmosphäre? Du meinst coole Bars, Straßencafés, Lifestyle? Ganz Berlin ist arbeitslos, jeder ist ein Boheme!«

»Ja, das kann schon sein«, sagt sie dann, »Ich bin auch gespannt. Nächstes Jahr. Aber diese Franzosen! Man muss sie einfach lieben!«

Die Wahrheit ist ganz einfach: wenn meine Schwester an Deutschland denkt, wird ihr schlagartig langweilig.

Mit diesem familiären Hintergrund wird es keinen wundern, dass ich seit meiner Ankunft viele Mußestunden damit verbracht habe – statt etwas Nützliches wie Schuhplatteln oder Schunkeln zu lernen –, darüber nachzugrübeln, woher Deutschland bloß dieses Image hat.

Nicht, weil dieses Land von Hause aus so ist. Sondern, weil seine Einwohner es so haben wollen. Sie lassen ihre Intellektuellen hart dafür schuften, ihre Politiker erbarmungslos durchgreifen, ihre Richter unerbittlich darüber wachen. Sie tun alles, was in ihren Kräften steht, um die Illusion der stinklangweiligen, totalen Normalität ihres Landes aufrechtzuerhalten. Was ist Deutschland? Deutschland ist ein Elefant in den engen Gängen eines Porzellanladens. Schaut man ihn an, bewegt er sich nicht. Sobald er wieder allein ist, geht bei der kleinsten Bewegung regalweise Geschirr zu Bruch. Dabei hat er hat nur den innigen, dringenden Wunsch, dass um ihn herum nichts passiert.

Am 19. 9. 2003 wurde mir das schlagartig bewusst. Der Tagesthemensprecher Ulrich Wickert setzte sich auf Arte gerade mit einem französischen Kollegen zu einer Diskussion zusammen. Der Sender hatte eben den englischen Spielfilm *Projekt Machtwechsel* ausgestrahlt, der von einer Gruppe junger linker Politiker handelt, die in der Ära Tony Blair nach oben streben, aber von der harten, nicht ganz »linken« politischen Realität der Blair'schen Ära enttäuscht werden. In einer bestimmten Szene wurde eine junge Dame, die sich den moralisch zweifelhaften Regierungsplänen gegenüber querstellt, von einem Blairtreuen Kollegen brutal über eine hohe Balustrade gedrückt und ihr wird gedroht, es werde ihr etwas passieren, wenn sie nicht mitmacht.

Arte glaubte offenbar, dieser Film über die dunkle Seite der Demokratie würde das politische Vertrauen der Zuschauer dermaßen erschüttern, dass man ihn nicht ohne Diskussion präsentieren konnte. Der Moderator der Runde gab sich dann auch schockiert über das, was er gesehen hatte: »menschenverachtende Mafiamethoden« seien das gewesen. Dann die bange Frage: Kann so etwas auch bei uns passieren?

Was dann geschah, werde ich nie vergessen. Wickert antwortete mit der ihm eigenen Autorität: »Nein, das gäbe es bei uns nicht, das wäre skandalös.«

Einen Moment lang verspürte ich das warme, vertraute Gefühl, in einem Land zu leben, wo die Welt noch in Ordnung ist. Hier kann niemand handgreiflich werden, hier wird kaum die Stimme erhoben. Nicht in Deutschland, dem Land des runden Tisches, wo Politiker den ganzen Tag lang offen und ehrlich miteinander diskutieren und Entscheidungen erst nach Erreichen eines absoluten Konsenses getroffen werden.

Plötzlich schreckte ich auf, wie aus einer Hypnose, und fragte mich: Hoppla, von welchem Land spricht er denn? Doch nicht von dem Land, wo schwarze Koffer voller Geld auftauchen und unter dem nebulösen Beschwören eines Ehrenwortes wieder verschwinden; wo ein Ministerpräsident nach einer Rufmord-Affäre in einer Schweizer Badewanne tot aufgefunden wird; wo ein CDU/CSU-Fraktionsvorsitzender von einem Waffenschieber Schmiergeld annehmen und dennoch fünf Jahre später das Amt des Bundesinnenministers antreten kann; wo ein Außenminister nach einer wilden Jugend in einer linksradikalen Gruppe und Straßenschlachten mit der Polizei die Außenpolitik des mächtigsten Landes Europas bestimmen kann?

Macht alles nichts. Solange das in ganz normalen politischen Bahnen verläuft und keine menschenverachtende Mafiamethoden angewandt werden, kann man nichts Außergewöhnliches daran finden. Ich stelle mir vor, man trifft sich in der FDP-Zentrale, um in langen Diskussionen ganz sachlich alle Seiten und alle möglichen Lösungen des Problems der vermeintlichen antisemitischen Schriften des ehemaligen Parteivorsitzenden zu beleuchten, bis man am Ende ganz demokratisch abstimmt: Ja, der Herr Exparteivorsitzende möge bitte aus einem Flugzeug springen und dabei vergessen, den Fallschirm zu öffnen. Nein, dem waren sicher keine Schreiereien vorausgegangen, geschweige denn Drohungen. Es war alles ganz normal. Nur in anderen Ländern tun und sagen Politiker hinter den Kulissen Dinge, die sie vor den Kulissen nicht zugeben würden.

Täusche ich mich oder haben sich die deutschen Medien miteinander verschworen, nicht nur nicht nur die Weltöffentlichkeit grob hinters Licht zu führen, sondern auch den eigenen Leuten vor dem Fernseher eine scheinbar dringendst ersehnte Langeweile zu verschaffen? Was ist deutsche Demokratie? Eine Hand voll gut gekleideter, wortgewandter Menschen, die jeden Sonntagabend in einer Polit-Talkshow ein Thema zu Tode diskutieren und dabei der Welt vorgaukeln, sie würden tatsächlich verstehen, was sie tun. Was ist die deutsche Gesellschaft? Eine mittelständische Phantasiewelt, der man jeden Sonntagabend im *Tatort* begegnet, in der ein überschaubares Verbrechen von einem guten Menschen mit Herz und Verstand gelöst wird, ohne dass man dabei auch nur eine Sekunde lang den Eindruck hat, es gibt Probleme da draußen, die nicht lösbar sind. Mich erinnert das irgendwie an den Film *Goodbye Lenin*, in dem zwei Kinder ihrer aus dem Koma erwachten Mutter nach der Wende noch monatelang vormachen, sie lebe unverändert in der guten alten DDR, aus Angst, ihr schwaches Herz würde die Wahrheit nicht verkraften. Die deutsche Wirklichkeit ist noch radikaler: Ein ganzes Land gaukelt sich selbst pausenlos eine heile Welt vor.

Was ist Deutschland? Ein Journalist und ein Tatortautor auf der Suche nach neuen Stoffen stehen zusammen am Platz der Republik vor dem Reichstag in Berlin und diskutieren darüber, was für erschreckende Zustände inzwischen im Ausland herrschen, und während sich hinter ihnen ein selbstmordwilliger Hobbyflieger aus heiterem Himmel kopfüber in den Rasen rammt und in Flammen aufgeht, dreht sich der eine zum anderen und sagt: »Gott sei Dank ist bei uns hier noch alles normal.«

Die Deutschen, eines der mächtigsten Völker auf Erden und Motor Europas, wollen sich selbst um jeden Preis als bieder, harmlos und angepasst sehen:

»Och, es gibt Ausnahmen, aber im Grunde sind wir ein Volk ohne Höhen und Tiefen, hier passiert nichts Besonderes, es bringt nichts, sich mit uns zu beschäftigen, gehen Sie weg.«

Es ist nicht nur die Obrigkeit, die offiziell an einem Deutschlandbild bastelt, das dem Lande nicht entspricht. Jeder Einwohner leistet auch privat fleißig seinen Beitrag.

Der Berliner Berufsjugendliche, der sein Leben vorwiegend in Clubs und Cafés verbringt, identifiziert die Deutschen als: »Sie können nichts als arbeiten, was anderes kennen sie nicht, so beschränkt sind sie! Wenn man ihnen ihre Arbeit mal wegnimmt, werden sie verrückt, weil die Wahrheit ist, sie können nicht eine Minute lang mit sich selbst und ihren eigenen Gedanken allein sein, das ertragen sie nicht.«

Der Aussteiger-Gastwirt auf Mallorca, der es trotz grauer Strähnen im Pferdeschwanz immer noch regelmäßig schafft, abenteuerlustige Sekretärinnen im Urlaub abzuschleppen, ist überzeugt: »Die Deutschen sind obrigkeitsgläubig, sie sind es immer noch, sie hören das nicht gern, sie versuchen das zu vertuschen, aber wenn ihnen morgen einer sagt, sie sollen marschieren, dann marschieren sie auch.«

Die rundliche, blasse Salsatänzerin mit klimpernden Ohrringen behauptet: »Die Deutschen haben kein authentisches Körpergefühl, die tanzen, als hätten sie einen Spazierstock verschluckt. Die können sich nicht gehenlassen, sie sind einfach zu verkopft, verstehen sie?«

Wenn ich sagen müsste, wie der typische Deutsche ist, würde ich antworten: Er ist der, der seine eigene Lieblingseigenschaft herauspickt, dann das genaue Gegenteil davon

aussucht und diese Eigenschaft allen anderen Deutschen an-
dichtet.

Über die Jahre habe ich ein paar dieser deutschen Selbst-
stereotypen sammeln können, die nichts, aber auch gar nichts
mit der Realität zu tun haben.

Hier, zum Schluss, meine Lieblingsauswahl:

Die Top 10 Missverständnisse
der Deutschen über sich selbst

10. Unsere deutsche Sprache ist plump und unmelodiös

Man vergleiche:

It's not my cup of tea (britisches Englisch).
It's not my thing (amerikanisches Englisch).
«Das ist nicht mein Bier.«

Das finde ich geradezu distinguriert. Noch besser ist nur »Jein«, oder diese bizarre Formulierung »... oder auch nicht«, die nur die Deutschen erfinden konnten – wie zum Beispiel in: »Morgen komme ich rechtzeitig zur Arbeit, Chef, Sie können sich darauf verlassen ... oder auch nicht.« Solange Heinz Erhardt einen Spruch bringen kann wie: »Besser eine Stumme im Bett als eine Taube auf dem Dach« – ein Satz, der auf Englisch partout nicht funktioniert –, kann diese Sprache so plump nicht sein.

Diesem Missverständnis sind einige Kids verfallen, die englischsprachige Popmusik der deutschsprachigen vorziehen, oder auch hiesige Popsänger, die ihre Entscheidung, auf Englisch zu singen, verteidigen wollten. Ich habe jedoch den Eindruck, es geht ihnen dabei weniger um die Sprache als um die Poptradition insgesamt, die in der angloamerikanischen Welt gefeiert und respektiert wird, in Deutschland aber nicht. Junge Popsänger fliehen nicht die deutsche Zunge, sondern den deutschen Zwang zur Hochkultur.

Ich gebe zu, als ich auf Hawaii begann, Deutsch zu lernen, hatte ich eine ähnliche Befürchtung: dass ich mich immer anhören würde, als ob ich Wurstsalat im Mund hätte, sobald ich etwas sage. Erst, als ich Deutsch hörte, wie eine schöne Frau es spricht, war auch ich von der Schönheit der Sprache überzeugt. Derart sensibilisiert, erkannte ich bald, dass Deutsch einiges kann, was andere Sprachen nicht können.

Zum Beispiel: Doch. Ein solches Wort kann man im Englischen lange suchen. In uralter deutscher Tradition ist es ein negatives Wort, das sich wie ein positives Wort anhört. »Doch« steht für die deutsche Lust an Widerspruch, Einspruch, Gerechtigkeitssinn, Sturheit und Verweigerung. Es beendet gnadenlos die kompliziertesten Argumentationsketten. Es ist die rhetorische Wunderwaffe, die immer noch funktioniert; es ist ein Joker, den man jederzeit ausspielen kann.

»Das letzte Stück Kuchen willst du nicht, oder?«

»Doch, doch.«

Um etwas auszudrücken wie: »Ich will dir nicht zu nahe treten, doch irgendwie riechst du komisch«, müssen wir Englischsprachigen gleich den viel platteren, negativen Begriff »aber« benutzen. »Doch« gibt dem Deutschen die Möglichkeit, »aber« zu sagen, ohne gleich negativ zu klingen. Und: »doch« ist effizient. Wenn sich zwei kleine Amerikaner streiten, benötigen sie mindestens zwei Worte, um Widerspruch auszudrücken:

»You're a monkey's butt!«

»I am not!«

»You are too!«

»Am not!«

»Are too!«

»Am not!«

»Are too!«

»Am not!«

»Are too!«

»Am not!«

»Are too!«

«Am not!«

Nicht so deutsche Kinder. Anstatt »Are too!« brauchen sie nur ein Wort:

»Du bist ein Affenarsch!«
»Bin ich nicht!«
»Doch!«
»Nein!«
»Doch!«
»Nein!«
»Doch!«
»Nein!«
»Doch!«
»Nein!«
»Doch!«

Das nenne ich Eleganz.

9. Wir Deutschen haben keinen Hang zur Selbstdarstellung

Oh doch, und wie.

Man nehme die deutsche Mode: schlicht, einfach, dezent. Boss ist nicht Versace; Joop ist nicht Vivienne Westwood. Die deutsche Mode ist effizient und funktional, Hauptsache praktisch, ein Stil, der überhaupt nicht auffällt. Zumindest glauben das die Deutschen. Sie könnten sich ebenso gut ein Schild auf die Stirn kleben: »Ich bin deutsch, bitte beachten Sie mich nicht.« Woran erkennt man einen Amerikaner überall auf der Welt? An seinem Basecap und den Turnschuhen. Einen Japaner erkennt man an den anderen Japanern, die um ihn herumstehen. Die Deutschen erkennt man an der geometrisch-korrekten Brille.

Irgendwo in der Fachschule für Brillendesign gibt es ein *Großes Buch der geometrischen Formen*, das ziemlich zerfleddert aussieht und immer wieder ersetzt werden muss, weil die Studenten es mitnehmen, wenn sie die Schule verlassen und ihre eigene Werkstatt aufmachen. Die Deutschen haben ein begrenztes Stilempfinden, dafür ein umso intensiveres Gespür für Symmetrie. Ihre typische Brille ist quadratisch, rechteckig, dreieckig, trapezoid, pyramidal, kegelförmig, parallelogrammatisch, rautenförmig, tangentenviereckig, ellipsenförmig, hyperbelförmig, zykloid, pentagrammartig, Sierpinski-dreieckig, Mandelbrot-mengenartig, helixförmig, ellipsoidal, hyperboloidal, oloidal, alles, außer in Form einer geodätischen Kuppel, logarithmischen Spirale, Hyperebene oder gar eines Möbiusbands, aber ich bin sicher, irgendein Avantgarde-Brillenkünstler findet einen Weg, auch diese Formen den Deutschen auf die Nase zu setzen.

Ray Ban-Gestelle sind vielleicht cooler, aber lächerlich simpel dagegen, und statisch gesehen keine Herausforderung. Der Deutsche verlangt keine Brillenmode; er will Mathematik auf der Nase tragen.

8. Wir Deutschen sind einfach unfreundlich

Platzieren Sie sich mal an einer lebhaften Straßenecke mit einem Stadtplan und zählen Sie die Leute, die vorbeigehen, ohne ihre Hilfe anzubieten. Sie werden nicht weit kommen. Allerdings werden Sie auch nicht weit kommen, wenn Sie erstmal ihren detaillierten Wegbeschreibungen gelauscht haben. Die Deutschen bemühen sich zwar aufrichtig, hilfreich zu sein; und tief im Herzen wären sie gerne noch viel freundlicher als sie bereits sind. Doch immer wieder scheitert es an der Ausführung. Die traurige Wahrheit ist, der Deutsche ist für Freundlichkeit intellektuell einfach überqualifiziert.

Auf Reisen kam ich einmal durch Regensburg und hatte ein Problem. Sie müssen wissen, unterwegs lebte ich in meinem VW-Bus, und da kommt logischerweise irgendwann der Punkt, wo man unbedingt einen Waschsalon aufsuchen muss, und in Regensburg kam dieser Punkt an einem Sonntag. Der Plan für den Nachmittag war: die ganze Wäsche in zwei Seesäcke stopfen und erstmal zu einem Postbankautomaten zu marschieren, wo ich Geld ziehen konnte, dann zum Waschsalon. Allerdings wusste ich nicht, wo die nächste Postfiliale war. Zufällig ging ich an der Touristenzentrale vorbei, die aufhatte. Sie würden es wissen. Ich ging rein und fragte den netten Mann hinter der Theke, wo denn die Hauptpost sei.

Freundlich und hilfreich erklärte er: »Sie müssen wissen, in Deutschland hat die Post sonntags zu.«

»Das weiß ich«, sagte ich. »Ich wollte nur wissen, wie ich denn zu der Hauptpost komme.« Irgendwie wollte ich in der Öffentlichkeit nicht zugeben, dass ich nur den Bankautomaten suchte.

»Müssen Sie Briefmarken kaufen? Wir haben auch welche.«

»Nein, das muss ich nicht«, sagte ich. »Ich will nur wissen, wo die Hauptpost ist.«

»Wollen Sie Postkarten wegschicken? Wir können das auch gern für Sie erledigen – sie gehen morgen früh raus.«

»Das ist sehr nett von Ihnen«, sagte ich. »ich wollte aber nur wissen, wo die Hauptpost ist.«

Ich bin heute noch der Überzeugung, dass ich in dem Moment auch die Information bekommen hätte, die ich suchte, wenn nicht in dem Moment sein Chef vorbeigekommen wäre.«

»Worum geht es hier?«, fragte der freundliche Chef. »Kann ich helfen?«

»Er will wissen, wo die Hauptpost ist«, informierte ihn der Mitarbeiter.

Da wandte sich der Chef mir zu: »Wollen Sie Briefmarken kaufen? Wir können Ihnen auch gern Briefmarken verkaufen.«

7. Wir Deutschen sind sachlich, logisch und rational bis zur Gefühlskälte

Es ist immer wieder ein bizarres Schauspiel, wenn die Deutschen irgendwo ein Zeichen von schleichender Irrationalität wittern und sich daran erinnern, dass sie total dagegen sind. Als der Kinderfilm *Die Chroniken von Narnia,* der auf einem beliebten britischen Buch basiert, hier ins Kino kam, waren die Zeitungen voller panischer Berichte über die unterschwellige christliche Botschaft des Films. Ich dachte schon, hoffentlich verrät den Deutschen keiner, dass dieselbe Botschaft auch in einer ganzen Menge Kirchen verbreitet wird, sonst regen sie sich mehr auf, als gut für sie ist.

Diese Germanen können sich leisten, das Irrationale am Christentum zu verteufeln, weil sie das Überleben des Glaubens längst abgesichert haben, indem sie ihn mit ihrem Staat verschmolzen. Seither heißt die Devise: »Der Glaube ist gut aufgehoben, nun brauchen wir nicht mehr in die Kirche zu gehen. Ab jetzt: Sonntags Frühschoppen!« Während Amerika das Prinzip der Trennung von Kirche und Staat streng befolgt, sind die beiden in Deutschland noch genauso eng miteinander verbandelt wie im Mittelalter: Religionsunterricht, Kirchensteuer und natürlich die geistlichen Vertreter in den TV-Sendern und Kulturfördergremien, das gibt's in keinem anderen Land. Mit der Kirche sicher im Staat verankert, kann der Deutsche sich getrost der Illusion hingeben, Glaube und ähnliche irrationale Ausrutscher passierten immer nur woanders.

Und an dieser Illusion rüttelt gar nichts. Der spektakulärste Exorzismus unserer Zeit – der Fall Anneliese Michels – fand nicht in den USA oder in Italien, sondern in Deutschland statt. Das ist natürlich eine Ausnahme.

Esoterik gilt als amerikanisches Phänomen, aber schon im 19. Jahrhundert brachte Arthur Schopenhauer den Buddhismus nach Deutschland. Das ist vergessen.

Überall in Deutschland gibt es die exotischsten Freikirchen und sektenartigen Gruppen, von den Baptisten über die Mennoniten bis hin zu der Kirche des Nazareners, ganz zu schweigen von den Neuheiden, der Gralsbewegung und der Gemeinde »Universelles Leben« der deutschen Prophetin Gabriele Wittek. Das wird nicht bemerkt.

Richtig ist, dass die Deutschen unter der irrationalen Einbildung leiden, sie wären völlig rational. Richtig ist auch, dass sie ihre irrationalen Gefühle, Sehnsüchte und Ängste in rationalen Forderungen ausdrücken: *Nie wieder Krieg! Soziale Gerechtigkeit! Intelligente Politiker, die in der der Lage sind, die richtige Entscheidungen zu treffen! Mülltrennung ist die Antwort!* Haha! Ich teile Ihnen ein schockierendes Geheimnis mit: Die Deutschen sind das utopischste und emotionalste Volk, das ich kenne.

6. Wir Deutschen bevorzugen unsere Kultur anspruchsvoll und hassen Kitsch. Wirklich!

Ein tragischer Irrtum, der hierzulande so verbreitet ist wie die Mär vom Weihnachtsmann, nur weniger glaubwürdig. Die deutsche Beziehung zu Kultur und Kitsch trägt deutliche Züge von Aberglauben. Wenn ich mit deutschen Freunden einen Hollywoodfilm besuche, können sie ihn erst genießen, sobald sie ein kleines Stoßgebet an den Gott der Kultur gerichtet haben, ähnlich wie wenn man auf Holz klopft: »Normalerweise mag ich nur anspruchsvolle Filme«, oder: »Das war aber auch ein Kitsch, oder?« Dann ist es wieder gut. Es ist eine Art Tischgebet: »Verzeih mir Gott, dass ich diesen wertlosen Hamburger verschlungen habe, du weißt, normalerweise esse ich nur deutsche Würstchen.« Und Gott verzeiht dir.

Schade, denn kaum ein Land auf Erden produziert so routiniert Kitsch wie Deutschland. In Amerika würden Fernsehereignisse wie *Heimatmelodie, Musikantenstadl* oder *Grand Prix der Volksmusik* nicht einen Tag lang überleben, und

Groschenhefte, von *Jerry Cotton* über *Lassiter* bis hin zum *Freundlichen Ärztehaus, Schlossroman* und *Heimatglocken*, wie sie in Deutschland noch Big Business sind, gibt es in Amerika seit den 50er Jahren nicht mehr.

Als Junge wurde ich von meinen Eltern einmal nach Washington State verfrachtet, wo diese aufgewachsen waren, und wir tourten an einigen Sehenswürdigkeiten aus deren Vergangenheit entlang. Ich aber hatte schon geahnt, wie spannend das werden würde, und fand im nächstbesten Drugstore einen billigen Sci-Fi-Roman. Es war ein zufälliger Griff – den Autor kannte ich nicht. Aber es war ein guter Griff. Seite für Seite war es sinnlos, saftig und ungeheuer spannend, und die ganze Fahrt über saß ich hinten und hob niemals meine Augen von den Seiten.

»Und das ist die High School, wo wir uns kennen gelernt haben. Eric, dahinten – siehst du alles?«

»Mh-hmm. Mh-hmm. Mh-hmm.«

Es war ein spannender Ausflug für mich. Ich habe zwar weder den Inhalt des Buches noch die Sehenswürdigkeiten behalten, habe aber nie vergessen, wie süchtig ich nach jeder Seite war. Weitere Bücher vom selben Autor fand ich nie wieder, aber den Namen des Helden habe ich bis heute behalten: *Perry Rhodan*. Wir Amis halten *Stars Wars* oder *Star Trek* für den Gipfel des Science-Fiction, aber in Wahrheit stammt die erfolgreichste Sci-Fi-Romanserie der Welt aus Deutschland: Es sind mehr als 2300 Perry-Rhodan-Romane erschienen, und obwohl die Reihe in den USA außer bei mir keinen Erfolg hatte, wird sie in einem halben Dutzend anderer Länder von Frankreich bis China verschlungen. Doch was mich wirklich faszinierte, war später im High School-Deutschkurs und in zufälligen Gesprächen mit deutschen Touristen zu entdecken, dass nicht mal die Deutschen selbst davon gehört hatten. Offenbar lief etwas in diesem Land, was selbst seinen Einwohnern verborgen blieb. Das machte mich ungeheuer neugierig.

Wer das echte Deutschland sehen will, sollte das Thomas-

Mann-Haus, die Berliner Philharmonie und das Deutsche Museum in München einmal beiseite lassen und sich in die Kultur jenseits der Touristenpfade stürzen. Es gibt sage und schreibe 6177 Museen in Deutschland, aber es sind nicht die großen offiziellen Sammlungen, die die wirklichen Leidenschaften der Deutschen verraten, sondern vielmehr die kleinen, privaten. Was für ein Typ ist das, der über 9000 Zinnfiguren sammelt und sie in der Zinnfigurenklause in Freiburg ausstellte? Sucht er vielleicht unbewusst nach seiner Kindheit? Warum sammelt ein Mann in Goslar über 500 Brautbecher? Sucht er vielleicht unbewusst nach einer Braut? Was sagt es über die Deutschen, dass einer von ihnen in Kyritz ein Lügenmuseum betreibt? Und die dringlichste Frage: Sind die vielen Modelleisenbahnmuseen überall im Land eigentlich mit der Deutschen Bahn erreichbar?

Mein Lieblingsmuseum aber ist das Holzwurmmuseum in Quedlinburg. Es besteht aus einem einzigen Zimmer, in dem einige Vitrinen stehen, mehr nicht. Doch hinter den Glasscheiben existiert eine bunte, gruselige Welt voller mikroskopischer Raubtierchen und gefräßiger Pilze, die wie diese nimmersatten Ungeheuer aus einem Sci-Fi-Film der 50er Jahre daherkommen. Auf Stecknadeln, in den Holzlöchern und auf der Rinde sind Hunderte von holzfressenden Käfern, Würmern, Motten, Ameisen und bunten Pilzen zu sehen. Der gemeine Hausschwamm, der echte Hausschwamm, der weiße Hausschwamm – jede Art von Hausschwamm, die Sie jemals sehen wollten, gibt es.

Das Museum wird vom Eigentümer einer Schädlingsbekämpfungsfirma betrieben. Christoph Silz, gebaut wie ein Fass mit einem kugelrunden Kopf, kräftigen Armen, voller Energie und mit verschmitztem Grinsen, ist ganz offensichtlich ein Mann, der die Leidenschaft kennt. Seit 25 Jahren sammelt er Holzwürmer mit allem Drum und Dran. »Ich habe sie Tag und Nacht beobachtet – in der Nacht mit der Taschenlampe«, erzählte er mir. »Die fressen nicht alles, was sie rausnagen. Manchmal nagen sie etwas raus, drehen sich um und verstopfen das Loch damit. Nachts, wenn es still ist, kann man sie hören.« Er knipste mit den Fingernägeln – *klick klick klick* – und schaute mir tief in die Augen, als ob er mich herausfordern wollte, das Geräusch zu erkennen. Er war das Geräusch von Holzwürmern bei der Mahlzeit: *Klick klick klick.*

Ich folgte ihm hinunter in den Keller, wo er seine Experimente macht: hier herrschten tropische Temperaturen. Auf einer Reihe von Tischen standen jede Menge Glasbehälter voller Termiten. Ich kenne Termiten aus Hawaii. Ich mag sie nicht. Sie sind überall, sie fressen alles, man kann sie nicht stoppen, sie sind eine Plage. Termiten sind seine jüngste Leidenschaft.

»Ich denke, es ist zu kalt in Deutschland für Termiten?«, wunderte ich mich.

»Das stimmt, es gibt keine Termiten hier«, gab er zu. »Ich erforsche sie mit Hilfe einer brasilianischen Schädlingsbekämpfungsfirma. Die Brasilianer haben mir gesagt, Deutschland erwärmt sich, wir werden hier bald Termiten haben.« Er zeigte mit seine Termiteneier. Er grinste mich an wie ein Detektiv, der etwas zu lange an einem Fall arbeitet. »Die Frage, die zu beantworten ist«, er kratzte sich am Kopf, »ist: Wie kommt man an die Königin? Wie schaltet man sie aus? Das ist die Frage. Ich habe da ein paar Ideen.«

5. Wir sind obrigkeitshörig, spießbürgerlich und angepasst

Die Deutschen horchen in sich hinein, fragen sich, wer sie eigentlich sind, betrachten ihre Vororte mit dem zentimetergenau gemähten Rasen, den blendend weißen Wohnzimmergardinen und überversicherten Familien, und folgern daraus, dass sie ein Volk kleinbürgerlicher Spießer sein müssen. Es fällt ihnen im Traum nicht ein, dass es vielleicht einen guten Grund gibt, warum sie so viel Zeit damit verbringen, ihre Welt in Schach zu halten: weil sie das pure Chaos in ihrer

Seele tragen und Angst haben, es könnte irgendwie entwischen. Wenn der Durchschnittsdeutsche wüsste, was seine durchschnittsdeutschen Kumpels so alles unter den Teppich kehren, er wäre überrascht.

Wer den Menschen hinter der spießbürgerlichen Maske sehen möchte, muss einen Blick auf das Spektrum der hiesigen Betrüger, Hochstapler, Einbrecher und sonstigen Gesetzesbrecher werfen. Nicht im Befolgen von Recht und Ordnung tobt sich die deutsche Seele aus, sondern im Übertreten derselben.

Deutschland, deine Verbrecher: Warum hat sie es getan, die Frau, die ihre verstorbene Großmutter auf dem Rücksitz ihres Autos durch das halbe Land fuhr? Hat hier das Sozialsystem versagt, oder fuhr sie einfach nicht gern alleine Auto? Was ist das für ein Mann, der in fremde Wohnungen einbrach, nicht um irgendwas zu klauen, sondern um Sex-Hotlines anzurufen? War seine Tat ein Schrei nach Hilfe aus urbaner Vereinsamung, oder hatte er das Motto »Geiz ist geil« einfach falsch verstanden? Was ist deutscher: Kapitalismuskritik oder Kaufhauserpressung? Als herauskam, dass eine Mutter über viele Jahre immer wieder ihre Neugeborenen tötete und nicht einmal der Ehemann es wahrnahm, dachte ich: Das nenne ich Freiraum in der Ehe. Nur im konsensfreudigen Deutschland findet ein Kannibale sein Opfer per Internet, und es ist auch noch willig, gefressen zu werden. Eine solche Rechtssituation hat es bisher nirgends gegeben. Wäre er ein Hollywoodstar wie O. J. Simpson, hätte er sich die besten Anwälte geholt, und sie hätten vor Gericht bewiesen, dass überhaupt kein Verbrechen begangen wurde.

Deutsche haben bekanntlich keinen Humor, dafür umso mehr Ironie. Hierzulande steckt in jedem Gesetzesbrecher ein verhinderter Satiriker. Ein Elektronikbastler nennt sich Dagobert und foppt die Polizei mit den kompliziertesten Tricks, die ihm nur einfallen. Ist nicht die erste Regel des Verbrechens die Einfachheit? Wer glaubt, Dagobert ging es wirklich ums das Geld, versteht nicht, was es bedeutet, Spaß an der Arbeit zu haben. Ein Kunstfälscher erfindet ausgerechnet Hitlers Tagebücher. *Hitlers Tagebücher!* Hätte er nicht ganz so hoch gegriffen, wäre er heute noch reich und nicht vorbestraft. Herr Kujau, ein Tagebuch von Hitlers Mutter hätte es doch auch getan! Doch dieser Versuchung konnte er einfach nicht widerstehen.

Die Deutschen behaupten, so angepasst zu sein, dass sie unter ihrem Obrigkeitsglauben leiden, doch sobald sie die Chance bekommen, mutieren sie zu Anarchisten im Geiste – wie Karl Friedrich Hieronymus Freiherr von Münchhausen, der Lügenbaron; wie Friedrich Wilhelm Voigt, der Hauptmann von Köpenick; oder Gert Postel, der als gelernter Postbote mit gefälschten Papieren zweimal eine Anstellung als Arzt in einem Krankenhaus erschwindelte.

Ja, all diese Leute gab es tatsächlich. Sie stehen in der stolzen deutschen Tradition, die ganze Gesellschaft an der Nase herumzuführen, ein Sport, den niemand mit so viel schierem Ehrgeiz betrieben hat wie Tile Kolup, der von mir sehr verehrte Vater der deutschen Hochstapelei. Zwischen 1284 und 1285 gab er sich in Neuss und in Wetzlar für Friedrich II., den Kaiser des Heiligen Römischen Reiches, aus. Er hielt Hof, empfing Bischöfe und Fürsten und stellte Urkunden aus. Obwohl Friedrich schon 34 Jahre tot war. Der richtige König musste die beiden Städte belagern, um an Kolup heranzukommen. Ich hoffe, dass Kaiser Tile ein oder zwei schneidige Sprüche auf den Lippen hatte, bevor er sich den Flammen des Scheiterhaufens ergab. Zum Beispiel: *»Be who you want to be!«* Oder war es doch nur: »Hätte jemand im Publikum bitte ein Glas Wasser?«

4. Wir leben nur, um zu arbeiten

Workaholics? Die Deutschen? Sind Sie sich überhaupt bewusst, dass sie mit 55,5 Milliarden Euro jährlich mehr Geld für Urlaub ausgeben als jedes andere Land?

In Amerika kann es einen Politiker das Amt kosten, sollte er mit einem Bier in der Hand abgelichtet werden. Ein deutscher Politiker, der nicht in der Öffentlichkeit trinkt, kann das Vertrauen seines Volkes nie gewinnen. Wir Amis hegen so viel Misstrauen gegenüber den versteckten Gefahren des ausschweifenden Genusses, dass wir jahrelang versucht haben, Alkohol komplett zu verbieten, und würden das am liebsten heute wieder tun. Was macht Deutschland, die Gefahren des Alkoholismus zu bannen? Sie erfinden den Biergarten, den Karneval und den Frühschoppen. Frühschoppen! Ein gesellschaftlich akzeptiertes Ritual, um sich frühmorgens besaufen zu können! Doch damit nicht genug. Die Deutschen haben so viel Angst, einer ihrer Bürger könnte irgendwie aus Versehen irgendein Genussmittel nicht auskosten, dass sie auch noch das Kiffen zulassen mussten. So geschehen im berühmten »Haschisch-Urteil« des Bundesverfassungsgerichtes von 1994. Technisch gesehen war das zwar noch kein »Recht auf Rausch«, aber faktisch war der Besitz einer mäßigen Menge Haschisch zum eigenen Verzehr nicht mehr strafbar. Es fehlt nur noch die Genusspolizei, die unbelehrbare Workaholics aus dem Verkehr zieht: »Mein Herr, Ihr Genussspegel ist gefährlich gesunken, Sie werden zur Gefahr für Ihre Mitmenschen. Bitte steigen Sie aus dem Auto und ab in die nächste Kneipe, sonst muss ich Ihren Laptop konfiszieren.«

Was den lockeren Umgang mit Sex betrifft, können nicht mal die Franzosen mit den Deutschen konkurrieren. Hier wird geradezu erwartet, dass man früh lernt, die Freuden der Liebe zu genießen, und noch die biedersten Frauenmagazine haben dazu regelmäßig nützliche Tipps parat. Schon in der Sprache zeigt sich diese Freizügigkeit. Nur ein Volk, das einen äußerst pragmatischen Umgang mit Sex pflegt, kann einen so gewollt-trockenen Begriff wie »Intimschmuck« erfinden. Auch wir Amerikaner kennen das Wort *lust*, aber wir begegnen ihm mit dem nötigen Respekt. *Lust* ist 100 Prozent sexuell, ein dunkles, anzügliches, gefährliches Wort. Auch im Deutschen strotzt das Wort nur so vor sexueller

Kraft – siehe »Lüstern«, »Lüstling« und »Lustmord« –, doch das beeindruckt die Deutschen überhaupt nicht. Kein Problem, ein solches Wort in die Hände von Kindern zu geben: »Hast du Lust auf Eis?« Als ich noch Deutsch lernte, bin ich jedes Mal bei solchen Fragen rot angelaufen. Bei uns zu Hause wird Sex in erster Linie als Gefahr wahrgenommen, was man daran erkennt, dass in unseren Teenie-Horrorfilmen am Ende nur die Jungfrauen überleben. In Amerika hat man Angst vor Sex, in Deutschland hat man Angst vor nicht genug Sex.

Vermutlich haben die Hawaiianer mehr Begriffe für »Wind« in ihrem Vokabular als jedes andere Volk. Doch das ist gar nichts gegen die deutschen Synonyme für Sex. Nach 200 Worten im Duden unter »Koitus« bzw. »Koitieren« habe ich aufgehört zu zählen. Ich konnte mich nicht mehr konzentrieren. Um alles noch schlimmer zu machen, habe ich »Sex« auch noch auf Englisch nachgeschlagen. Mein Verdacht, dass das Deutsche reicher an derben Ausdrücken ist, bestätigte sich. Wir im Englischen verharmlosen Sex auffallend oft mit blutleeren Begriffen wie *to pleasure* (»jemandem Vergnügen bereiten«) oder *lovemaking* (»Liebe machen«). Nicht so die Deutschen. Offiziell benutzen sie zwar ab und zu Verniedlichungen wie »die schönste Sache der Welt«, doch sonst tun sie ihr Bestes, dieses hechelnde, schweißtreibende, grunzende Geschehen womöglich noch animalischer darzustellen, als es schon ist, indem sie Begriffe von anderen körperlichen Aktivitäten darauf übertragen: man pudert, stößt und fummelt, man bumst und schnallt auf. Gern werden deftige Worte aus dem Feinschmeckerbereich verwendet: Man vernascht, man schiebt den Braten in die Röhre, ganz zu schweigen von diversen Sprüchen von wegen Würstchen und Senftöpfchen. Mit einer gewissen Ironie greift dieses fleißige Volk auch gern auf die Arbeitswelt zurück: Man nagelt, hackt, bürstet und bohnert, besorgt es wie den Wochenendeinkauf, man putzt die Sichel. Übertroffen wird das nur vom akustischen Bereich, und zwar gleich mit Begriffen aus der – wie könnte es anders sein? – Hochkultur: Man geigt, orgelt, und ab und zu genießt man sogar ein gepflegtes Flötenkonzert.

Als Amerikaner, dem schon früh im Leben der Wert von Leistung und Streben beigebracht wurde, muss ich schon sagen: wie die Deutschen es geschafft haben, Genuss und Vergnügen nicht nur zu einem nationalen Wert zu erheben, sondern auch noch im Gesetz zu verankern, finde ich ungemein imponierend.

3. Wir haben keine Helden – und haben so was auch gar nicht nötig

Bei uns zu Hause haben wir ein altes Sprichwort: Zeig mir deine Helden und ich sage dir, wer du bist. Also ging ich nach Xanten, dem putzigen Geburtsort Siegfrieds am Rhein und fragte in diversen Straßencafés nach deutschen Helden. Stets kam wie aus der Pistole geschossen: »Wir haben keine Helden! Nicht Siegfried, und sonst auch niemanden!«

Es war erstaunlich, wie geschlossen sie antworteten.

»Was ist mit Schumacher? Beckenbauer? Genscher? Roy Black?«

»Eine junge Nation wie Amerika braucht Helden als Vorbilder, wir Deutschen nicht«, sagte mir einer ganz ohne falsche Bescheidenheit. Ein anderer meinte: »Das hat was mit dem Dritten Reich zu tun.«

Beinahe wäre ich drauf reingefallen. Keine Helden! Kommt schon, ihr seid auch nur Menschen. Ich verließ Xanten ein wenig niedergeschlagen und ließ bei ein paar Freunden in Köln meinen Frust ab. Sie dachten nach. »Nein, ich kann dir auch nicht helfen«, sagte die eine. »Wir Deutsche haben wirklich keine Helden.« Dann lachte sie. »Außer Winnetou natürlich.«

»Moment mal. Wer?«

»Das meine ich jetzt aber nur als Witz«, beeilte sie sich zu versichern.

Das hörte ich nicht zum ersten Mal. Auch in Xanten hieß es immer wieder: »Es gibt natürlich Winnetou. Ha ha! Das meine ich aber jetzt nicht ernst. Schreiben Sie das nicht mit.«

Dabei meinen sie es sehr wohl ernst. Sie können es bloß nicht zugeben: ihn ernst zu nehmen würde bedeuten, öffentlich das deutsche Kitschverbot zu übertreten. Doch man braucht einem durchschnittlichen deutschen Mann nur ein Bier zu spendieren und dann nach dem Tod Winnetous zu fragen, und schon fallen die Hemmungen, wenn nicht gar Tränen.

Interessanterweise wurden Siegfried und Winnetou beide im 19. Jahrhundert zu Ikonen – zu einer Zeit, als Deutschland mal wieder nach seiner Identität suchte. Das ist kein Zufall. Für mich repräsentieren sie zwei Seiten der deutschen Seele, die zueinander in Konkurrenz stehen. Gegensätzlicher geht es kaum.

Siegfried wurde zuerst von den Romantikern hervorgekramt, kurz nachdem Napoleon ungehindert durch Deutschland marschiert ist, und zuletzt von den Nazis verehrt. Er verkörperte alles, was die Deutschen sein wollten und nicht waren: unverwundbar. Die Geschichte, wie sie den Glauben an Siegfried verloren haben, steckt voller Ironie. Noch im Ersten Weltkrieg träumte man den Siegfried-Traum, und als man an der französischen Front eine beinahe 160 Kilometer lange Verteidigungslinie errichtete, nannte man deren Abschnitte nach den Nibelungen. Der wichtigste Abschnitt hieß die Siegfriedstellung, weil man meinte, da kämen die Alliierten garantiert nicht durch. Klar! Natürlich war es genau da, wo die Alliierten durchkamen, und sie sangen dabei auch noch ein sarkastisches Lied mit dem Titel *Siegfried Line*. Im Zweiten Weltkrieg war Hitler schlau genug, seinen neuen, diesmal-aber-wirklich-unverwundbaren »Westwall« an der französischen Front nicht nach Siegfried zu nennen. Dafür taten ihm die Briten den Gefallen, die neue Linie ganz nostalgisch in eine zweite Siegfried-Line umzutaufen, als sie darüber marschierten. Diese sentimentalen Engländer!

Wäre Winnetou statt Siegfried über den Drachen gestolpert, lebte das Untier noch heute. Winnetou hätte als Erstes die Gegend gründlich ausgekundschaftet, dann versucht, den Drachen und dessen Platz in der Nahrungskette zu verstehen. Nicht auszudenken, was der Tod eines Drachen für Folgen für die Umwelt haben könnte! Wäre dagegen Siegfried in Karl Mays Wildem Westen losgelassen worden, wären die Büffel viel früher ausgestorben: »Von wegen heiliger weißer Büffel – diese Häute sind Gold wert!« Wo Siegfried Schwertfetischist war, ist Winnetous erste Waffe der Verstand. Winnetou arbeitet am liebsten mit Tricks; Siegfried geht immer mit Gewalt vor. Der Cowboyspruch, den die Deutschen so verachten: »Zuerst schießen, dann Fragen stellen«, passt haargenau auf Siegfried. Bevor Winnetou schießt, fragt er einen langen Moralkodex ab.

Siegfried passt heute als Held viel besser zu Amerika. Er weiß, er ist stärker als die anderen. Er handelt, ohne vorher alles auszudiskutieren. Und er ist einfach nicht der Typ zum Grübeln. Ich kann ihn mir gut als Brad Pitt vorstellen, mit einem unschlagbaren Lächeln und so einer Art zu schlendern, die einfach sexy ist. Es stimmt schon, dass wir Amerikaner seit Vietnam – und neuerdings wieder seit Irak – wissen, dass jeder Siegfried irgendwo eine verletzliche Stelle hat. Ist uns aber egal. Dieses Lächeln ist einfach sexy.

Winnetou ist Fährtenleser. Er entdeckt Zeichen, interpretiert seine Umwelt, sucht die Wahrheit hinter der Wahrheit. Er ist also ein Intellektueller. Winnetou hat eine tiefe Spiritualität, aber keinen Humor. Moralisch ist er stets im Recht. Muss ich noch erwähnen, dass die Deutschen sich auch so sehen? Doch am wichtigsten: Winnetou ist – auch wenn er kämpft, wenn er kämpfen muss – Pazifist. Als in der Verfilmung des ersten Bandes die Weißen grobes Unrecht an den Apachen üben, protestiert Winnetou: »Das Recht ist bei uns.« Doch sein deutscher Ziehvater, ein flüchtiger Revolutionär der 1848er Generation, genannt Klekih-petra, »der Schulmeister«, hält ihn zurück: »Mehr als das Recht bedeutet der Friede.« Winnetou befolgt den Rat, ja, er verinnerlicht ihn. (»Ach, wenn nur George W. Bush das als Kind gesehen hätte«, denkt sich der Deutsche bei dieser Szene.)

Schade nur, dass Siegfried zum offiziellen deutschen Kulturerbe gehört und Winnetou nicht. Siegfried wurde durch Wagner in die Hochkultur eingeführt und wird heute noch in der Schule gelehrt; Winnetou ist verdammt, sein Leben in den Niederungen der Unterhaltungs- und Kitschkultur zu fristen. Es ist eine Ironie nach meinem Herzen. Diesmal haben sich die Kulturfetischisten wirklich in die Ecke manövriert: Endlich haben die Deutschen einen Helden, auf den sie stolz sein können, und Goethe und Schiller verbieten es ihnen.

2. Wir sind langweilig

Die Einzige, die Deutschland noch besser verkörpert als Winnetou, ist Madonna. Und ich meine nicht die Mutter des Herrn, sondern die Mutter des Pop.

Es gibt wenige Popstars, die eine so abwechslungsreiche Karriere hatten wie Madonna. Mit beinahe jeder neuen Platte hat sie ihr Image gewechselt und mit jeder zweiten ihren Musikstil. Bei ihrer Experimentierfreudigkeit machte sie auch Dummheiten – mein Gott, dieser Goldzahn! –, doch jeder wusste: Bei der nächsten Platte ist sie sowieso eine andere. Heute ist ihr nur eine Bezeichnung wirklich gerecht: *Mother of Reinvention* (Mutter des Sich-Neu-Erfindens).

Der Begriff *reinvention* oder *reinventing yourself* gilt als ur-amerikanisch. In Europa, ganz zu schweigen von Deutschland, geht so was nicht. Und doch ist *reinvention* genau der Begriff, mit dem ich Deutschland beschreiben würde. Kaum ein anderes Land hat sich so oft neu erfunden wie dieses. Frankreich hatte seine Revolution, aber das war's auch schon. Amerikas einzige große *reinvention* war ganz zu Anfang, als wir innerhalb weniger Jahre von der Kolonie zur Demokratie wechselten. Der Bürgerkrieg und die Befreiung der Sklaven

85 Jahre später war nur die Korrektur: unsere Demokratie war nicht von Anfang an komplett. Man sagt, erst nach dem Zweiten Weltkrieg wurden wir zu einer Supermacht, doch bereits unseren Gründungsvätern war klar, dass ein Land dieser Größe irgendwann eine Weltmacht werden würde, und unsere stete Landnahme und unsere Immigrationspolitik dienten diesem Ziel.

Deutschland dagegen hat sich fortwährend geändert, und nicht nur in seinem Grenzverlauf. Grenzen sind äußerlich. Das Land änderte sich ganz tief im Kern. Es begann als lose Ansammlung germanischer Stämme und wurde von Karl dem Großen in die Form eines Zentralstaates gehämmert. Darauf brach es auseinander und fand im Mittelalter zu einer Föderation von Herzogtümern. Nach dem Dreißigjährigen Krieg zersplitterte es zu einem bunten Haufen Kleinstaaten, der später zu einem kurzlebigen Patchwork-Kaiserreich zusammengeklebt wurde. Als das zerfiel, probierte man eine unreife Demokratie, dann eine bizarre Diktatur, dann gleich Kapitalismus und Kommunismus parallel, bevor man endlich zu einer funktionierenden Demokratie fand. Aus diesem Grund kann ich gut verstehen, dass den Deutschen der Kopf schwirrt, dass sie ständig nach einer Identität suchen, die stets von dem abweicht, was sie gerade haben; dass sie sich immer wieder einbilden, es gab mal irgendwo ein Paradies, wo der Deutsche wirklich deutsch war. Für mich als Außenseiter ist es leicht, zu erkennen, was da passiert. Wer sind die Deutschen? Sie sind die Madonna der Geschichte, die echte *Mother of Reinvention*.

Dieser Prozess ist lange nicht vorbei. Heute befinden sie sich noch immer mittendrin. Das ganze Gefasel von Amerikanisierung und Aussterben, die amüsante Diskussion um Patriotismus, der Jubel bei Schröders »Nein« an die USA – all das sind Zeichen dafür, dass man sich mal wieder neu erfindet. Zu Mauerzeiten musste sich das Land entscheiden, ob es zum Osten oder zum Westen gehörte, ob es kapitalistisch oder sozialistisch bleiben wollte (solche Entscheidungen haben wir Amerikaner nie treffen müssen). Seit der Wiedervereinigung wird die Neuorientierung nur intensiver: »Wie groß, wie stark, wie einflussreich sind wir wirklich?« (Wir stellen diese Frage nicht – es wird uns schon an den Reaktionen der anderen klar.) »Welche Aufgaben wollen wir international übernehmen, welche nicht?« (Uns Amis wurde schon vor 200 Jahren ein Sendungsbewusstsein in den Schoß gelegt, falls Sie das noch nicht bemerkt haben.) An welcher Weltmacht orientieren wir uns? An Amerika oder Europa? Sind wir ein Tätervolk oder ein Opfervolk? Ahmen wir die Moralvorstellungen anderer Länder nach oder entwickeln wir anhand der Vergangenheitsbewältigung unsere eigene weiter?

Es ist eben diese *reinvention*, die Deutschland für mich so faszinierend macht. Hier habe ich das Gefühl, Zeuge eines großen Wandels zu sein, der gerade stattfindet, und den ich und auch sonst niemand wirklich verstehen wird, bis man ihn irgendwann in hundert Jahren rückblickend begreift. Dieses Land, das sich stets neu erfindet, ist für mich so faszinierend wie es die Galápagos-Inseln für Darwin waren – voller einmaliger und unerklärlicher Vorkommnisse, die alles infrage stellen, was man bisher verstanden hat.

Nur seine kuriosen Bewohner finden das alles hier völlig normal.

1. Niemand, der einmal auf Hawaii lebte, würde je in Deutschland leben wollen

Wenn die Leute mich fragen, warum ich so lange hier geblieben bin, obwohl das Wetter mit dem auf Hawaii nicht konkurrieren kann, obwohl ich mich nicht als Deutscher fühle und mich nach meiner Heimat, meine Sprache, meiner Mentalität sehne, kann ich ihnen schlecht erklären, dass Hawaii mich gelangweilt hat.

Deutschland langweilt mich nicht. Es bringt mich in Bedrängnis.

Ist Amerika im Recht oder in Unrecht? Ist George W. Bush des Teufels oder ein ganz normaler demokratisch gewählter Präsident, den rund die Hälfte der Amerikaner zufällig liebt und die andere Hälfte zufällig hasst? Ist Amerika ein imperialistisches Monstrum oder hat es tatsächlich als einzig verbleibende Supermacht die Verantwortung, Demokratie in der Welt zu verbreiten? Was ist die richtige Einstellung gegenüber Krieg – deutscher Pazifismus oder anti-chamberlain'sche Präventivmaßnahmen?

Wer eine Weile hier lebt, wird mit einer anderen Sicht konfrontiert, bis er sein Selbstverständnis infrage stellt. Und nicht nur, was solche Kleinigkeiten wie Krieg und Frieden angeht. Auch über große Themen hat Deutschland mich gezwungen nachzudenken.

Ich werde nie vergessen, wie schwer es für mich als Amerikaner war, gewisse Landessitten zu erlernen. Niemand kann so lange völlig ziellos in Cafés herumsitzen wie die Deutschen und dabei aussehen, als sei man der Einzige auf der Welt, der sein Leben im Griff hat. Bei uns nennt man so etwas *hanging out* – herumhängen – und ist etwas, was die Kiffer und Loser tun. Hier nennt man sie Intellektuelle, und genau das war es, was ich immer sein wollte. Um mein ultimatives Ziel zu erreichen, musste ich also lernen, in einem Café herumzusitzen.

Das sieht leichter aus, als es ist. Was tun, wenn der Kaffee alle ist? Noch ein Kaffee? Wenn man die interessanten Artikel in der Zeitung ausgelesen hat, was dann? Die uninteressanten? Die Kellnerin machte mich nervös. Diese Art, die sie hatte, mich zu ignorieren, mich nicht zu fragen, was ich noch will, wenn der zweite Kaffee alle war. Warum tat sie das? In Amerika kommt die Kellnerin sofort mit der Rechnung. Ich schaute mich um: Sie war nicht böse auf mich, tuschelte nicht hinter meinem Rücken, warf mir keine bösen Blicke zu. Im Gegenteil, sie rechnete damit, dass sie sich die nächste Stunde oder so nicht um mich zu kümmern brauchte. Mir trat der Schweiß auf die Stirn. Es war richtig Arbeit, dazusitzen.

Wer aus den USA hierher kommt, muss einen Gang runterschalten. Auf einmal werden die Essenszeiten länger, man muss sich die vielen Zeiten merken, in denen die Leute nicht im Büro anzutreffen sind – das zweite Frühstück, die Mittagspause und natürlich nach 16 Uhr. Dann diese ominösen Einladungen zum Frühstück. Damit ist nicht Kaffee und Toast gemeint und dann ab zur Arbeit. Ich musste langsam lernen, den Rest des Tages abzuschreiben. Auch die Abende in den Kneipen sind länger. »Auf ein Bier« heißt nicht »ein Bier«, und »ein Absacker« kann wirklich alles heißen.

In Amerika reden wir ständig von Erfolg, von harter Arbeit und Beharrlichkeit. Meine Kindheit steckte voller solcher Sprüche: »Du schaffst es!« »Gib nie auf!« »Erfolg wartet an der nächsten Ecke!« Uns wird beigebracht, unsere Ziele aufzuschreiben, auch die Zwischenstufen, die wir brauchen, diese zu erreichen, und das Datum, bis wann man sie erreicht haben will. Der schwäbische Spruch »Schaffe, schaffe, Häusle baue« ist verschlafen dagegen. Während wir der Welt Ausdrücke wie *fast food*, *drive thru* und *coffee to go* geschenkt haben, erfinden die Deutschen Begriffe wie »Gemütlichkeit« und »Feierabend«. Der Germane verteufelt die Spaßgesellschaft, doch die Feierabendgesellschaft ist ihm heilig. Wir Amis haben nicht mal ein Wort für »Feierabend«.

Wer diesem Land begegnet, fragt sich, ob man durch Streben am Ende das Leben erfasst oder verpasst hat.

Deutschland bringt mich in Bedrängnis. Und das finde ich gar nicht so schlecht.

Anhang

Die Hawaiianer

Ein kurzes hawaiianisches Glossar

Aloha: Wörtlich »Liebe«; wird zur Begrüßung oder Verabschiedung benutzt und ist das herzlichste und schönste Wort der hawaiianischen Sprache. Das »h« in der dritten Silbe wird ausgesprochen.

Chow Mein: Auf Hawaii beliebtes chinesisch-amerikanisches Gericht mit gebratenen Nudeln, Fleisch, Sellerie, Bambussprossen, Wasserkastanien und Sojasoße.

Crack Seed: Überbegriff für eine erstaunlich breite Palette an getrockneten, eingelegten Früchten von chinesischen Pflaumen bis hin zu Mango und Zitronenschalen. Manche Sorten werden vor der Verarbeitung zerdrückt, damit die Kerne zersplittern und zusätzlichen Geschmack abgeben. *Crack Seed* geht auf eine alte chinesische Tradition getrockneter Früchte als Reiseproviant zurück, die jedoch auf Hawaii seit dem 19. Jahrhundert als Snack ein Eigenleben entwickelt haben. (Siehe *Li Hing Mui*.)

Hula: Im alten Hawaii noch ein Tanz, der nur den Männern vorbehalten war, wird *hula* heute von Männern und Frauen getanzt. Ähnlich wie der bayerische Schuhplattler und andere Volkstänze wird der *hula* einerseits von Profi-Entertainern für zahlende Touristen aufgeführt, aber auch in historischen Vereinen *(hula schools)* gelehrt und gepflegt. Der alljährlich zu Ostern stattfindende *hula*-Wettbewerb Merrie Monarch Festival zieht *hula*-Gruppen aus dem gesamten pazifischen Raum an, auch aus Japan.

Lei: Blumenkranz. In Deutschland werden sie gern als Kitsch abgetan, doch auf Hawaii sind sie aufrichtige Bekundungen von Zuneigung und werden als solche sehr ernst genommen. *Leis* werden mit einer Vielzahl von Blumen und auf verschiedenste Weise gebunden, manche Techniken werden fast als Kunst betrachtet. *Leis* werden meist zu wichtigen Anlässen wie Hochzeiten verschenkt oder wenn geliebte Menschen die Inseln besuchen beziehungsweise verlassen. Das Tragen von *leis* folgt einem komplizierten Regelwerk. Zu öffentlichen oder freudigen Anlässen werden meist bunte, bauschige *leis* verschenkt, zum Beispiel aus Plumerias, Nelken oder Orchideen. Wer dermaßen mit *leis* überhäuft wird, dass er kaum noch über den Wall aus Blumen hinausblicken kann, ist besonders beliebt – oder Politiker. *Leis* für formelle Anlässe sind dezenter: Sie bestehen zum Beispiel aus *pikake*-Blüten, *maile*-Blättern und *kukui*-Nüssen und werden ähnlich getragen wie Frack und Fliege.

Li Hing Mui: Getrocknete und eingelegte chinesische Pflaumen, im Geschmack fast lakritzartig und oft so salzig, dass sich der Mund zusammenzieht. Die bekannteste und beliebteste Sorte der *Crack Seed* (siehe oben). Für Deutsche ungenießbar.

Mele: Althawaiianischer Sprechgesang, mit dem die Hawaiianer ihre Geschichte, ihre Legenden und ihre Dichtung vortrugen und weitergaben. *Mele oli* wird bei offiziellen Anlässen vorgetragen; *mele hula* ist mit Musik und oft mit *hula*-Tanz verbunden.

Portuguese Sweet Bread (**Pao Doce**): Ein gelbes, süßes, sehr luftiges, kuchenartiges Brot aus Hefeteig, zum Teil mit Kartoffelmehl, das im 19. Jahrhundert von portugiesischen Immigranten gebacken wurde und heute zu den beliebtesten Snacks Hawaiis gehört.

Plate Lunch: Eigentlich nichts anderes als ein Mittagessen auf einem Teller zum Mitnehmen, doch auf Hawaii eine Institution. Seinen Ursprung hat es im japanischen *Bento* (Essen in der Schachtel). Der Hawaiianische Plate Lunch zeichnet sich durch die Abwesenheit von Gemüse aus. Mit dabei sind immer zwei Kellen Reis, eine Kelle Nudeln oder

Kartoffelsalat und eine Portion Fleisch. Sehr beliebt bei Arbeitern.

Poi: Eines der wichtigsten Nahrungsmittel der alten Hawaiianer und noch heute auf den Inseln beliebt. *Poi* ist eine klebrige, geschmacklose graue Masse, die mit den Fingern gegessen wird und bei den meisten Menschen, die nicht daran gewöhnt sind, spontanen Ekel hervorruft. Heute wird es als gesunde Kohlenhydratquelle und Diäthilfe (als Kartoffelersatz) wiederentdeckt. *Poi* wird aus der Taro-Wurzel hergestellt, die in den Tropen weit verbreitet ist.

Slack-Key-Gitarre: Eine sehr ruhige, sanfte hawaiianische Gitarrentradition, bei der die Saiten gelockert werden. Für westliche Hörer gewöhnungsbedürftig, weil die hawaiianischen Melodien sehr zurückgenommen sind und eher an den Rhythmus der Wellen erinnern als an Popmusik, die man aus dem Radio kennt.

Steel-Gitarre: Eine weitere hawaiianische Gitarrentradition, bei der ein Stück Metall auf die Saiten am Gitarrenhals gepresst wird, um einen metallenen Klang zu erzeugen (die Saiten selbst sind nicht aus Stahl). Diese hawaiianische Erfindung wurde in den 1930ern und -40ern von der Countrymusik aufgegriffen.

Vaqueros: Spanische und mexikanische Cowboys, die im 19. Jahrhundert von König Kamehameha III. nach Hawaii eingeladen wurden, um den einheimischen Cowboys (›*paniolos*‹) bei den schnell wachsenden Viehherden zu helfen.

Zippy's: Beliebte Kette von Familienrestaurants, die alles anbieten, was man »Hawaiianisch« nennen könnte, nämlich Variationen von Gerichten aus China, Japan, den Philippinen, Korea, Portugal und aus Hawaii selbst, einschließlich *Saimin, Char Siu, Manapua, Portuguese Sausage, Malasadas* und *Sweet Bread, Kalua Pig, Lau Lau Pork, Banana-Loaf-*Brot und *Poi.*

Fünf Deutsch-Hawaiianer, die man kennen sollte

Heinrich Zimmerman: Er war dabei, als Captain James Cook im Jahre 1778 Hawaii entdeckte, und schaffte es, seine Reisetagebücher drei Jahre vor ihm zu veröffentlichen. Nachdem seine *Reise um die Welt mit Captain Cook* allseits große Beachtung fand, bat die britische Admiralität den deutschen Verlag darum, das Buch vom Markt zu nehmen, damit es nicht in Konkurrenz zu Cooks (noch nicht erschienenem) Bericht treten könne, was dann auch geschah.

Adelbert von Chamisso: 1815 besuchte der französisch-deutsche Naturforscher, Entdecker, Weltreisende und Dichter Hawaii mit einem russischen Schiff auf der Suche nach der legendären Nordwestpassage. Obwohl nur kurz auf den Inseln, verfasste von Chamisso eine der ersten hawaiianischen Grammatiken und berichtete auch als Erster von Reis auf den Inseln – ein »Gras«, das er selbst noch nicht kannte.

Anton Georg Scheffer: 1815 tat sich der berüchtigte Scheffer mit Kaumualii, dem letzten König der Insel Kauai, zusammen und versuchte, die Insel Hawaii zu erobern, bis es König Kamehameha gelang, den lästigen Kerl zu vertreiben.

Wilhelm Hillebrand: Als Arzt gründete Hillebrand das Krankenhaus Queen's Hospital; als Botaniker entdeckte er 250 neue Arten von hawaiianischen Pflanzen. Die hawaiianische Begonienart Hillebrandia wurde nach ihm benannt. 1881 half er einer Gruppe von 124 deutschen Einwanderern nach Honolulu. Noch heute trifft man auf den Inseln ethnische Hawaiianer mit deutschen Namen wie zum Beispiel die bekannte *mele*-Sängerin Emily Kau'i-o-Makaweli-onalani-o-ka-Mano-o-ka-lani-po-Kukahiwa Zuttermeister.

Heinrich Berger: Kapitän Berger aus Potsdam dirigierte die Royal Hawaiian Band 43 Jahre lang und beeinflusste maßgeblich die hawaiianische Blasmusiktradition. Hawaiis letzte Königin Liliuokalani nannte ihn *The Father of Hawaiian Music*. Die Royal Hawaiian Band gibt heute noch fast täglich Konzerte zu öffentlichen Anlässen im Kapi'olani Park.

Diese Begriffe werden unverändert auf Niihau verwendet und wurden mit freundlicher Genehmigung des Verlages Mutual Publishing, Honolulu, aus dem Buch *Niihau – The Traditions of an Hawaiian Island* (1989) von Rerioterai Tava und Moses K. Keale Sr. übernommen:

Kamakani, Makani: der Wind im Allgemeinen.
Kona: starker, meist heftiger Südwestwind, von Regen begleitet, auch bekannt als ...
Konaelua: der Wind mit den zwei Gesichtern.
Konahea: der kalte Südwind von Kaula.
Konalani: leichter Südwind.
Naulu: sanfter, freundlicher Wind aus dem Norden, auch...
Wind der Könige: wenn er weht, verkehren die Kanus zwischen den Inseln Niihau und Kauai.
Moae: nordöstlicher Passatwind.
Mikioi: ein starker, böiger Wind aus Lehua, tritt normalerweise nachmittags auf.
Koolau: ärgerlicher Windstoß, der die Wellen aufwühlt.
Kiu: ein ziemlich kalter, ausdauernder Wind.
Kiu-Koolau: frische Nordwestbrise.
Kiu-Kalalau: sehr kalter Sturmwind von Kalalau, der unruhige See bringt.
Kiu-Mana: der kühle Wind von Mana.
Kiu-Puukapele: der Wind von Puukapele.
Kiu-Lokuloku: Sturm.
Kiu-Lehua: eisiger Nordostwind. Da er aus den Winden Lehua und Kiu zusammengesetzt ist, ist er wirklich verdammt kalt.
Kiu-Pekekeu: angenehm erfrischende, leichte Brise.
Kiu-Peapea: ein Seitenwind, der nur Unglück bringt wie Krieg und andere Unannehmlichkeiten.
Kiu-Kulepe: Seewind, der Kanus zum Kentern bringen kann.
Aoa: kräftiger Wind aus Hanapepe, sehr beliebt bei den Nii-

hauanern, da er regen Bootsverkehr zwischen den Inseln ermöglicht.

Aoalaenihi: ein Nordwestwind, der Regen bringt. Auch bekannt als...

Alii: der leise Wind.

Lehua: Wind aus Lehua. Ähnlich wie der Naulu, jedoch mit leicht bewegter See.

Inuwai: Seebrise, die das Land austrocknet.

Unulau: nordöstlicher Passatwind, von Regen begleitet. Auch erwähnt im Zusammenhang mit der mystischen schwimmenden Insel Unulani.

Wiliahui: wilder, ungezähmter Wirbelwind, der sich zum Hurrikan auswachsen kann.

Papaainuwai: ein sanfter Wind, der die Segelboote von Kauai nach Niihau bringt. Manchmal von feinem Sprühregen begleitet.

Paa a la: wie der Papaainuwai, jedoch von Sonne begleitet.

Puaia: leichte Brise über dem Meer, die das Wasser kräuselt.

Aeloa: kräftiger Passatwind von der Insel Kauai.

Leialoha: der zärtliche Wind.

Laaakaa: Bedeutung unbekannt.

Die Politiker

Die E-Mail-Anfrage:

Sehr geehrte Frau/Herr ...,

ich bin amerikanischer Journalist in Berlin und schreibe ein Buch für den Fischer Verlag über Deutschland aus der Sicht eines Amerikaners. Im Buch gibt es ein Kapitel über Einstellungen zur deutschen Kultur; dafür will ich die Einstellungen der aktuellen Parteien zur deutschen Kultur miteinander kurz und prägnant vergleichen. Zu diesem Zweck bitte ich möglichst den Vorstand jeder Partei um ein Statement zur folgenden – bewusst einfach gehaltenen – Frage:
– *Welche Bedeutung haben Goethe und Schiller für Deutschland?*
Wenn die Antwort kurz genug ist, kann ich sie ganz einsetzen; bei längeren Antworten würde ich kürzen bzw. die treffendste Aussage aussuchen. Wenn es möglich wäre, von Ihnen ein Statement zu bekommen, wäre mir das sehr nützlich. Wenn Sie mir dabei behilflich sein könnten, wäre ich Ihnen sehr verbunden, und verbleibe,
mit freundlichen Grüßen,

Eric T. Hansen

Die Antworten (ungekürzt):

Prof. Monika Grütters, Mitglied des Deutschen Bundestages CDU/CSU Bundestags-Fraktion:
Goethe und Schiller sind die bedeutendsten Dichter Deutschlands. In einer Umfrage haben die deutschen Bürger Johann Wolfgang von Goethe zum berühmtesten Deutschen gewählt. Hier wird deutlich: Deutschland ist stolz darauf, eine Kulturnation zu sein – dass dies nicht nur für die Politik gilt, sondern auch für die ganze Bevölkerung, unterstreicht die große Bedeutung, die der Autor des »Faust« und sein Freund und Kollege Schiller besitzen.

Wolfgang Thierse, Vorsitzender des Kulturforums der Sozialdemokratie:
Goethe und Schiller wurden historisch von der Politik für vieles und alles Mögliche in grotesker Weise vereinnahmt. Vorsicht ist also geboten. Dennoch will ich mit zwei Hinweisen der Aufgabe nachkommen, ein Statement zur Bedeutung der beiden für Deutschland zu formulieren:

I.

Goethe und Schiller als zwei der bedeutendsten Repräsentanten unseres Landes der Dichter und Denker mahnen uns auch heute daran, die Arbeit an einem Europa der Kulturnationen nicht zu einem nachrangigen Politikfeld verkommen zu lassen. Verstehen wir die eigene Kulturnation auch als eine geistige Aufgabe, die nie beendet sein wird, so folgt hieraus für die Politik, Investitionen in die Kulturnation zu verteidigen und Kunst und Kultur nicht allein den liberalisierten Märkten und dem Gerede von (zu hohen) Subventionen zu überlassen.

II.

Goethe und Schiller waren zwei befreundete Geistesgrößen, die bis heute auf ein zentrales intellektuelles Spannungsverhältnis

276

verweisen: den einen bewegte vor allem, was er sah, der andere glaubte an die Wahrheit der Gedanken. Bis heute vollzieht sich alle kulturelle Tätigkeit zwischen Empirie und Idealismus. Politisches Handeln ist nur dann zukunftsfähig, wenn Analyse und Idealismus, Realität und Vision, nicht gegeneinander ausgespielt werden. Hier bietet das Studium der Schriften beider nach wie vor Anregungen in Hülle und Fülle.

Dr. Wolfgang Gerhardt, Vorsitzender der FDP-Bundestagsfraktion:

Friedrich Schiller und Johann Wolfgang von Goethe spiegeln in ihren Werken die typisch deutschen Akzente und die wesentlichen Züge und Merkmale, die die deutschsprachige Kultur über die Jahrhunderte wesentlich geprägt haben. Sturm und Drang, Zweifel und Verzweiflung, unbändiges Streben nach Freiheit und Selbstbestimmung, nach gleichen Rechten, nach Menschlichkeit, die Suche nach Glück und Liebe, aber auch die dunklen Seiten der menschlichen Seele – die Thematiken, mit denen sich diese beiden großen Dichter und Literaten beschäftigt haben, waren auch immer die Themen der Menschen in Deutschland, die auf diesem Wege ins Licht gerückt wurden. Goethe und Schiller haben das deutsche Kulturwesen über lange Zeit bestimmt, weil sie die Stimmungen der Menschen aufgenommen und zum Ausdruck gebracht haben, und sie wirken in der Größe ihrer Werke fort.

Claudia Roth, Bundesvorsitzende von Bündnis 90/Die Grünen:

Die Versuche, in Deutschland eine homogene »Deutsche Leitkultur« wieder beleben zu wollen, sind wenig überzeugend – schon deshalb, weil sie auf die beiden größten deutschen Dichter, auf Goethe und Schiller, verzichten müssen. Denn beide stehen für ein weltoffenes Deutschland, für eine Kultur der Vielfalt und der Toleranz.

Schiller wollte nicht nur für »eine« Nation schreiben. Das war für ihn ein armseliges, einem philosophischen Geiste unerträgliches Ideal. Und Goethe warnte die Deutschen vor dem

»pedantischen Dünkel«, in den sie verfallen, wenn sie nicht »aus dem engen Kreise unserer eigenen Umgebung hinausblicken«. Für ihn war die Zeit der »Weltliteratur« angebrochen, deren Heraufkunft er beschleunigen wollte.

Weltoffenheit und Toleranz – darin liegt auch die Aktualität von Goethe und Schiller in einer Zeit, in der Deutschland seinen Beitrag zu einer friedlich und gerecht gestalteten Globalisierung leisten muss.

Lothar Bisky, Bundesvorsitzender der PDS:

Goethe und Schillers Weltsichten, diese Dichter der Weimarer Klassik, sind verwoben mit Reiseerfahrungen nach Italien und einem durchaus europäischen Blick: Der Prometheusmythos, der Helena-Akt im Faust II, Don Carlos, Maria Stuart, selbst Wilhelm Tell – diese Stoffe sind nichts originär Deutsches.

Das Schillerjahr ist grad vorüber. Es hat mich an die dürftige Neigung der Deutschen zur Komödie erinnert. Doch zugleich auch daran, dass Schiller immerhin der am meisten parodierte Dichter der Deutschen ist. Denkt man an »Ehret die Frauen, sie flechten und weben / Himmlische Rosen ins irdische Leben«, so klingelt einem heute auch Schlegels: »Ehret die Frauen, sie stricken die Strümpfe / Wollig und warm, zu durchwaten die Sümpfe« in den Ohren. Und das liegt wohl etwas näher an der Wirklichkeit.

Nun spreche ich schon von Gemeingütern deutscher Klassik, von Schulliteratur und Theaterwelten, so kommt man schnell zu den Traditionen deutscher Kulturpolitik. Kultur für alle, wie sie die Linkspartei fordert und Kultur als Staatziel, wie vor der Wahl auch die SPD, die FDP und die Linkspartei gefordert haben, diese Debatten sind längst nicht erledigt. Sie sind durchaus auch ein Stück weit eine deutsche Tradition. Sponsoring und Kulturwirtschaft sind uns traditionell etwas ferner. Doch beides kann man nicht gegeneinander ausspielen. Off-Szenen, auch moderne Bearbeitungen von Goethe und Schiller gedeihen besser mit reichlichen Förderwelten, mit Förderungen einer modernen Kulturindustrie, der

278

öffentlich-rechtlichen Medien, der Filmwirtschaft, der künstlerischen Hochschulen, der interkulturellen Begegnungen, im Stadtteiltreff genauso wie in der Staatsoper.

In Deutschland ist Kultur weitgehend Ländersache. Daran ist nichts auszusetzen, wenn die Länder und Kommunen in der Lage wären, eine kulturelle Grundversorgung zu sichern und eine kreative Kooperation mit Bundesaufgaben bewältigen würden. Da ist allerdings viel Nachhol- und Neuregelungsbedarf, sonst sind Spielstätten, insbesondere lebendige Ensembles, auch Jugendkultur und experimentelle Medienangebote in Gefahr.

Das Staatziel Kultur wird nach dem Willen der großen Koalition aus SPD und CDU/CSU vorerst nicht ins Grundgesetz aufgenommen. Immerhin ist die überfällige Fusion der Kulturstiftungen geplant. Bis Juli 2006 will die Koalition Anreize für privates Kapital für Filmproduktionen in Deutschland schaffen, vergleichbar anderen EU-Ländern. Auswärtige Kulturpolitik wird aber nicht beim neuen Kulturstaatsminister angesiedelt. Sie bleibt beim Auswärtigen Amt. Eine merkwürdige Splittung, wenn man bedenkt, dass Kulturaustausch auf allen Ebenen mehr ist als Repräsentation.

So möchte ich mit einer Sentenz aus Wallensteins Tod: »Eng ist die Welt, und das Gehirn ist weit« zusammenfassen, auch Schiller hat unserer Kulturpolitik noch einiges zu sagen.

Udo Voigt, NPD-Parteivorsitzender:
Alle historischen Größen eines Volkes, die einen Beitrag für die Entwicklung der Kultur geleistet haben, sind für die Gegenwart von größter Bedeutung. Das gilt auch für Goethe und Schiller. Beide haben sehr stark unsere Sprache geprägt und damit auch unser Denken. Dass die Axt im Haus den Zimmermann erspare, so ein »klassisches Zitat«, stellt nur die Spitze des Eisberges dar. Ganze Denkformen haben sich in das Bewusstsein der Deutschen eingegraben. Sich mit diesen Geistesgrößen zu beschäftigen, heißt das eigene Wesen zu verstehen, bedeutet Identifikation mit der deutschen Kultur.

Goethe und Schiller sind zudem wie zwei Pole des deutschen Wesens, die zusammengehören. Das Denkmal der beiden großen Klassiker ist somit eine gute Mahnung für die Deutschen. Während Goethe der Weltweise war, aber im Kern der deutsche Bürger, kennen wir Schiller als denjenigen, der mit unbändiger Kraft für die Freiheit streitet. Wir benötigen heute beides.

Beide schließlich vereint ein Bekenntnis zum eigenen, das uns heute so bitter fehlt. »Welche Regierung die beste sei?«, fragt Goethe und antwortet zeitlos: »Diejenige, die uns lehrt, uns selbst zu regieren.« Was für ein Gedanke in Zeiten geistiger Fremdbestimmung! Schiller schließlich vermittelt uns einen Freiheitsbegriff, der heute für höchstes Erstaunen sorgen würde, nähme man ihn ernst. Frei kann man nach Schiller nur in seinem Volkstum sein, »durch seine Sitte«. Freiheit ohne Bindung und Verantwortung war ihm ein unerträglicher Gedanke.

Beide, Goethe und Schiller, waren fest davon überzeugt, dass sich die Menschen zu Höherem entwickeln können und müssen, wenn sie Mensch bleiben wollten. Im Zeitalter der willenlosen Konsumknechte ist das wahrlich eine gute Botschaft. Wie sang Goethe seinem dahingeschiedenen Freund nach? »Das Gute wirke, wachse, fromme, damit der Tag dem Edlen endlich komme.«

Die Professoren

Von den zwanzig philologischen Instituten, an die ich meine Gesuche zur Erlangung eines Lehrstuhls zur Ästhetik des Nörgelns gerichtet habe, haben drei geantwortet:

WESTFÄLISCHE
WILHELMS-UNIVERSITÄT
MÜNSTER

Philosophische Fakultät
DER DEKAN

Westfälische Wilhelms-Universität Münster · Philosophische Fakultät
Georgskommende 33, Haus C · 48143 Münster

Herrn   Münster, den 18. April 2006
Eric Hansen M.A.
Gotenstr. 8
10829 Berlin

Sehr geehrter Herr Hansen,

vielen Dank für Ihre interessante Anregung zur Einrichtung eines neuen Lehrstuhls. Für diese
Vorschläge sind die Fachbereiche die richtige Adresse. Wir betrachten Ihre Anregung als
gelungenen Aprilscherz und raten Ihnen dringend, das Angebot an der Universität Hawai – falls
wirklich vorhanden – anzunehmen, dies umso mehr, da ich mich letztes Jahr von der Schönheit
Hawais überzeugen konnte.

Mit freundlichen Grüßen

Prof. Dr. Dr. h. c. Wichard Woyke

Dekanat der Philosophischen Fakultät, Georgskommende 33, Haus C, 48143 Münster
Telefon: (02 51) 83 2 12-10
Telefax (02 51) 83 2 12-19; E-Mail philfak.eglseder@uni-muenster.de

Eric Hansen, M.A.
Gotenstr. 8

10829 Berlin

Philosophische Fakultät
Der Dekan
Prof. Dr. Bernhard R. Kroener

Bearbeiter:
Telefon: 0331/977 1777
Telefax: 0331/977 1684
Datum: 9. Mai 2006

Sehr geehrter Herr Hansen,

verzeihen Sie bitte die späte Reaktion auf Ihre interessante Abhandlung, doch haben mich die Tagesgeschäfte – ohne jetzt nörgeln zu wollen – zu stark eingespannt.

So interessant ich die Lektüre Ihrer Abhandlung auch fand, befürchte ich doch, dass die Umsetzung Ihres Vorschlags nicht möglich sein wird. Die Einrichtung einer Professur ist mit einer großen Anzahl an Hürden verbunden, die letztlich immer auf das gleiche Problem zurückzuführen sind – die Finanzierung. Wenn Sie also einen Mittelgeber finden, ist die Fakultät gern bereit, Sie hier als Gastprofessor zu begrüßen und Ihnen bei der Suche nach angemessenen Arbeitsbedingungen zu helfen.

Der von Ihnen alternativ vorgeschlagene Lehrauftrag, der ja bei weitem nicht so kostspielig ist, wird nur dann die Zustimmung und Finanzierung durch die Fakultät finden, wenn Ihr Lehrangebot in das Curriculum eines Studienganges eingepasst werden kann. Am ehesten ist die Angelegenheit wohl philosophisch zu betrachten. Aus diesem Grund werde ich meinen Kollegen am Institut für Philosophie Ihre Ausarbeitung zur Verfügung stellen. Zwar haben Sie inzwischen sicherlich das Angebot der Universität Hawaii angenommen (wer könnte eine solche Chance ablehnen?), doch könnte man bei beiderseitigem Interesse trotzdem in Zukunft in einen fruchtbaren, nörgelfreien Austausch treten.

Für Ihre berufliche Zukunft wünsche ich Ihnen alles Gute.
Mit freundlichen Grüßen

Prof. Dr. Bernhard R. Kroener
Dekan

Kopie an Institut für Philosophie

Bankverbindung:
Deutsche Bundesbank, Filiale Potsdam
Kontonummer: 160 015 00
BLZ: 160 000 00

Dienstgebäude:
Universitätskomplex 1
Am Neuen Palais 10
14469 Potsdam

E-mail:
phildek@rz.uni-potsdam.de
http://www.uni-
potsdam.de/over/philgd

Johann Wolfgang Goethe-Universität Frankfurt am Main
Dekanat Fb 9 · Postfach 11 19 32 · 60054 Frankfurt am Main

JOHANN WOLFGANG GOETHE

UNIVERSITÄT
FRANKFURT AM MAIN

Prof. Dr. Rainer Voßen

Herrn
Eric Hansen, M.A.
Gotenstr. 8
10829 Berlin

Telefon	+49 (0)69 / 798 – 22915
	+49 (0)69 / 798 – 22916
	+49 (0)69 / 798 – 25023
Telefax	+49 (0)69 / 798 – 28474
E-Mail	Dekanat-FB09@em.uni-frankfurt.de
	www.uni-frankfurt.de

Datum: 31. Mai 2006

rv/KK

Ihr „Ersuch um Einrichtung eines Lehrstuhls
und um Vergebung [sic!] eines Lehrauftrags"

Sehr geehrter Herr Hansen,

haben Sie Dank für Ihr Schreiben vom 8. April 2006, das ich, ebenso wie die beigefügte
Grundsatzabhandlung, mit großem Interesse (und Vergnügen) zur Kenntnis genommen
habe. So überzeugend Ihre Argumente zur wissenschaftlichen Befassung mit den
Grundlagen einer Nörgelästhetik auch sein mögen, so wenig sehe ich (zu meinem eigenen
Bedauern) augenblicklich die Möglichkeiten, eine entsprechende Professur initiieren zu
können.
Auch die Vergabe eines Lehrauftrags zu der von Ihnen vorgeschlagenen Thematik dürfte
an der disziplinären Ausrichtung unseres Fachbereichs und nicht zuletzt an den
wohlbekannten Grenzen universitärer Praxis scheitern: Die Hochschullandschaft in diesem
unserem Lande ist leider weitgehend satireresistent.

Um Ihnen die Entscheidung für ein offensichtlich bestehendes Angebot aus Hawaii leicht
zu machen, schicke ich diese abschlägigen Bemerkungen vorweg.

Ungeachtet dessen scheint mir der Gedanke an einen Vortrag über ästhetische Aspekte des
Nörgelns, Moserns, Mäkelns oder Krittelns äußerst verlockend, zumal dann, wenn sich Ihr
Beitrag auf die akademische Sphäre zuspitzen ließe. Ich könnte mir einen solchen Vortrag
im Sinne einer Fort- und Weiterbildungsmaßnahme vorstellen, einer Veranstaltung zur
Förderung der Sensibilität von Hochschulangehörigen im Umgang mit insbesondere
„statusorientierter Nörgelei".

Fachbereich Sprach- und Kulturwissenschaften (FB 09) • Dekanat (Campus Bockenheim)

Postfach 11 19 32 • D 60054 • Frankfurt am Main • (Paketpost: Bockenheimer Landstraße 133 • D-60325 Frankfurt am Main)

Falls auch Sie sich mit diesem Gedanken anfreunden könnten und Sie trotz Ihrer zu erwartenden Verpflichtungen auf Hawaii in der Lage sind, Zeit für einen Vortrag im Sinne der *gaya scienza* zu erübrigen, würde ich mich über eine kurze Mitteilung freuen – getreu dem Motto zur *Fröhlichen Wissenschaft*, 2. Ausgabe von 1887, das auch Nietzsches Haustür schmückte:

„Ich wohne in meinem eigenen Haus,
Hab Niemandem nie nichts nachgemacht
Und – lachte noch jeden Meister aus,
Der nicht sich selber ausgelacht."

Mit freundlichen Grüßen

Prof. Dr. Rainer Voßen
Dekan

Danksagung

Dank gebührt vor allem den vielen Experten, die mir mit Informationen und Interviews behilflich waren, nicht nur den im Buch genannten, sondern auch all den anderen:

Rüdiger Achenbach, Redakteur beim Deutschlandfunk und Autor des Buches *Die Päpste und die Macht*; Professor David E. Barclay, Executive Director, German Studies Association im Kalamaazoo College, und Autor der Reuter-Biographie *Schaut auf diese Stadt*; Peter Bofinger, Wirtschaftswissenschaftler an der Universität Würzburg und Autor des Buches *Wir sind besser, als wir glauben*; Walter Demel, Historiker für Frühe Neuzeit an der Universität der Bundeswehr München; Stefan Geyersberger vom Fraunhofer Institut; Bernhard Lauer, Leiter des Brüder Grimm-Museums in Kassel; Professor Hartmut Lehmann, Historiker und Autor des Buches *Säkularisierung – Der europäische Sonderweg in Sachen Religion*; Professor Friedrich Lenger vom Historischen Institut der Justus-Liebig-Universität Gießen; Matthias Naumann, Erfinder des Universalleseständers; Dr. Brigitta Schmidt-Lauber vom Institut für Volkskunde, Universität Hamburg, und Autorin des Buches *Gemütlichkeit*; Gudrun Schwibbe, Professorin für Kulturanthropologie an der Universität Göttingen und Autorin des Buches *Kneipenkultur*; Peter Weinmann von der Karl-Simrock-Forschung in Bonn und Klaus Wiegrefe, *Spiegel*-Redakteur und Autor des Buches über die Spannungen zwischen Jimmy Carter und Helmut Schmidt, *Das Zerwürfnis*.

Ich möchte mich auch bei all den netten Leuten der zahlreichen öffentlichen Ämter, Verbände, Museen, Universitäten, Websites und Zeitungsarchive bedanken, die mir bei meinen Recherchen geholfen haben ... auch und besonders bei denjenigen, mit denen ich im Text möglicherweise ein wenig sarkastisch umgegangen bin.

Dank an all die Freunde, die ungenannt in Anekdoten auftauchen oder mir bei Themen- und Titelfindung geholfen haben; weiter an Annette, Friederike und Kerstin für ihren Stolz und an die Dekane Woyke, Kroener und Voßen dafür, dass sie Humor haben. Ebenso Dank an meine Agentin Ursula Bender und dem Team beim Fischer Taschenbuch Verlag. Besonderer Dank gilt meiner Mitkämpferin Astrid Ule, die mein Ami-Deutsch ins Deutsch-Deutsche gebracht und unermüdlich Witze, Ideen und den nie zu unterschätzenden Kommentar beigetragen hat: »Langweilig. Kürzen.«

Ich möchte ebenfalls Michael Rutschky danken, dessen Buch *Wie wir Amerikaner wurden* mich so aufgeregt hat, dass ich dieses Buch schreiben musste.